U0959271

《中国法院2023年度案例》编委会

主　任　刘贵祥

副主任　李晓民　雷　鸿　胡田野　王晓芳　袁登明

成　员　赵海峰　王　立　梁　欣　程　瑛　王　锐
　　　　　刘　畅　曹海荣　朱建伟　李晓果

《中国法院2023年度案例》编辑人员（按姓氏笔画）

王　锐　王翼妍　刘　畅　朱建伟　朱　琳　李晓果
李明桓　李　谦　宋　爽　林子雍　胡　岩　赵文轩
姜　丹　唐世银　唐鑫鑫　徐　汎　曹海荣　梁　欣
程　瑛　焦　颖　潘园园

编　务　赵文轩

本书编审人员　唐世银

中国法院2023年度案例

国家法官学院　最高人民法院司法案例研究院／编

保险纠纷

中国法制出版社
CHINA LEGAL PUBLISHING HOUSE

《中国法院2023年度案例》通讯编辑名单

刘晓虹　北京市高级人民法院
王　凯　北京市高级人民法院
董　扬　天津市高级人民法院
童若涵　河北省高级人民法院
崔铮亮　山西省高级人民法院
杨智勇　内蒙古自治区高级人民法院
周文政　辽宁省高级人民法院
苏　浩　吉林省高级人民法院
王　妍　黑龙江省高级人民法院
牛晨光　上海市高级人民法院
缪　芳　江苏省高级人民法院
左一凡　江苏省高级人民法院
谷昔伟　江苏省南通市中级人民法院
宋婉龄　江苏省无锡市中级人民法院
杨　治　浙江省高级人民法院
李　波　浙江省高级人民法院
刘伟玲　安徽省高级人民法院
杨　宇　福建省高级人民法院
章光园　江西省高级人民法院
李　宁　山东省高级人民法院
张　琦　河南省高级人民法院
宋淼军　湖北省高级人民法院
黄　娅　湖北省宜昌市中级人民法院
唐　竞　湖南省高级人民法院
李　雪　广东省高级人民法院
邹尚忠　广西壮族自治区高级人民法院
韦丹萍　广西壮族自治区高级人民法院
李周伟　海南省高级人民法院
闫帅锋　重庆市高级人民法院
任　梦　四川省高级人民法院
杨俊杰　云南省高级人民法院
石　瑾　云南省昆明市中级人民法院
伍席芳　贵州省高级人民法院
余长智　贵州省贵阳市中级人民法院
王丽萍　西藏自治区高级人民法院
郑亚非　陕西省高级人民法院
张旦旦　甘肃省高级人民法院
王　晶　青海省高级人民法院
康　莹　宁夏回族自治区高级人民法院
石孝能　新疆维吾尔自治区高级人民法院
吉　雄　新疆维吾尔自治区高级人民法院生产建设兵团分院

序

法治是治国理政的基本方式，司法是法治体系的重要基石。党的二十大报告指出，要坚持走中国特色社会主义法治道路，建设中国特色社会主义法治体系、建设社会主义法治国家。加快建设公正高效权威的社会主义司法制度，努力让人民群众在每一个司法案件中感受到公平正义。人民法院始终坚持以习近平新时代中国特色社会主义思想为指导，深入学习贯彻习近平法治思想，围绕“公正与效率”这一主题，践行新时代能动司法理念，把加强司法案例研究作为加快建设公正高效权威社会主义司法制度，坚持为大局服务、为人民司法的重要途径，通过发布具有普遍指导意义的典型案例，统一法律适用，提高审判质效，提升司法公信力，努力让人民群众在每一个司法案件中感受到公平正义。

“中国法院年度案例系列”丛书，是国家法官学院和最高人民法院司法案例研究院精选全国各高级人民法院每年选送的优秀案例，深入挖掘典型案例内在价值编辑的实用精品丛书，旨在总结提炼典型案例的裁判规则和裁判方法，发挥司法规范、指导、评价、引领的重要作用，大力弘扬社会主义核心价值观，增强全民法治意识和法治素养，展现新时代我国司法领域新发展、新成就。

本丛书自2012年编辑出版以来，已连续出版12年，每年年初出版，受到读者广泛好评。本丛书出版之初有15个分册。近年来，为顺应审判执行实践需要，更加全面反映我国司法审判执行工作的发展进程，响应读者需求，2014年度新增金融纠纷、行政纠纷、刑事案例3个分册，2015年度将刑事案例调整为刑法总则案例、刑法分则案例2个分册，2016年度新增知识产权纠纷分册，2017年度新增执行案例分册，2018年度将刑事案例扩充为4个分册，2022年度将土地纠纷（含林地纠纷）分册改为土地纠纷（含环境资源案例）分册。在全国各级人民法院的大力支持下，丛书编委会现编辑出版《中国法院2023年度案例系列》丛书，共23个分册。

“中国法院年度案例系列”丛书以开放务实的态度、简洁明快的风格，追求“好读有用”，主要体现出以下特色：一是选编案例来源广泛、时效性强。

国家法官学院和最高人民法院司法案例研究院每年通过各高级人民法院汇集全国范围内上一年度审结生效的典型案例近万件，使该丛书有广泛的精选基础，可及时、定期提供全国范围内新近发生的多种类型的新型、疑难案例。二是由法官释理说法，全方位深度挖掘案例价值。大多数案例由主审法官撰写“法官后语”，深入阐释案例的裁判思路和相关考量，充分发挥典型案例在司法裁判、类案参考、法学研究、行为指引、宣示教育等方面的价值，力求引发读者的共鸣与思考，为读者提供借鉴和启迪。三是编排依次以案由和法律适用问题为序，方便读者检索。丛书充分体现“以读者为中心”的理念，每册内容主要根据案由分类编排，每个案例主要围绕法律适用问题，用一句话精要概括裁判规则、裁判思路或争议焦点，以其作为主标题，让读者能一目了然，迅速找到所检索的目标案例。四是注重裁判文书再加工，高度提炼案例内容。案例编写突出争议焦点以控制篇幅，剔除无关信息，尽可能在有限的篇幅内为读者提供更多与争议焦点、所查类案相关的有效、有益信息。

中国法制出版社始终全力支持“中国法院年度案例系列”丛书的出版，给了作者和编辑们极大的鼓励。2023年，这套丛书将继续提供数据库增值服务。购买本书，扫描前勒口二维码，即可在本年度免费查阅往年同类案例数据库。我们在此谨表谢忱，并希望通过共同努力，逐步完善，做得更好，真正探索出一条编辑案例书籍、挖掘案例价值的新路径，更好地服务司法审判高质量发展、服务法治社会建设、服务学习研究法律的读者。

“中国法院年度案例系列”丛书既是法官、检察官、律师等法律工作者的办案参考和司法人员培训的实用教材，也是社会大众学法用法的经典案例读本，同时是教学科研机构与人员从事案例研究的良好系列素材。当然，案例作者和编辑在编写、编审过程中也难以一步到位实现最初的愿望，客观上会存在各种不足甚至错误，欢迎读者批评指正。我们愿听取各方建议，不断拓宽深化司法案例研究领域，立足新发展阶段，推动实现中国特色司法案例事业的高质量发展。

国家法官学院

最高人民法院司法案例研究院

2023年5月

目　录

Contents

一、财产保险合同纠纷

（一）财产损失保险合同纠纷

1. 保险标的转让后投保人行使任意解除权应受到严格限制 …………………… 1
——蒋某诉财保盐城分公司财产保险合同案

2. 保险合同约定机动车推定全损的计算标准低于保险金额的确定依据时，应以保险金额作为推定全损的依据 ……………………………………… 6
——王某诉人保成都分公司财产保险合同案

3. 保险人对禁止性规定作为免责事由的免责条款的提示说明义务审查 …… 10
——廖某、朱某诉人保泉州公司财产保险合同案

4. 保险人在承保时知道实际车主隐名投保的，应认定实际车主为投保人 … 14
——南某诉人保连云港分公司财产保险合同案

5. 保险事故中查勘、定损责任分担方式及次生损失赔偿规则 ……………… 20
——牛某诉人保北京分公司保险合同案

6. 被保险人尚未向第三者赔偿，能否要求保险公司向第三者支付赔偿 …… 24
——王某诉财保北京分公司财产保险合同案

7. 车辆质押权人保险利益的认定 ………………………………………… 28
——赵某诉保险增城支公司财产保险合同案

8. 驾驶人自认醉驾时保险费的赔付 …… 32
——王某诉保险澄海服务部责任保险案

9. 利用多平台从事网约顺风车是否改变车辆使用性质的认定 …… 36
——张某诉保险青岛分公司财产保险合同案

10. 越野车沙漠出险是否构成保险法第五十二条规定的危险程度显著增加 …… 41
——房地产开发公司诉保险北京分公司财产保险合同案

11. 事故车辆施救费和车辆损失鉴定费是否属于保险理赔范围的认定 …… 45
——吴某诉某财产保险股份有限公司淄博市分公司财产保险合同案

12. 受损保险车辆未维修情况下实际损失的认定 …… 49
——张某诉某保险公司财产保险合同案

13. 财产保险案件涉嫌骗保的应审慎审查保险事故过程 …… 54
——朱某诉财险厦门分公司财产保险合同案

14. 无管辖权法院委托的鉴定意见效力如何认定 …… 58
——冯某诉人保南京分公司保险合同案

15. 特种车辆在工地作业时发生责任事故是否属于交强险赔付范围 …… 62
——郭某诉财保蚌埠支公司保险合同案

16. 避险紧急制动致承运物损失之保险责任范围认定 …… 66
——运输公司诉财保甘肃分公司财产保险合同案

17. IDI保险合同生效及投保人解除权的认定 …… 70
——财保上海分公司诉房地产开发公司财产保险合同案

18. 保险事故发生时，被保险人对保险标的不具有保险利益的，不得向保险人请求赔偿保险金 …… 77
——邓某诉财险浦城支公司、某林场财产保险合同案

19. 当事人诉讼外对损失金额的自认可以作为认定损失金额的重要证据 …… 81
——纺织公司诉保险诸暨支公司财产保险合同案

20. 共同海损理算程序未启动情形下的保险赔偿责任 …………………… 85
——矿产公司诉保险浙江分公司海上保险合同案

21. 重复保险分摊请求权的成立和行使 …………………………………… 89
——A 保险中山分公司诉 B 保险东莞分公司财产保险合同案

（二）信用保险合同纠纷

22. 融资性信用保险合同纠纷之裁判路径 ………………………………… 95
——金融租赁公司诉财险公司财产保险合同案

23. 投保出口信用险并不能豁免被保险人对交易对手的审慎调查义务 …… 101
——五金制品公司诉保险厦门分公司财产保险合同案

（三）保证保险合同纠纷

24. 保证保险合同保险人主张代位求偿权的金额范围应限于赔付金额及资金占用期间的利息损失 …………………………………… 106
——财保公司诉李某保证保险合同案

25. 保证保险合同中“约定受益人”条款的有效性认定 ………………… 110
——投资公司诉保险公司保证保险合同案

26. 电子借款保证保险合同效力在诚信原则下的认定规则 …………… 114
——严某诉某保险分公司等保证保险合同案

27. 无特别约定时贷款保证保险人无权向其他贷款担保人行使追偿权 …… 119
——保险镇江分公司诉制桶公司等追偿权案

（四）责任保险合同纠纷

28. 诉讼保全责任险中保险人向被保险人追偿权成立的前提为被保险人的保险金给付请求权不能成立 ……………………………… 124
——保险无锡分公司诉常某某追偿权案

二、人身保险合同纠纷

（一）人寿保险合同纠纷

29. 保险代理人阻碍投保人履行如实告知义务行为的认定及责任承担 …… 130
——王某诉韩某、保险北京分公司人身保险合同案

30. 民法典第四百九十六条第二款不能作为请求解除保险合同的法律依据 …… 134
——龚某诉人保重庆分公司人身保险合同案

（二）意外伤害保险合同纠纷

31. 按机动车处理的超标电动车不属于意外伤害保险中约定的“机动车交通工具”范畴 …… 139
——吉甲、谌甲诉保险公司保险合同案

32. 保险公司对人力资源公司受托投保的雇主责任险不得拒赔 …… 142
——管理咨询公司诉人保广东分公司保险合同案

33. 保险合同中猝死原因的举证责任分配 …… 146
——左甲等诉财保福建分公司、人力资源公司保险合同案

34. 财产保险与人身保险并存时损害填补原则的适用 …… 149
——陈甲诉财险深圳分公司、物流公司人身保险合同案

35. 保险员代为填写的保险内容与投保人告知内容不一致时，保险责任的认定 …… 154
——肖某诉保险公司人身保险合同案

36. 被保险人死亡原因无法查明时比例赔偿原则的适用问题 …… 158
——黄某等诉保险宜昌分公司保险合同案

37. 补偿款不能作为责任保险索赔依据 …… 161
——某学院诉保险北京分公司人身保险合同案

38. 车辆未失控情形下驾驶人溺亡是否构成保险意外事故 …………………… 165
——况甲诉人保重庆分公司保险合同案

39. 对机动车概念的理解差异不属于“对格式条款的理解有争议”之情形 ………………………………………………………………………… 169
——于某诉保险公司意外伤害保险合同案

40. 交通出行人身意外伤害保险中“非营运汽车”的理解与适用 ………… 176
——景某某诉保险沭阳支公司保险合同案

41. 侵权情况下医疗费保险赔偿金的确定规则 ………………………………… 179
——沈某诉保险南通支公司、安装集团公司人身保险合同案

42. 司法鉴定标准实质性符合保险合同约定标准的，可以作为理赔依据 … 183
——王某诉保险淮安支公司人身保险合同案

43. 意外伤害保险理赔的近因原则分析 ……………………………………… 187
——吕甲、吕乙诉保险公司保险合同案

44. 员工在获得用人单位足额赔偿的情形下，可以将保险金请求权转让给用人单位 …………………………………………………………… 191
——实业公司诉保险当阳支公司意外伤害保险合同案

45. 职业类别赔付限制属于格式条款，保险公司应尽到提示告知义务 …… 194
——杨甲等诉某某保险公司意外伤害保险合同案

（三）健康保险合同纠纷

46. 保险代理人为自己投保，未履行如实告知义务，保险总公司不承担保险金给付赔偿责任 ……………………………………………… 198
——王某诉保险总公司、保险镇江支公司保险合同案

47. 保险人肯定性理赔答复意见可不受合同条款限制 ……………………… 202
——朱某诉保险总公司、保险重庆分公司人身保险合同案

48. 保险人未证明被保险人的危险程度在合同中止期间显著增加的，无权拒绝复效请求 …… 206
——郑某、王某诉保险公司人身保险合同案

49. 保险事故发生在合同成立之日起二年内的，保险人不受二年不可抗辩期间约束而享有解除权 …… 210
——杨某诉保险南京支公司人身保险合同案

50. 互联网投保保险人应尽到比线下更高的提示与明确说明义务 …… 214
——杨某诉保险厦门分公司人身保险合同案

51. “疾病释义”条款是否属于保险合同免责条款的司法认定 …… 218
——温某诉保险广东分公司人身保险合同案

52. 健康保险合同中保险责任条款所载“初次患病”的司法认定 …… 223
——尤某诉保险无锡分公司、保险总公司健康保险合同案

53. 商业护理险“长期护理状态”的司法认定 …… 227
——顾某诉保险公司保险合同案

54. 投保人如实告知义务应以保险人询问及最大诚信原则为限 …… 233
——汪某诉保险公司人身保险合同案

55. 专家辅助人制度在涉人身保险纠纷中的适用 …… 238
——郭某诉保险总公司、保险北京分公司人身保险合同案

三、保险人代位求偿权纠纷

56. 保险人向非机动车一方行使代位求偿权的认定 …… 243
——A 保险公司诉石某、B 保险公司保险人代位求偿权案

57. 被挂靠人、承运人是否应当对保险人代位求偿权承担连带赔偿责任的认定 …… 248
——保险公司诉商贸公司、吴某保险人代位求偿权案

58. 贷款保证保险代位求偿权的范围和抵押权行使的认定 …… 252
——保险公司诉梁某、牟某保险人代位求偿权案

59. 与无保险经营资质公司签订的《机动车三者责任安全统筹合同》不具有保险合同的法律效力 …… 257
——甲保险公司诉刘某等保险人代位求偿权案

60. 责任保险中，保险公司向被保险人的支付不免除其向第三者的赔偿义务 …… 261
——甲保险公司诉郑某、乙保险公司保险人代位求偿权案

一、财产保险合同纠纷

（一）财产损失保险合同纠纷

1

保险标的转让后投保人行使任意解除权应受到严格限制

——蒋某诉财保盐城分公司财产保险合同案

【案件基本信息】

1. 裁判书字号

江苏省盐城市中级人民法院（2020）苏09民终4257号民事判决书

2. 案由：财产保险合同纠纷

3. 当事人

原告（被上诉人）：蒋某

被告（上诉人）：财保盐城分公司

【基本案情】

蒋某所有的A号车辆原为某机械厂所有，该车在财保盐城分公司投保了不计免赔的机动车辆损失险、不计免赔的第三者责任保险等险种，并缴纳了保费6198.87元，保险期间为2017年9月28日14时至2018年9月28日24时。

2017年12月19日蒋某又加保494.69元。2018年1月16日，蒋某申请退保未果，诉至法院。

一审中，蒋某陈述，某机械厂于2017年12月16日将A号车辆过户给其，其于2017年12月20日将该车卖给浙江的王某并办理过户，那时候是临牌。原保费总额6198.87元，包含机动车损失保险、第三者责任保险等。后由某机械厂变更为蒋某个人，2017年12月19日又加保494.69元。应退费金额：494.69元/282天×255天（2018年1月16日至2018年9月28日）+6198.87元/365天×255天=4778元（取整）。

财保盐城分公司对蒋某陈述的车辆购置转让情况无异议，并认为蒋某于2017年12月20日已转让车辆，但其2018年1月16日才来财保盐城分公司申请退保，不符合逻辑；对于保险费的计算应扣除《中华人民共和国保险法》规定的人工费。后财保盐城分公司经核实，对蒋某退保申请的事实不否认，但对蒋某申请退保提交的材料的完整性不认可，对蒋某要求退保于2018年1月17日向保监局投诉的事实亦予以认可。蒋某同意按财保盐城分公司提出的保险总费用的5%承担手续费（6198.87元+494.69元）×5%=335元（取整）。

【案件焦点】

蒋某是否可以行使任意解除权。

【法院裁判要旨】①

江苏省盐城市亭湖区人民法院经审理认为：案涉保险合同是双方真实意思表示，不违反法律、行政法规的强制性规定，合法有效，对双方当事人具有约束力。保险合同成立后，投保人按照约定交付保险费，保险人应按照约定的时间开始承担保险责任。《中华人民共和国保险法》第五十四条规定，保险责任开始前，投保人要求解除合同的，应当按照合同约定向保险人支付手续费，保险人应当退还保险费。保险责任开始后，投保人要求解除合同的，保险人应当

① 本书【法院裁判要旨】适用的法律法规等条文均为案件裁判当时有效，下文不再对此进行提示。

将已收取的保险费，按照合同约定扣除自保险责任开始之日起至合同解除之日止应收的部分后，退还投保人。本案中，案涉车辆在财保盐城分公司作了保险，交付了保险费，保险责任开始后，蒋某提出解除合同，财保盐城分公司应当将已收取的保险费，按照合同约定扣除自保险责任开始之日起至合同解除之日止应收的部分后，退还投保人。蒋某于 2018 年 1 月申请退保，按财保盐城分公司认可的蒋某于同年 1 月 17 日因退保投诉之日起算，财保盐城分公司应退还 4778 元，蒋某实际主张 4765 元，扣除手续费 335 元，财保盐城分公司应退还蒋某 4430 元。财保盐城分公司辩称不认可蒋某向其公司申请退费的意见，经查与事实不符，不予采信。

江苏省盐城市亭湖区人民法院依照《中华人民共和国保险法》第十四条、第五十四条之规定，作出如下判决：

财保盐城分公司于判决生效后十日内支付蒋某 4430 元。

财保盐城分公司不服一审判决，提起上诉。江苏省盐城市中级人民法院经审理认为：本案双方就案涉车辆订立的保险合同是双方的真实意思表示，且不违反法律、行政法规的强制性规定，依法应认定合法有效，对双方具有拘束力。本案中，蒋某起诉请求财保盐城分公司退还保险费，其实质是作为投保人行使合同解除权。

根据《中华人民共和国保险法》第十五条规定，除本法另有规定或者保险合同另有约定外，保险合同成立后，投保人可以解除合同，保险人不得解除合同。据此，投保人依法享有任意解除权。但就本案而言，蒋某作为投保人的合同解除权应当受到限制，其提出的财保盐城分公司退还保险费的诉讼请求不应得到支持。理由是：第一，蒋某向财保盐城分公司主张解除案涉保险合同的时间是 2018 年 1 月 16 日，而根据蒋某的陈述，其已于 2017 年 12 月 20 日将案涉车辆卖给案外人王某并已办理过户。根据《中华人民共和国保险法》第四十九条第一款规定，“保险标的转让的，保险标的的受让人承继被保险人的权利和义务”，案涉保险合同中的被保险人已自动变更为王某。被保险人虽然不是保险合同的当事人，但其依法受保险合同保障，并享有保险金请求权，与案涉保险合同的存续与否具有利害关系。第二，蒋某转让案涉车辆前，案涉车辆的车主与案涉保险合同中的投保人、被保险人均是蒋某；蒋某转让案涉车辆后，虽然案涉保险合同中的投保人未变更为受让人，但案涉车辆的车主以及案涉保险合同中的被保险人均已变更为受让人，蒋某与案涉车辆已无任何利害关系。涉案保险车辆转让合同中未涉及车辆保险合同问题。保险合同系依附于车辆而订立，当事人转让车辆时，若存在保险合同而未作出特别约定，应当视为保险合同权利一并转让，原投保人不享有解除权。此时，若还允许其解除案涉保险合同，显然不利于保险标的受让人的权益保护。第三，对于蒋某而言，其原本可以在转让案涉车辆前向上诉人主张解除合同，但其却在转让案涉车辆后约一个月才提出解除，并且在案涉保险合同有效期届满后一年多才提起本案诉讼，其行为目的的正当性也值得怀疑，存在道德风险。据此，财保盐城分公司的上诉理由虽然缺乏相应的法律依据，但其上诉请求应当予以支持，一审判决认定事实清楚，但裁判结果不当，应予纠正。

江苏省盐城市中级人民法院依照《中华人民共和国保险法》第四十九条第一款、《中华人民共和国民事诉讼法》第一百七十条第一款第二项之规定，作出如下判决：

一、撤销一审判决；

二、驳回蒋某的诉讼请求。

【法官后语】①

本案一、二审判决结果截然不同，源于对保险标的转让后原投保人是否享有任意解除权的不同理解。《中华人民共和国保险法》第十五条规定："除本法另有规定或者保险合同另有约定外，保险合同成立后，投保人可以解除合同，保险人不得解除合同。"第四十九条第一款规定："保险标的转让的，保险标的的受让人承继被保险人的权利和义务。"

---

① 本书【法官后语】对相关法律问题涉及的法律法规等进行了时效性更新，下文不再对此进行提示。

投保人任意解除权属于特殊情形下的合同解除。保险合同是具有保障性的合同，投保人为保障自己的保险利益与保险人签订保险合同，保险利益基于投保人对保险标的的权利而产生，投保人有权在法律规定的范围内任意处分自己的民事权利。也即在订立保险合同时，应充分尊重投保人的意思自由，其可以选择保险或者不保险，可以选择何时保险或者何时不再保险。投保人的合同任意解除权是法律赋予保险合同投保人的一项特殊权利，与普通商事合同存在较大不同，属于一项特殊的权利，是法律对投保人权益的一项特别保护措施。

保险标的转让后投保人行使任意解除权应有所限制。其主要理由是：第一，保险法第四十九条曾在2009年进行了较大程度的修改，从原来保险合同不经变更不发生权利义务转让变为当然转让，同时增加规定了当事人保险标的转让的通知义务及责任。该修改的目的是实现保险保障的自动延续，从而避免因保险标的的转让与保险人同意承保之间产生保险合同的空白期，减少争议，充分保障受让人的合法权益。若保险标的转让后，允许原投保人行使解除权，显然会影响到受让人的权利，导致现行保险法第四十九条规定的目的落空。第二，从立法目的看，保险法第四十九条对保险标的转让作出的规定更加合理。财产保险合同系依附于保险标的而订立，若当事人在转让保险标的时未对保险合同作出特别约定，根据社会通常观念，应推定包括保险标的的所有权在内的一切权益均转让给受让人，以及受让人所支付的对价应包括保险合同部分。第三，如此处理并不会对投保人的任意解除权形成实质影响，其完全可以在转让前依法行使合同解除权，从而达到解除合同的目的。本案中，原告的车辆在2017年12月20日即转让给第三人，其如果需要解除保险合同，完全可以在车辆转让前向保险人提出，并不影响其民事权利的行使。

保险标的转让后对投保人行使任意解除权应当进行严格审查。就本案而言，一个特殊情况是，本案原告系在短期内买进并迅速卖出案涉车辆，其在合同存续期间虽曾申请退保，但直至合同有效期届满后一年多时间才提起本案诉讼，经法院释明也不愿提供转让合同，导致相关事实难以查清，其行为目的的正当性值得怀疑，可能存在一定的道德风险，应当承担举证不能的不利法律后果。

与此同时，从规范保险市场秩序和维护当事人合法权益的角度出发，二审法院最终判决对其诉请不予支持。

编写人：江苏省盐城市中级人民法院　王峰

2

保险合同约定机动车推定全损的计算标准低于保险金额的确定依据时，应以保险金额作为推定全损的依据

——王某诉人保成都分公司财产保险合同案

【案件基本信息】

1. 裁判书字号

江苏省无锡市中级人民法院（2019）苏02民终5364号民事判决书

2. 案由：财产保险合同纠纷

3. 当事人

原告（被上诉人）：王某

被告（上诉人）：人保成都分公司

【基本案情】

2019年3月，王某为其所有的重型专项作业车在人保成都分公司处投保了财产损失险、附加第三者责任险及附加起重货物责任保险，其中财产损失保险金额为265000元，免赔率为0%，保险期限为2019年3月13日至2020年3月12日。该保单附件《特别约定清单》载明：工程机械财产损失险保险金额为265000元，保险标的的保险金额按新设备购置价投保，每次事故财产损失无免赔额；保险标的发生保险事故，导致全部损失，设备年折旧率为10%，累计折旧率上限为80%，按折旧后的实际价值标准进行赔付。

2019年4月24日，该车在工地作业时发生翻车事故，造成车辆损坏。事故发生后，王某及时联系人保成都分公司，人保成都分公司确认该车配件的核损报价共计87736元，维修工时费为12500元，合计100236元。同时，该车发生事故后，产生车辆施救费用7000元。

因理赔未果，王某提起诉讼，请求判令人保成都分公司赔偿其车辆损失100236元、施救费7000元，共计107236元。人保成都分公司辩称：根据保险合同附件特别约定，该车新车价值为265000元，年折旧率为10%，已使用7年，故目前车辆价值为79500元。其公司定损确认该车的维修价值为100236元，故该车应推定全损处理，其公司应按照车辆实际价值79500元赔偿。对于施救费用，该费用系间接损失，不应由其公司进行赔偿。

【案件焦点】

人保成都分公司应在保险金额范围内赔偿王某车辆修理费及施救费损失，还是应以车辆实际价值为限进行赔偿。

【法院裁判要旨】

江苏省无锡市惠山区人民法院经审理认为：保险合同系双方真实的意思表示，合法有效，双方均应按约履行。王某作为投保人已按约支付保险费，人保成都分公司作为保险人应按约承担保险责任。本案中，案涉车辆事故发生在保险期限内，驾驶人具备相应的驾驶资质，该车损失金额100236元系人保成都分公司定损后所确定，而施救费7000元系王某作为被保险人为减少保险标的损失所支付的必要、合理的费用，应当由保险人即人保成都分公司承担，且上述费用总和107236元未超出保险合同约定的财产损失保险金额265000元，故人保成都分公司应按保险合同的约定赔偿。人保成都分公司称该车维修费用超过该车实际损失，应推定全损处理，未提供相应依据，不予采纳。

江苏省无锡市惠山区人民法院依照《中华人民共和国合同法》第六十条，《中华人民共和国保险法》第十四条、第五十七条，《中华人民共和国民事诉讼法》第六十四条之规定，判决：

人保成都分公司于判决生效之日起十日内向王某赔偿车辆损失费、施救费理赔款共计107236元。

人保成都分公司不服一审判决，持原审答辩意见提起上诉。江苏省无锡市中级人民法院经审理认为：当投保人与保险人约定以新车购置价作为保险金额时，即使保险合同中未载明保险价值，亦应认为此保险合同中已隐含以新车购置价作为保险价值的意思表示，保险人应以该保险金额即保险价值为限承担赔偿责任。本案中，工程机械设备保险单及特别约定清单第8条明确约定：保险标的的保险金额按照新设备购置价即265000元投保，每次事故财产损失无免赔额。不足额投保时，保险标的的财产损失部分按保险金额与保险价值的比例承担保险责任。而特别约定清单第9条关于赔偿处理条款却约定：保险标的发生保险事故，导致全部损失，按折旧后的实际价值标准进行赔付。根据该条款，人保成都分公司承担的最高赔偿限额即车辆出险时的实际价值，但保险合同却以必然高于车辆在出险时的实际价值的新车购置价作为保险金额，导致保险金额失去其作为保险人承担赔偿或者给付保险金责任的最高限额的基本功能。因此，本案人保成都分公司制定的保险条款中关于赔偿处理的约定应仅适用于以车辆的实际价值作为保险金额的保险合同，而不适用于本案以新车购置价作为保险金额的保险合同。据此，涉案车辆发生事故后人保成都分公司定损维修费用为100236元，该金额未超过上述合同约定的财产损失保险金额，一审判决人保成都分公司应足额赔偿，并无不当。现人保成都分公司上诉主张应按推定全损处理，其公司仅需按该车折旧后现值79500元赔偿，无事实和法律依据，不予采纳。

江苏省无锡市中级人民法院依照《中华人民共和国民事诉讼法》第一百七十条第一款第一项之规定，判决：

驳回上诉，维持原判。

【法官后语】

推定全损，是保险标的全部损失的一种特殊情况，指保险标的遭受保险事故后受损，尽管未达实际全损的程度，但修复费用将超出保险价值。保险公司的通常做法是给定一个折旧公式折算出出险时的实际价值，以该实际价值作为赔偿标准，当实际修理费高于实际价值的推定为全损，低于实际价值的则为部分损失。但是此种推定方式在某种情形下会导致“高保低赔”：如果推定全损，那么以实际价值作为最高赔偿限额是符合法律和法理的，但如果推定为部分损失，则保险人所承担的实际修理费也必定低于实际价值，如果保险合同约定的保险金额高于实际价值的保险价值，这将造成事实上永远没有按照约定的保险金额进行赔偿的可能，等于架空了保险的功能。

本案的冲突正是如此，涉案保险合同承保的标的车辆已经使用7年，但保险合同却跳过车辆实际价值直接约定以新车购置价作为保险金额，而在推定全损时却又以车辆实际价值作为计算标准，推定全损计算标准低于保险金额的确定标准，是典型的高保低赔条款。这就产生了一个问题：当标的车辆发生事故后的维修价格超过实际价值但未超过保险金额时，应推定全损按照实际价值理赔，还是应按照维修价格全额理赔？

有意见认为，上述情况如按照维修价格全额理赔则违反了财产保险的补偿性原则，不应支持，基于高保低赔所产生的保险金额与保险赔偿限额的差额，可退赔相应的保险费。笔者认为，该处理方式表面上解决了高保低赔的问题，平衡了权利义务关系，但客观上强行更改保险合同的内在逻辑，损害投保人期待利益，也不利于保险行业规范化。笔者认为，以新车购置价作为保险价值及保险金额并不违反财产保险补偿性原则，被保险人并不额外受益。第一，从保险条款一般约定的赔偿处理方法看：全部损失时，按保险金额计算赔偿，但保险金额高于实际价值的，以不超过出险时车辆的实际价值为限赔偿；部分损失时，以保险价值确定保险金额的车辆，按实际修理费用计算赔偿……可见，在“新车购置价=保险价值=保险金额”情形下，即使发生全损也只以出险时的实际价值为限赔偿，而不会以车辆贬值前的新车购置价获赔，这就凸显了财产保险的补偿性；而发生部分损失时，则在保险金额范围内按照实际修理费赔偿，这体现了保险金额作为最高额赔偿的功能。第二，从权利义务的对等性来看，投保人按照新车购置价的保险金额缴费但是只能按照较低的实际价值得到赔偿，权利义务上不对等。

综上，以实际修理费是否超出被保险车辆的实际价值来推定是否全损，其实质是以被保险车辆的实际价值作为最高赔偿限额，因此该赔偿计算方式只适用于按照实际价值确定保险金额的情形，而不适用于以保险价值或者其他协商方式确定保险金额的情形。由于本案的保险金额是按照保险价值确定，双方约定以新车购置价作为保险金额，应认为保险合同中已经隐含了以新车购置价作为保险价值的意思表示，保险人应当以该保险金额为限承担赔偿责任。

编写人：江苏省无锡市中级人民法院　薛崴　杨志

3

保险人对禁止性规定作为免责事由的免责条款的提示说明义务审查

——廖某、朱某诉人保泉州公司财产保险合同案

【案件基本信息】

1. 裁判书字号

福建省泉州市中级人民法院（2021）闽05民终4915号民事判决书

2. 案由：财产保险合同纠纷

3. 当事人

原告（被上诉人）：廖某、朱某

被告（上诉人）：人保泉州公司

【基本案情】

廖某与朱某系夫妻关系，涉案小型轿车登记在廖某名下。涉案小型轿车在人保泉州公司投保交强险和商业第三者责任保险，保险金额为1000000元，被

保险人（投保人）为廖某，保险期间自2019年9月6日0时起至2020年9月5日24时止。2019年9月8日18时许，朱某驾驶涉案小型轿车，与行人王某发生碰撞，造成王某受伤及车辆损坏的交通事故。事故发生后，朱某驾车逃逸。王某被送往医院抢救治疗。经认定，朱某负本次事故全部责任，王某无责任。嗣后，朱某支付王某赔偿款151000元。

2020年1月8日，王某向法院提起另案诉讼，请求判令人保泉州公司在交强险限额内赔偿王某各项经济损失120000元（精神损害抚慰金在交强险限额内优先赔付），并在商业第三者责任险范围内赔偿各项经济损失451612.91元，朱某、廖某对保险公司赔偿不足的部分共同向王某承担连带赔偿责任。审理中，廖某以投保时保险公司提供的投保单和投保人声明中的投保人“廖某”签名并非其本人书写为由，向法院申请对上述笔迹进行鉴定。经鉴定，“投保人签名/签章”处的“廖某”签名及《投保人声明》投保人签章处的“廖某”签名不是廖某书写。廖某为此支付鉴定费3750元。后该案一审法院判决人保泉州公司应在交强险和商业第三者责任险的责任限额内赔偿王某损失合计341474元，扣除朱某已支付王某151000元，保险公司应继续支付王某190474元；二审维持原判。

廖某、朱某提起本案诉讼，请求判令人保泉州公司立即支付廖某已支付的鉴定费3750元、朱某已支付给王某的赔偿款151000元，合计154750元。

【案件焦点】

1. 被告对涉案保险合同的免责条款是否尽到明确说明、提示的义务；2. 该免责条款对投保人是否产生法律效力。

【法院裁判要旨】

福建省安溪县人民法院经审理认为：廖某与人保泉州公司签订的保险合同合法有效，应受法律保护。《最高人民法院关于适用〈中华人民共和国保险法〉若干问题的解释（二）》第十条规定，保险人将法律、行政法规中的禁止性规定情形作为保险合同免责条款的免责事由，保险人对该条款作出提示后，投保人、被保险人或者受益人以保险人未履行明确说明义务为由主张该条款不生效的，人民法院不予支持。依据上述规定，保险人将法律、行政法规中的禁止性规定情形作为保险合同免责条款的免责事由的，保险人仍应履行对免责条款的提示、说明义务。人保泉州公司提供的保险合同及商业第三者责任保险保单上的签名经鉴定并非投保人廖某本人所签，保险公司也未能提供证据证明其已就保险条款中的免责内容向廖某尽到提示、说明义务，故该条款对廖某不产生法律效力。人保泉州公司主张因朱某肇事后逃逸，其无需在商业第三者责任险限额内承担责任即依据免责条款免责，不予支持。廖某有权依据保险合同请求人保泉州公司承担保险责任，因此廖某、朱某要求人保泉州公司支付廖某已支付的笔迹鉴定费3750元、朱某已支付给王某的赔偿款151000元，有事实和法律依据，应予支持。综上所述，廖某、朱某的诉讼请求应予支持。人保泉州公司的辩解理由于法无据，不予采纳。

福建省安溪县人民法院依照《中华人民共和国保险法》第十四条、第十七条、第六十五条，《最高人民法院关于适用〈中华人民共和国保险法〉若干问题的解释（二）》第十条、第十三条第一款，《中华人民共和国民事诉讼法》第六十四条第一款规定，判决：

人保泉州公司应于判决生效之日起十日内支付朱某151000元、支付廖某3750元。

人保泉州公司不服一审判决，提起上诉。福建省泉州市中级人民法院经审理认为：首先，根据《最高人民法院关于适用〈中华人民共和国保险法〉若干问题的解释（二）》第十条的规定，保险人有义务将法律、行政法规中的禁止性规定情形作为保险合同免责条款的免责事由向投保人、被保险人或者受益人进行提示说明，否则相应条款不对投保人产生效力。其次，本案中，经另案委托鉴定，案涉保险合同投保单和投保人声明上“廖某”的签字并非廖某本人所签，在此情况下，无法推定人保泉州公司已就案涉保险免责条款向投保人作了提示说明。因此，依据前述司法解释的规定，相应的合同条款不产生效力。最后，经一审法院委托鉴定，人保泉州公司提供的《放弃索赔承诺书》上的“廖某、朱某”也非廖某、朱某本人所签，无法认定两人有放弃向人保泉州公司进行追偿的意思表示。综上，人保公司要求免除其赔偿责任缺乏事实及法律依据。现朱某已向事故受害人支付部分赔偿款151000元，故其有权再向人保泉州公司进行追偿，廖某为此支出的鉴定费用3750元亦应由人保泉州公司一并承担。综上所述，人保泉州公司的上诉请求不能成立，应予驳回。一审判决认定事实清楚，适用法律正确，应予维持。

福建省泉州市中级人民法院依照《中华人民共和国民事诉讼法》第一百七十条第一款第一项的规定，作出如下判决：

驳回上诉，维持原判。

【法官后语】

1. 保险人对禁止性规定作为免责事由的免责条款的说明、提示义务

禁止性规定是禁止当事人为一定行为的法律规定，行为人违反禁止性规定，应根据该规定的立法目的受到相应的行政处罚或者刑事处罚。本案中，驾驶人朱某在事故发生后，未依法采取措施情况下驾驶被保险机动车或遗弃被保险机动车离开事故现场，属于肇事逃逸，是法律明令禁止行为。投保人对禁止性规定的概念和内容应当是知道的，只是不知道被保险人违反禁止性规定将导致保险人免责的后果，保险人如未将禁止性规定作为免责事由向投保人进行提示和说明，投保人即使知道禁止性规定的内容，也无从知悉违反禁止性规定将导致保险人免责。保险合同未将禁止性规定作为免责事由，并不会直接产生保险人免除保险责任的法律效果。因此，保险人将禁止性规定作为免责条款的免责事由的，仍应向投保人进行提示和说明。

2. 保险人明确说明、提示义务的具体审查

实践中，应注意审查保险人对禁止性规定作为免责事由的免责条款的提示是否符合《最高人民法院关于适用〈中华人民共和国保险法〉若干问题的解释（二）》第十条的要求。保险人不仅要通过字体、符号等特别标识对免除保险人责任的条款作出标识，还应主动向保险人出示该条款，并提醒投保人注意保险合同中存在行为人违反禁止性规定将导致保险人责任免除的条款，即提示投

保人“违反禁止性规定”与“保险人免责”之间存在关联性。条款文本未交付则提示注意的对象不存在，未提示注意免除保险人责任条款则无从明确权利义务。因此，保险公司“交付格式条款”与“提示注意免除保险人责任条款”，均为其“明确说明免除保险人责任条款”的程序性准备。本案中，人保泉州公司提供的保险合同及商业第三者责任保险保单上和投保人声明上“廖某”的签字并非廖某本人所签，在此情况下，无法推定得出人保泉州公司已就案涉保险免责条款向投保人作了提示说明。因此，依据前述司法解释的规定，相应的合同条款不产生效力。

编写人：福建省安溪县人民法院　刘雅芬　魏薇

4

保险人在承保时知道实际车主隐名投保的，应认定实际车主为投保人

——南某诉人保连云港分公司财产保险合同案

【案件基本信息】

1. 裁判书字号

江苏省高级人民法院（2020）苏民申858号民事裁定书

2. 案由：财产保险合同纠纷

3. 当事人

原告（上诉人、再审申请人）：南某

被告（被上诉人、再审被申请人）：人保连云港分公司

第三人：刘某

【基本案情】

2018年3月2日17时12分，何某驾驶重型半挂车牵引挂车在某路段行驶，因未按操作规范安全驾驶，先与同车道内前方向行驶的重型半挂车发生刮擦碰撞，又与道路中央的隔离护栏发生碰撞，造成上述车辆受损及路产损失。交警部门认定，何某负该起事故的全部责任。

何某驾驶的重型半挂车牵引挂车的车辆所有人是第三人刘某。2017年11月12日，刘某作为被保险人向人保连云港分公司投保了车辆损失险、商业三者险，含不计免赔。驾驶员何某的驾驶证准驾车型为A2，发生交通事故时，其尚在增驾实习期内。“机动车综合商业保险条款”第八条约定：“在上述保险责任范围内，下列情况下，不论任何原因造成被保险机动车的任何损失和费用，保险人均不负责赔偿……实习期内驾驶公共汽车、营运客车或者执行任务的警车、载有危险物品的机动车或牵引挂车的机动车。”第二十四条约定：“在上述保险责任范围内，下列情况下，不论任何原因造成的人身伤亡、财产损失和费用，保险人均不负责赔偿……实习期内驾驶公共汽车、营运客车或者执行任务的警车、载有危险物品的机动车或牵引挂车的机动车。”对于以上条款，人保连云港分公司均作出了提示。人保连云港分公司向法院提交了涉案保险车辆的投保单，南某对投保单中“刘某”签名的真实性不予认可，据此认为人保连云港分公司没有履行明确说明义务。

另查明，2015年11月12日，刘某曾委托案外某公司为刘某名下的案涉车辆办理投保手续，保险费用由刘某负担。案外某公司遂以自己为投保人、以刘某为被保险人，向人保连云港分公司投保了车损险、三者险、交强险等险种。投保时，人保连云港分公司对刘某与案外某公司之间的委托关系亦知情。案外某公司向人保连云港分公司投保时使用的“营业用汽车损失保险条款”“机动车第三者责任保险条款”，与2017年11月12日刘某向人保连云港分公司投保时使用的“机动车综合商业保险条款”，均就实习期内驾驶牵引挂车的机动车情形约定了保险人不负责赔偿的后果。

经评估，何某驾驶的重型半挂车及挂车的车辆损失数额为198500元。2018

年4月10日，南某与刘某签订“债权转让协议书”，其主要内容为：甲方（刘某）将其对人保连云港分公司的保险赔偿请求权转让给乙方（南某）。南某遂对人保连云港分公司提起本案诉讼。

【案件焦点】

1. 车主刘某在案涉财产保险合同中的法律地位如何；2. 保险人对投保人案外某公司履行提示说明义务的法律效果是否及于刘某；3. 同种类相同保险免责条款是否需要重复提示说明。

【法院裁判要旨】

江苏省连云港市海州区人民法院经审理认为：关于何某在增驾实习期内驾驶重型半挂车牵引挂车导致车辆损失，人保连云港分公司是否应当承担车辆损失险的赔偿责任问题。《最高人民法院关于适用〈中华人民共和国保险法〉若干问题的解释（二）》第十条规定：“保险人将法律、行政法规中的禁止性规定情形作为保险合同免责条款的免责事由，保险人对该条款作出提示后，投保人、被保险人或者受益人以保险人未履行明确说明义务为由主张该条款不生效的，人民法院不予支持。”南某、人保连云港分公司均认可驾驶员何某属于增驾实习期内驾驶车辆，且《中华人民共和国道路交通安全法实施条例》第二十二条第三款规定，“机动车驾驶人在实习期内不得驾驶公共汽车、营运客车或者执行任务的警车、消防车、救护车、工程救险车以及载有爆炸物品、易燃易爆化学物品，剧毒或者放射性等危险物品的机动车；驾驶的机动车不得牵引挂车”，驾驶员何某的行为属于行政法规规定的禁止性情形，人保连云港分公司只需要对此进行提示即可，无须履行明确说明义务，所以人保连云港分公司可以免赔。不论是基于机动车损失保险还是第三者责任保险，南某均不能够获得赔偿。即使南某对人保连云港分公司提交的投保单中“刘某”签字的真实性不予认可，法院也不再启动司法鉴定程序。人保连云港分公司是否尽到明确说明义务，与本案没有关联。

关于南某提出的“实习期仅指初次领证的实习期，不包括增驾的实习期”

的意见，《中华人民共和国道路交通安全法实施条例》第二十二条第三款中使用了“实习期”这一文字表述，不应限缩理解为“初次领证的实习期”，故对南某上述意见不予采信。

因人保连云港分公司可以免赔，故本案的其他事实，如债权转让、南某的损失数额等，依法不再认定。

江苏省连云港市海州区人民法院依照《最高人民法院关于适用〈中华人民共和国保险法〉若干问题的解释（二）》第十条的规定，判决如下：

驳回南某的诉讼请求。

南某不服一审判决，提起上诉。江苏省连云港市中级人民法院经审理认为：关于人保连云港分公司对免责条款有无履行提示说明义务的问题，涉及刘某在案外某公司投保的保险合同中的法律地位、保险人对案外某公司履行提示说明义务的法律效果是否及于刘某，以及同种类相同保险免责条款是否需要重复提示说明等事项，分述如下：

第一，刘某在案外某公司投保的保险合同中的法律地位如何。受托人以自己的名义，在委托人的授权范围内与第三人订立的合同，第三人在订立合同时知道受托人与委托人之间的代理关系的，该合同直接约束委托人和第三人，但有确切证据证明该合同只约束受托人和第三人的除外。本案中，虽然2015年的保险合同以案外某公司名义投保，但根据刘某和人保连云港分公司的当庭陈述以及证人袁某的证言，可以认定人保连云港分公司在承保时知道案外某公司与刘某之间的隐名代理关系，故该保险合同可以直接约束委托人刘某和第三人人保连云港分公司，即刘某系该保险合同的投保人。

第二，保险人对案外某公司履行提示说明义务的法律效果是否及于刘某。委托合同是委托人和受托人约定，由受托人处理委托人事务的合同。被代理人对代理人的代理行为，承担民事责任。本案中，2015年11月12日，案外某公司受刘某委托向人保连云港分公司投保，其法律后果应由刘某承担，故案外某公司在2015年投保单的投保人声明栏加盖公章行为应认定为保险人向案外某公司交付了保险条款并履行了明确说明义务，且保险条款对免责条款加黑加粗应认定为保险人履行了提示义务，其法律效果及于委托人刘某。人保连云港分公司在 2015 年承保时对刘某履行了提示说明义务。

第三，同一投保人签订二次以上保险合同场合下，如何认定保险公司是否尽到提示说明义务。同一投保人签订二次以上保险合同的，保险人曾就同种类相同的免责条款向投保人履行过提示说明义务的，应认定保险人已经履行了提示说明义务，无须重复履行。本案中，人保连云港分公司在 2015 年承保车损险、三者险时，已经向刘某履行过提示说明义务，在 2017 年再次承保该险种时无论是否向刘某再次履行该义务，均应当认定保险人已经尽到提示说明义务。尽管 2015 年和 2017 年使用的保险条款存在不同之处，但就实习期内驾驶牵引挂车的机动车情形，所有条款均一致约定了保险人不负责赔偿的后果，属于种类相同的免责条款。

基于以上分析，可以认定人保连云港分公司对讼争的 2017 年保险合同免责条款已经履行提示说明义务，免责条款依法产生效力。人保连云港分公司援引“实习期内驾驶被保险机动车牵引挂车”免责条款主张不承担保险赔偿责任，于法有据。

江苏省连云港市中级人民法院依据《中华人民共和国民事诉讼法》第一百七十条第一款第一项规定，判决如下：

驳回上诉，维持原判。

再审法院同意一审、二审法院裁判意见。

【法官后语】

保险纠纷背后往往隐藏着复杂的民商事法律关系，仅以保险法调整这类纠纷往往力所不逮。鉴于我国属民商合一的立法例，保险法属于民法的特别法，在保险法的特别规定对特定情形未作规定时，应当适用民法典的一般规定。本案例就是对这一原则的践行实例。除此之外，本案例对何谓“种类相同的免责条款”，也基于目的解释方法作出了妥当解说。

1. 投保人隐名投保的，如何认定投保人

商业实践中，实际车主因缺乏营运资质，往往将车辆挂靠在有资质的运输公司名下，并由运输公司出面以该公司名义投保；根据合同相对性原理，应当认定被挂靠单位运输公司为投保人。在通常情况下，实际车主和被挂靠单位无论谁是投保人，都不影响被保险人的理赔权；但在保险人向投保人履行明确说明义务的场合下，投保人主体的认定往往成为关键问题。对此，保险法并无明确规定。但是保险合同也是合同，可以适用民法典合同编的相关规定。《中华人民共和国民法典》第九百二十五条规定，受托人以自己的名义，在委托人的授权范围内与第三人订立的合同，第三人在订立合同时知道受托人与委托人之间的代理关系的，该合同直接约束委托人和第三人；但是，有确切证据证明该合同只约束受托人和第三人的除外。故本案中，保险人承保时明知实际车主和运输公司之间挂靠关系的，可以认定实际车主为投保人，运输公司为其委托代理人，向委托代理人履行明确说明义务的，其效力及于投保人本人。

2. 投保人多次投保且前后保险条款不同的，保险人应如何履行明确说明义务

同一投保人签订二次以上同种类保险合同，且保险人有证据证明曾就“种类相同的免责条款”向投保人履行过明确说明义务的，投保人、被保险人或者受益人以保险人未履行明确说明义务为由，主张免责条款不产生效力的，人民法院不予支持。但其中“种类相同的免责条款”应如何理解？如果后一次承保使用修订后的保险条款，是否属于“种类相同的免责条款”？本案认为，应基于目的解释方法理解“种类相同的免责条款”，即只要争议的特定免责条款实质相同，就应当认定为“种类相同的免责条款”，前次承保的保险人对该条款履行了明确说明义务的，本次承保的保险人无须重复履行。

编写人：江苏省连云港市中级人民法院　袁辉

5

保险事故中查勘、定损责任分担方式及次生损失赔偿规则

——牛某诉人保北京分公司保险合同案

【案件基本信息】

1. 裁判书字号

北京金融法院（2021）京 74 民终 294 号民事判决书

2. 案由：保险合同纠纷

3. 当事人

原告（被上诉人）：牛某

被告（上诉人）：人保北京分公司

【基本案情】

涉案车辆在人保北京分公司处投保机动车损失险、发动机涉水损失险、不计免赔等商业保险，保险期间自 2019 年 6 月 20 日起至 2020 年 6 月 19 日止，被保险人为牛某。2019 年 7 月 29 日，涉案车辆行至河北省保定市某小区北门发生涉水，牛某向人保北京分公司报案。2019 年 8 月 12 日，牛某诉至一审法院，要求人保北京分公司赔偿车辆损失。因涉案车辆未实际维修，亦未进行车辆定损，一审法院于 2019 年 9 月 2 日要求人保北京分公司对涉案车辆进行定损。2019 年 10 月 8 日，人保北京分公司提交车辆损失情况确认书，定损金额为 4700 元，并称系牛某不配合车辆拆解，故仅就车辆外观进行定损。牛某称未进行拆解的原因是双方对拆解费用有争议。后牛某同意支付拆解费用，双方委托定损机构进行拆解定损。2020 年 9 月 15 日，人保北京分公司对定损机构出具的定损单不予认可，要求对定损单中的维修项目与 2019 年 7 月 29 日大雨的关

联性、合理性进行鉴定。一审法院委托鉴定机构进行鉴定。2020 年 12 月 30 日，鉴定机构出具因果关系鉴定结论书，确认涉案车辆合理损失项目、损失程度及修理方式。一审法院函告鉴定机构，询问其增项及零部件工时报价单中的项目是否为涉水造成的合理维修项目，鉴定机构出具补充鉴定意见，列明增项及零部件工时报价单中合理损失项目。人保北京分公司对补充鉴定不予认可，认为该部分损失系因牛某未及时拆解、维修造成。牛某对确认的维修项目不持异议，但认为损失远超过鉴定机构确认的项目。根据人保北京分公司申请，一审法院再次委托前述鉴定机构对涉案车辆车损维修价格进行鉴定。2021 年 4 月 25 日，鉴定机构出具鉴定结论书，确认维修价格为 310913 元，其中的 112170 元为未及时清理的次生损失。

【案件焦点】

1. 人保北京分公司是否及时、合理、恰当地履行查勘定损义务；2. 次生损失及拆解费用应当由谁承担。

【法院裁判要旨】

北京市东城区人民法院经审理认为：第一，结合查明事实可知，牛某于事发当日向人保北京分公司报案，人保北京分公司一直未予以定损，直到牛某起诉后，才出具损失情况确认书，定损金额仅为 4700 元。人保北京分公司称因牛某不配合对车辆进行拆解，该金额为外观定损。牛某则称未进行拆解的原因是双方对拆解费用有争议。对事故现场查勘，并评估损失、核定保险责任属于保险人的当然法定义务。对于机动车损失的评估应当全面、具体，并非局限于单纯的外观评估。而对于车辆内部部件的损失评估，在一定情况下，必然需要进行拆解，故基于评估需求而产生的拆解费用，是保险人为评估实际损失所产生的必要费用。又因评估损失本身是保险人的法定义务，故人保北京分公司一再要求被保险人预先支付并承担拆解费用的行为，在理赔过程中显属不当，已经违反法律规定及合同约定。综上，可以认定人保北京分公司未及时、合理、恰当地履行查勘、定损义务。

第二，《中华人民共和国保险法》第二十三条第二款规定，保险人未及时履行前款规定义务的，除支付保险金外，应当赔偿被保险人或者受益人因此受到的损失。所谓“及时”，对于保险人而言，应当为“合理且尽可能快速”。而本案中，人保北京分公司既未在法定期限内对保险金作出核定，亦未支付相应拆解费用对事故车辆受损金额进行合理评估。车辆迟迟未能拆解，亦是导致直接损失无法及时确定及次生损失发生的原因之一。在保险人报案后及定损的漫长过程中，人保北京分公司作为专业的保险公司并未对被保险人予以专业的指导，提示被保险人防范次生损失的发生。若人保北京分公司及时进行拆解评估，不仅可以及时作出损失评估，同时也会在拆解后采取措施，有效防范次生损失的发生。因此，对于该部分次生损失的发生，被保险人并无主观过错。次生损失费用及拆解费用的损失，应当由人保北京分公司承担。

北京市东城区人民法院依照《中华人民共和国保险法》第二条、第二十三条，《中华人民共和国民事诉讼法》第六十四条第一款之规定，判决如下：

一、人保北京分公司于判决生效后十日内支付牛某理赔款 310913 元；

二、人保北京分公司于判决生效后十日内支付牛某拖车费 1000 元；

三、人保北京分公司于判决生效后十日内支付牛某拆解定损费 20000 元；

四、驳回牛某的其他诉讼请求。

二审法院同意一审法院裁判意见。

【法官后语】

依照《中华人民共和国保险法》第二十三条第一款规定，保险人收到被保险人或者受益人的赔偿或者给付保险金的请求后，应当及时作出核定；情形复杂的，应当在三十日内作出核定，但合同另有约定的除外。可见，对保险标的损失的核定是保险公司的法定职责。实践中，一般交通事故造成的机动车外观损失，通常较易确定其损毁价值；但对于复杂事故的损失认定，尤其是涉及拆解或鉴定等专业方式方能确定实际损失的保险事故，往往较易产生争议。该类案件中，保险人和被保险人责任如何划分定损责任，将直接决定保险人应否承担保险责任。因此，厘清理赔定损阶段保险人与被保险人二者权利义务，具有重要而现实的法律意义。

1. 保险事故发生后，保险人与被保险人权利义务边界判断规则

《中华人民共和国保险法》第二十一条规定，投保人、被保险人或者受益人知道保险事故发生后，应当及时通知保险人。故意或者因重大过失未及时通知，致使保险事故的性质、原因、损失程度等难以确定的，保险人对无法确定的部分，不承担赔偿或者给付保险金的责任，但保险人通过其他途径已经及时知道或者应当及时知道保险事故发生的除外。

可见，保险事故发生后，被保险人针对保险事故向保险公司报案是其法定责任。保险公司收到报案申请后，即应当开始进入理赔环节。所谓保险理赔，是指保险人收到被保险人的索赔请求后，依据法律规定和保险合同约定，对有关损害事实进行调查核实、核定保险责任并进行保险金赔偿或给付的行为，是保险人履行保险合同义务的体现。一言以蔽之，及时报案是被保险人的法定义务，而及时对事故原因及损失进行核定，则是保险人的法定义务。

具体到本案，被保险人在事发当日已经向保险公司报案，履行了其法定义务。此时，履约义务即转移至保险人处，保险人应当基于《中华人民共和国保险法》第二十三条第一款之规定，及时对保险标的损失进行核定。所谓及时，应当理解为合理且尽可能快速。但本案中，保险公司在接收报案申请后，迟迟未能作出合理的定损价格，且不愿先行支付事故车辆的拆解费用，显属不当。保险公司应当就此向被保险人承担赔偿责任。

2. 保险公司怠于履行定损义务，由此产生的次生损失应由其向被保险人承担

所谓次生损失，并非事故造成的直接损失，而系因事故发生后处置不当所造成的扩大损失。《中华人民共和国保险法》第五十七条第一款规定，保险事故发生时，被保险人应当尽力采取必要的措施，防止或者减少损失。

具体到本案，次生损失应否由被保险人承担，应以被保险人能否预见为前提。而对于发动机等主要部件进水造成的车辆损害，一般驾驶人员通常并未掌握足够的专业知识，难以预见损害后果，亦不清楚如何减少损失。保险公司负有定损及理赔义务，但在被保险人报案后，并未给予专业的指导，提示被保险

人防范次生损失的发生，反而迟迟未能作出客观定损结论，且不愿预付拆解费用。而发动机等内部部件的清理显然需要以拆解查验为前提，故次生损失的发生与保险公司怠于履行定损义务存在直接关联。对于该部分次生损失的发生，被保险人显然不具有主观过错。

编写人：北京金融法院　江锦莲

6

被保险人尚未向第三者赔偿，能否要求保险公司向第三者支付赔偿

——王某诉财保北京分公司财产保险合同案

【案件基本信息】

1. 裁判书字号

北京市朝阳区人民法院（2021）京 0105 民初 14859 号民事判决书

2. 案由：财产保险合同纠纷

3. 当事人

原告：王某

被告：财保北京分公司

第三人：胡某

【基本案情】

2020 年 8 月 18 日，王某驾驶被保险车辆行驶至北京市朝阳区，将第三人胡某撞伤，交通部门认定王某负全责。王某与胡某就赔偿事宜进行和解：胡某因手表被撞坏要求换新表，王某应当向其支付 17200 元。后王某申请理赔，但财保北京分公司拒赔并发出拒赔通知书。王某认为拒赔违反了保险合同约定，

遂提起诉讼，请求判令财保北京分公司向胡某赔偿17200元。

被告财保北京分公司辩称：王某车辆行驶公里数达到16万，远远超出正常家庭使用汽车的里程数，财保北京分公司有理由怀疑王某从事网约车营运。王某拒绝配合调取相应的网约车记录，故财保北京分公司拒赔并终止保单。

【案件焦点】

1. 王某是否为适格主体；2. 财保北京分公司应否承担保险责任。

【法院裁判要旨】

北京市朝阳区人民法院经审理认为：关于第一个争议焦点，《中华人民共和国保险法》第六十五条规定，保险人对责任保险的被保险人给第三者造成的损害，可以依照法律的规定或者合同的约定，直接向该第三者赔偿保险金。责任保险的被保险人给第三者造成损害，被保险人对第三者应负的赔偿责任确定的，根据被保险人的请求，保险人应当直接向该第三者赔偿保险金。《最高人民法院关于适用〈中华人民共和国保险法〉若干问题的解释（四）》第十四条规定，具有下列情形之一的，被保险人可以依照保险法第六十五条第二款的规定请求保险人直接向第三者赔偿保险金：（一）被保险人对第三者所负的赔偿责任经人民法院生效裁判、仲裁裁决确认；（二）被保险人对第三者所负的赔偿责任经被保险人与第三者协商一致；（三）被保险人对第三者应负的赔偿责任能够确定的其他情形。前款规定的情形下，保险人主张按照保险合同确定保险赔偿责任的，人民法院应予支持。本案中，涉案交通事故造成第三人胡某手表损坏，虽然王某尚未向胡某赔偿相应损失，但是王某基于其与财保北京分公司存在的保险合同纠纷提起本案诉讼，王某作为投保人和被保险人具有诉讼主体资格，故王某系适格主体，对财保北京分公司的该项抗辩意见不予采信。

关于第二个争议焦点，法院依法调取的《调证材料》载明被保险车辆在2020年8月8日至2020年8月18日并无网约车接单记录。财保北京分公司未提交证据证明其主观猜想，结合现有证据及当事人陈述，对财保北京分公司的该抗辩意见不予采纳。

庭审中，王某和财保北京分公司认可财保北京分公司向王某退还了 2020 年 10 月之后的保费。事故发生在 2020 年 8 月 18 日，王某和财保北京分公司达成合意，自 2020 年 10 月 23 日起终止合同，对此不予处理；现有证据证明王某并未改变车辆使用性质，财保北京分公司应对合同解除前发生的交通事故在保险范围内承担相应保险责任。庭审中，各方均认可胡某手表定损金额为 17200 元，故财保北京分公司应在机动车交通事故责任强制保险范围内承担 2000 元赔偿责任、在第三者责任保险范围内承担 15200 元赔偿责任。王某要求财保北京分公司向胡某赔偿 17200 元，于法有据，予以支持。

北京市朝阳区人民法院依照《中华人民共和国保险法》第六十五条，《最高人民法院关于适用〈中华人民共和国保险法〉若干问题的解释（四）》第十四条之规定，判决如下：

一、被告财保北京分公司于本判决生效后七日内向第三人胡某支付赔偿款 17200 元；

二、驳回原告王某的其他诉讼请求。

判决后，双方当事人均未上诉，本判决现已生效。

【法官后语】

1. 被保险人尚未向第三者赔偿，能否径行要求保险人直接向第三者赔偿

责任保险是指以被保险人对第三者依法应负的赔偿责任为保险标的的保险，当保险事故发生导致第三者损失时，保险人在保险范围内向第三者进行赔偿。第三者责任保险、交强险的本质均为责任保险，本案中，王某在财保北京分公司投保了交强保险、第三者责任保险，保险期间内发生保险事故造成第三者胡某手表损失，财保北京分公司应在保险范围内向胡某进行赔偿。根据《最高人民法院关于适用〈中华人民共和国保险法〉若干问题的解释（四）》第十四条第二项规定，被保险人对第三者所负的赔偿责任经被保险人与第三者协商一致的，被保险人可以请求保险人直接向第三者赔偿保险金。现王某对胡某的赔偿责任经二人协商一致，能够确定，故无论王某是否已经向胡某支付，王某均可以请求财保北京分公司向胡某支付保险金。

2. 改变车辆使用性质的举证责任

笔者认为，在保险公司主张依据《中华人民共和国保险法》第五十二条主张保险公司免责时，首先，需证明以下事项：一是保险标的存在危险程度显著增加的情形，关于危险程度显著增加的判断标准之一为保险标的用途的改变，即保险标的用途的改变是导致危险程度增加的参考因素之一；二是在危险程度显著增加时，被保险人未履行法定的通知义务；三是因保险标的危险程度显著增加而发生保险事故。在上述事项同时存在时，保险公司可以依据法律规定主张免除保险责任。其次，考量是否构成营运，应当有相应标准，如是否以收取费用为目的使用涉案车辆、是否服务于不特定的人等。

本案中，首先，现无充分证据证明涉案车辆事发时存在收取费用或服务于不特定的人群等情形。其次，财保北京分公司主张车辆使用性质发生了改变，但仅做主观推理，对此未举证证明。最后，王某称仅仅是注册了网约车平台账户，并未从事网约车运营，为了查明案件事实，法院依法调取了王某在网约车平台的注册信息及接单记录，显示被保险车辆在 2016 年 9 月 6 日至 2020 年 10 月 31 日无接单信息。综上，财保北京分公司未举证证明被保险车辆存在使用性质改变的事实，法院对其改变车辆使用性质的意见未予采纳。

虽然王某和财保北京分公司于 2020 年 10 月 23 日终止涉案保险合同，财保北京分公司向王某退还了 2020 年 10 月之后的保费，但是涉案交通事故发生在 2020 年 8 月 18 日，在双方终止保险合同之前，财保北京分公司收取了对应期间的保险费，在保险期间内发生保险事故，财保北京分公司仍应在保险范围内承担保险责任。

3. 类案的处理方法

改变车辆使用性质导致危险程度显著增加发生保险事故，保险公司可免除保险责任，但是保险公司需举证车辆使用性质发生了改变，否则缺乏适用保险法第五十二条的前提条件。私家车从事网约车运营并非偶发现象，保险公司应主动询问车辆使用性质，提供其他保险供车主投保。

编写人：北京市朝阳区人民法院　马娇

7

车辆质押权人保险利益的认定

——赵某诉保险增城支公司财产保险合同案

【案件基本信息】

1. 裁判书字号

广东省广州市中级人民法院（2020）粤 01 民终 23888 号民事判决书

2. 案由：财产保险合同纠纷

3. 当事人

原告（被上诉人）：赵某

被告（上诉人）：保险增城支公司

【基本案情】

2019 年 5 月 31 日，赵某为 A 号车在保险增城支公司处投保了机动车综合保险，投保险种包括车辆损失险、不计免赔险（机动车损失保险），保险期间为 2019 年 6 月 29 日 0 时至 2020 年 6 月 28 日 24 时。A 号车的登记车主是蔡某，赵某是被保险人。2019 年 7 月 15 日 14 时 15 分左右，案外人刘某驾驶 A 号车与案外人王某驾驶的 B 号车发生碰撞，造成车辆损坏的交通事故。经交警大队认定，案外人刘某负事故的全部责任。为此，赵某支付 A 号车维修费 38040 元及施救费 230 元（合计 38270 元）。赵某于 2019 年 7 月 15 日向保险增城支公司索赔，保险增城支公司以被保险人利用标的车故意制造碰撞事故、骗取保险金为由拒绝赔偿。

赵某认为，其实际支配 A 号车，对该车有保险利益，提供了如下证据：蔡某的声明、汽车质押借款合同、质物交接书。保险增城支公司对该三份证据不予确认，认为蔡某本人没有到庭，不能确认该证据上的签名是蔡某本人所签。声明的主要内容是蔡某同意赵某对A号车于2019年7月15日发生的交通事故维修费等损失以赵某本人名义起诉并收取赔偿款。汽车质押借款合同的主要内容是赵某与蔡某约定蔡某向赵某借款15万元，蔡某将A号车质押给赵某。该合同没有落款时间，没有明确借款期限。质物交接书的主要内容是赵某、蔡某确认A号车于2019年5月31日由蔡某移交给赵某。

二审庭审时，保险增城支公司确认至今没有其他人就案涉车辆向保险增城支公司索赔。

【案件焦点】

车辆质押权人对案涉车辆是否具有保险利益。

【法院裁判要旨】

广东省广州市花都区人民法院经审理认为：《中华人民共和国保险法》第十二条第六款规定，保险利益是指投保人或者被保险人对保险标的具有的法律上承认的利益。本案中，蔡某作为法定财产所有权人，对保险标的具有保险利益。赵某作为被保险车辆的质押权人，实际占有、使用被保险车辆，对该车辆拥有使用权。事故发生后赵某承担了车辆的维修费用及施救费用。因此，赵某对被保险车辆具有保险利益。同时，蔡某已授权赵某在本案中代其向被告行使保险金的请求权和收益权。故赵某是本案适格的原告。原告诉求被告支付保险赔偿金38270元及利息，于法有据，予以支持。

广东省广州市花都区人民法院依照《中华人民共和国保险法》第十二条第二款、第十四条和第一百一十四条第二款的规定，判决如下：

被告保险增城支公司于本判决发生法律效力之日起十日内向原告赵某支付保险赔偿金38270元及利息。

保险增城支公司不服一审判决，提起上诉。广东省广州市中级人民法院经审理认为：赵某是案涉车辆的质押权人，案涉车辆一直由赵某实际占有使用。案涉车辆由赵某投保并支付保费，保险单也载明行驶证车主为蔡某，保险增城支公司在承保时已知悉登记车主不是赵某，亦并未否认赵某具有保险利益。保险事故发生至今，并无其他人就案涉车辆向保险增城支公司索赔，也无证据显示登记车主或其他权属人曾向赵某主张案涉车辆的相关权利。综上，赵某作为投保人和被保险人，合法占有、使用车辆并实际支付了维修费，赵某对案涉车辆具有保险利益，一审法院判决并无不当。

广东省广州市中级人民法院依照《中华人民共和国民事诉讼法》第一百七十条第一款第一项规定，判决如下：

驳回上诉，维持原判。

【法官后语】

1. 车辆质押权人是否具有保险利益的两种观点

第一种观点认为，《中华人民共和国保险法》第十二条仅规定了财产保险的被保险人对保险标的应当具有保险利益，但是对财产保险中哪些人能成为被保险人没有规定。本案中，保险公司认为赵某不是投保车辆的车主，其对投保车辆不具有保险利益。

第二种观点认为，保险利益是指投保人或被保险人对保险标的所具有的利害关系。如果保险标的安全，具有利害关系的被保险人就会继续享有原来的利益；如果保险标的不安全或受损，被保险人就会受到损害。本案赵某作为车辆质押权人，如若车辆损坏则其利益受损，因此其具有保险利益。

2. 保险利益的种类及认定

保险利益本身具有复杂性，目前法律中对保险利益的定义仍比较模糊，对保险利益的种类及其确定标准没有涉及，导致保险利益原则难以发挥其作用。

财产保险的保险利益，是指投保人（被保险人）对保险标的因保险事故的发生以致保险标的的不完全而受到损害或者因保险事故的不发生而免受损害所具有的利害关系。财产保险的保险利益分为投保人（被保险人）对保险标的具有的现有利益[①]，因保险利益的现有利益而产生的期待利益[②]、责任利益[③]。结合上述分析梳理我国相关规定，通常下列人员在法律上享有财产保险利益：(1) 所有权人对其所有的财产；(2) 没有财产所有权，但合法享有占有、使用、收益、处分权中的一项或几项权利的人；(3) 他物权人对依法享有他物权的财产，如承租人对其承租的房屋等；(4) 公民法人对其因侵权行为或合同而可能承担的民事赔偿责任；(5) 保险人对保险标的的保险责任；(6) 债权人对现有的或期待的债权等。

本案的车辆保险属于财产保险。赵某是案涉车辆的质押权人，案涉车辆一直由其实际占有使用，案涉车辆与其具有利害关系。案涉车辆由赵某投保并支付保费，保险增城支公司在承保时已知悉登记车主不是赵某，保险增城支公司在诉讼前尤其投保时并未否认赵某具有保险利益。赵某作为投保人和被保险人，实际支付了维修费用，其存在损失需要补偿。综上，赵某属于前述分析的第二种情况，对案涉车辆具有保险利益，保险增城支公司依据保险合同应当向赵某理赔。

编写人：广东省广州市花都区人民法院　刘靖　毕燕燕

---

① 指投保人（被保险人）对保险标的所享有的保险利益，包括但不限于投保人（被保险人）对保险标的的所有权利益、占有利益、用益物权利益以及担保物权利益等。

② 指投保人（被保险人）在订立保险合同时对保险标的的利益尚未存在，但基于其现有权利而未来可获得的利益。

③ 指投保人（被保险人）对于保险标的所承担的合同上的责任、侵权损害赔偿责任以及其他依法应当承担的责任。

8

驾驶人自认醉驾时保险费的赔付

——王某诉保险澄海服务部责任保险案

【案件基本信息】

1. 裁判书字号

广东省汕头市中级人民法院（2022）粤 05 民终 649 号民事判决书

2. 案由：责任保险纠纷

3. 当事人

原告（被上诉人）：王某

被告（上诉人）：保险澄海服务部

【基本案情】

2019 年 10 月 12 日，王某驾驶 A 号轿车行至某路段时碰撞由陈某停放的 B 号小客车，B 号小客车因滑行又碰撞其前面同样由陈某停放的 C 号小客车，造成三车不同程度损坏。事故发生后，双方均没有保留事故现场并及时报案，自行就事故赔偿问题进行协商。王某向陈某出具《交通事故私了声明》，内容为："本人于 2019 年 10 月 12 日约 1 时 30 分于某路段发生交通事故，事故中醉驾追尾前车 2 辆造成事故。事故中对方车辆有损，本人负责为对方维修，并赔偿对方车损折旧。"后双方将 B 号车辆交由某汽修公司维修。王某向某汽修公司转账共计 200000 元，并出具《代付车辆维修款承诺函》，表示上述款项是自愿代陈某支付的 B 号小客车维修款。

10 月 31 日，陈某报警，称 10 月 12 日其停放在前述路段的小车被另一辆车撞到。交警出具道路交通事故认定书，载明"因事故发生于 10 月 12 日，陈某于10月31日才报案，对王某是否存在饮酒后驾车的行为无法佐证”。

2020年3月，双方就机动车交通事故责任承担问题向法院提起另案诉讼，法院经审理后认定本次事故由陈某、王某各承担50%的责任，但因双方在事故发生后自行就赔偿问题进行协商，王某向陈某出具了《交通事故私了声明》，故认定王某自愿承担本事故的全部赔偿责任，判决王某应于判决生效之日起10日内赔偿陈某305554元，并承担案件受理费2940元、保全费1520元和鉴定费10000元。王某不服，提起上诉；该案二审法院判决驳回上诉，维持原判。

王某认为保险澄海服务部应承担赔偿责任，故于2021年9月向法院提起本案诉讼，主张其已经履行完毕判决义务，合计支出费用325894元，请求判决保险澄海服务部在机动车交通事故责任强制保险及商业第三者责任险限额内，赔偿其325894元及利息。

【案件焦点】

行为人造成交通事故后不报案，私下协商自认醉驾并承担全部责任后，又起诉要求保险公司理赔，保险公司是否应就案涉交通事故在机动车交通事故责任强制保险及机动车第三者责任保险限额内承担相应保险赔偿责任。

【法院裁判要旨】

广东省汕头市澄海区人民法院经审理认为：王某系涉案轿车的登记所有人及驾驶人，事故发生在该车交强险和第三者责任保险的保险期间，其因交通事故造成陈某的两辆小客车受损，已依照生效法律文书确定其承担本次事故50%的责任要求，承担了全部赔偿责任。而且，公安部门并没有认定其醉酒驾驶，保险澄海服务部也没有提供证据证明其醉酒驾驶，保险澄海服务部应当在保险限额内承担赔付保险金责任。

广东省汕头市澄海区人民法院依照《中华人民共和国民法典》第四百六十五条，《中华人民共和国保险法》第十条第一款、第十三条、第十四条的规定，判决如下：

一、被告保险澄海服务部应于本判决生效之日起10日内支付原告王某保险赔偿金158777元；

二、驳回原告王某的其他诉讼请求。

保险澄海服务部不服一审判决，提起上诉。广东省汕头市中级人民法院经审理认为：案涉交强险和第三者责任保险条款分别明确约定保险人对被保险机动车驾驶人存在醉酒驾车和饮酒驾车造成受害人的财产损失不予赔偿，王某在事故后出具《交通事故私了声明》，自认因其醉驾造成事故。交警出具的事故证明虽载明对其是否存在饮酒后驾车已无法佐证，但其在事故后未及时报警并通知保险澄海服务部，使公安机关和保险人丧失甄别其是否存在饮酒后驾车的良好时机，进而导致保险事故的性质、原因等难以确定，属故意或重大过失。根据《中华人民共和国保险法》第二十一条“投保人、被保险人或者受益人知道保险事故发生后，应当及时通知保险人。故意或者因重大过失未及时通知，致使保险事故的性质、原因、损失程度等难以确定的，保险人对无法确定的部分，不承担赔偿或者给付保险金的责任，但保险人通过其他途径已经及时知道或者应当及时知道保险事故发生的除外”、第二十二条第一款“保险事故发生后，按照保险合同请求保险人赔偿或者给付保险金时，投保人、被保险人或者受益人应当向保险人提供其所能提供的与确认保险事故的性质、原因、损失程度等有关的证明和资料”的规定，王某应承担举证不能的法律后果，保险澄海服务部主张免予承担保险金责任于法有据，一审法院以公安部门没有认定王某醉酒驾驶为由判决保险澄海服务部应承担相应保险赔偿责任不当，二审法院依法予以纠正。

广东省汕头市中级人民法院依照《中华人民共和国保险法》第二十一条、第二十二条，《中华人民共和国民事诉讼法》第六十七条第一款、第一百七十七条第一款第二项的规定，判决如下：

一、撤销一审判决；

二、驳回被上诉人王某的全部诉讼请求。

【法官后语】

1. 保险事故后，被保险人有及时通知保险人的义务

保险合同成立后，保险事故一旦发生，有可能导致保险人承担保险金赔付

责任。无论是财产保险的保险标的还是人身保险的被保险人，均不处于保险人的监控之下，保险事故何时发生、怎样发生、结果如何，保险人均无法自行知悉。基于诚实信用原则，被保险人应当在保险事故发生之后，及时将有关情形通知保险人，促成保险人及时调查，这样更有利于获得认定保险事故的证据，确定保险人是否应当赔偿以及应当赔偿的数额，实现保险赔付的目的。本案中，王某在事故发生后没有及时报警或通知保险澄海服务部，而是与对方私下协商处理，属于故意未通知，等到事故发生19天后才由事故相对方报警时，公安部门和保险公司已无法鉴定碰撞痕迹，无法确认事故具体情况和车辆受损是否系案涉事故所致。根据《中华人民共和国保险法》第二十一条的规定，故意或者因重大过失未及时通知，致使保险事故的性质、原因、损失程度等难以确定的，保险人对无法确定的部分，不承担赔偿或者给付保险金的责任，但保险人通过其他途径已经及时知道或者应当及时知道保险事故发生的除外。因此，本案中王某应对其故意不报警的行为承担不利的法律后果。

2. 自认于己不利的事实且无足以反驳的相反证据，法院对其自认可予以确认

本案中，王某在发生交通事故后出具了《交通事故私了声明》，自认因其醉驾造成事故，在没有其他足以反驳的证据推翻的情况下，对其自认法院可予以确认。案涉交强险和第三者责任保险条款分别明确约定保险人对被保险机动车驾驶人存在醉酒驾车和饮酒驾车造成受害人的财产损失不予赔偿，王某已先自认醉驾，现其主张根据《中华人民共和国保险法》第六十五条规定，保险澄海服务部应在交强险及商业第三者责任险限额内赔偿其325894元及利息。根据《中华人民共和国保险法》第二十二条规定和举证责任规则，其应提供与确认保险事故的性质、原因等有关的证明和资料，以证明其非醉酒驾车和饮酒驾车、不属于保险条款中免责情形的证据，否则法院可确认其自认内容。

本案中，保险澄海服务部认为王某“涉嫌醉酒驾驶，为逃避责任私下达成高价利益协议，共同隐瞒毁灭酒驾证据，待证据毁灭事后又反悔”，因事故双方没有及时报警确认原因，法院已无法查实。但是，王某作为完全民事行为能

力人，在事故发生后与对方达成私下调解协议，承诺对事故中对方车辆的损害和折旧进行维修和赔偿，其应按照私下解决问题的本旨履行协议，自行负担其在协议中自愿赔偿的金额，但因其事后反悔，经两级法院诉讼才履行判决义务，已经违背民事活动中所应当遵循的诚信原则。在未能确定保险事故性质、原因的情况下，王某主张将此赔偿责任转嫁给保险澄海服务部，虽然一审法院仅支持保险澄海服务部在其保险限额内承担赔付保险金责任，但于保险公司而言有失公平，会放任司机形成酒驾后逃避责任承担的侥幸心理，不利于严惩酒驾、醉驾行为。对此，二审法院依法予以改判。

编写人：广东省汕头市中级人民法院　黄奕佳

9

利用多平台从事网约顺风车是否改变车辆使用性质的认定

——张某诉保险青岛分公司财产保险合同案

【案件基本信息】

1. 裁判书字号

山东省青岛市中级人民法院（2021）鲁02民终813号民事判决书

2. 案由：财产保险合同纠纷

3. 当事人

原告（上诉人）：张某

被告（被上诉人）：保险青岛分公司

第三人：孙某

【基本案情】

张某为其所有的A号车在保险青岛分公司处投保机动车第三者责任保险、

机动车损失保险。其中，机动车损失保险的保险金额为 94563.2 元，保险期间为 2018 年 8 月 22 日至 2019 年 8 月 21 日，使用性质为家庭自用。2019 年 7 月 5 日 15 时 50 分，张某驾驶 A 号车出行，与刘某驾驶的 B 号车、孙某驾驶的 C 号车相撞，致三车受损、护栏受损、孙某受伤。经交通警察大队认定，张某负事故全部责任。张某维修 A 号车产生维修费 40100 元、施救费 400 元；维修 B 号车产生维修费 74300 元；支出护栏维修费 16000 元。

张某于 2018 年 6 月 10 日在甲网约车平台上注册认证车主身份，注册信息显示：2018 年 7 月 8 日至 2019 年 7 月 5 日累计接单 412 单，累计收入 19774.8 元。张某于 2017 年 8 月 25 日在乙网约车平台注册，2018 年 1 月 3 日至 2019 年 7 月 2 日累计接单 349 单。张某在上述两平台均接单，多日接单均超过 4 单，多者一日达十几单。另查明，张某于 2019 年 7 月 5 日即事故发生当日共接 5 单，在接第 5 单时发生交通事故。

【案件焦点】

私家车主在多个平台注册从事网约顺风车的行为，是否属于改变车辆使用性质。

【法院裁判要旨】

山东省青岛市市南区人民法院经审理认为：张某的行为改变了车辆的使用性质，保险青岛分公司可以拒赔。理由如下：第一，依据《中华人民共和国保险法》第五十二条规定，被保险人未履行前款规定的通知义务的，因保险标的的危险程度显著增加而发生的保险事故，保险人不承担赔偿保险金的责任；第二，张某将本属于家庭自用性质的车辆分别注册在两家网约车平台上从事网约车服务，平日经常接单，且本案交通事故也发生在接送乘客的过程中。张某虽辩称其仅是在上下班途中顺道搭乘其他乘客，但结合张某的居住地、工作地、多笔订单的行驶时间、行驶路线、日累计接单数等，可以确定张某经常在同一天的不同地点多次接单，超越了家庭自用为主、顺路搭乘他人为辅的范畴，不符合网约顺风车的典型特征，性质上已转变为营运车辆的载客服务，可以认定涉案车辆的使用性质已经发生变化，客观上也增加了私家车发生交通事故的风险。张某应将上述车辆危险程度显著增加的情形通知保险公司。

山东省青岛市市南区人民法院依照《中华人民共和国保险法》第二条、第十条、第五十二条规定，判决如下：

驳回张某的诉讼请求。

张某不服原审判决，提起上诉。山东省青岛市中级人民法院经审理认为：本案争议焦点为张某的行为是属于网约顺风车的性质，还是属于导致保险标的危险程度显著增加的行为。

首先，《青岛市交通运输委员会关于查处非法营运时对私人小客车合乘认定的意见》[①] 第三条规定，合乘不属于道路运输经营行为。第四条规定，提供合乘出行一天内不得超过四次。虽然张某确实有几日存在接单超过 4 单的情况，但是若以一年期间为标准，张某的接单总量和日均接单并未超过相关规定要求。其次，相关规定未对顺风车在周末、节假日接单作出禁止或限制。一般而言，车主在周末、节假日亦有使用机动车的需要，且顺风车具有缓解城市交通拥堵、减少空气污染的作用。因此，周末、节假日接单没有突破顺风车的范畴，并且，顺风车在周末、节假日接单后的行驶路线可以比工作日更加灵活。再次，顺风车系一种“共享出行方式”，网约车运营平台确定的顺风车收费标准远低于正常营运车辆的收费标准。因此，顺风车的收费标准以及平台对于车主接单的限制可在客观上起到控制顺风车危险程度的作用。最后，在 2019 年 7 月 5 日事故发生当天，从张某行驶的路线来看，接单路线基本均位于其居住地到其工作单位之间。综上，本案中张某驾车的行为属于网约顺风车的性质，不属于营运车辆的载客行为，并未使得车辆风险程度显著增加。综上所述，上诉人张某的上诉请求成立，予以支持。

山东省青岛市中级人民法院依照《中华人民共和国民事诉讼法》第一百七十条第一款第二项规定，判决如下：

---

① 载青岛政务网，http：//www. qingdao. gov. cn/zwgk/xxgk/jtys/gkml/gwfg/202010/t20201018_451579. shtml，最后访问时间：2023 年 1 月 13 日。

一、撤销一审判决；

二、保险青岛分公司于判决生效之日起十日内向张某支付保险金131800元；

三、驳回张某的其他诉讼请求。

【法官后语】

近年来，随着互联网的发展，从事网约车服务的私家车主越来越多。依据《中华人民共和国保险法》第五十二条之规定，各地法院形成了相对统一的裁判理念：一般认为，私家车主从事网约快车业务的，属于改变车辆使用性质，由非营运转变为营运，危险程度显著增加，在被保险人未履行及时通知的义务时，保险公司免赔；私家车从事网约顺风车业务的，属于未改变车辆非营运的使用性质，保险公司不得以车辆使用性质改变导致危险程度显著增加为由拒绝赔偿。

现实中，不排除某些私家车主在多个平台注册，同一天内多次接单的情况。此时，私家车主与保险公司往往就这类私家车主接单是否“名为顺风车，实为快车”产生争议。笔者认为，顺风车与快车的本质不同在于顺风车是以车主自用为主，兼顾他人，而快车是利他服务，以营利为目的。具体可从以下几个方面进行认定：

1. 出行目的

即出行目的是自用还是他用。值得注意的是，顺风车的出行目的不应僵化地局限于上下班途中的自用。私家车主在节假日及其他休闲时间一样有出行需求，在正常的出行规划途中顺路载客，也可以认定为顺风车。在本案中，张某在节假日确实有接顺风车单的情况，但节假日出行符合正常的使用车辆需求，并不能直接说明车主在节假期接单就改变了车辆使用性质。

2. 行驶路线

网约顺风车的行驶路线是由车主或者乘客提前在平台发布后，由平台自动匹配的。只要车主按照自身合理的出行需求规划出行线路，不论在几个平台发布，均未改变其接单属于顺风车的性质。实践中，如因堵车或者下雨路面积水等而引发绕行等情况，实际行驶路线可能偏离原定的路线，但未超出合理范围的，仍可认定其性质为顺风车。

3. 出行频率

有部分私家车主以提供顺风车服务为业，无疑会导致其接单频次明显超过一般顺风车的接单频次，应当认定为车辆性质发生改变。各地对每天每车从事顺风车服务次数的规定不同。笔者认为，对于频次，不宜定量分析，应当结合车主及当地实际情况分析。同时，在衡量出行频率时，不能单纯地将接单次数与出行频率画等号。在一次出行过程中，车主可能将路线分为前后多段路程，进而接多单，此种情形宜计为一次出行；或者，网约车平台可能在车主规划的一次路线中安排了多名乘客搭乘，每个乘客为一单，虽然实际上是多单，但是也宜计为一次出行。

4. 费用分摊

顺风车的本质在于燃油费、通行费等费用的合理分摊，车主虽然会有一定的收益，但该收益并非基于营利目的而产生，与以营利为目的的快车所产生的收益相比往往有较大幅度的差距。通过网络平台计算收取顺风车费用，一般不视为营利活动。

另外，在举证规则方面，车主作为平台使用者及车辆控制人，更容易提供行驶线路等证据，由私家车主对车辆的使用性质为顺风车承担本证的举证责任，保险公司作为被告承担反证的举证责任，更符合经验法则。在本案中，张某作为私家车车主，应由其举证证明虽在多个平台注册顺风车，但每天出行频次并未超出当地关于顺风车指导意见的上线，且从其行驶路线来看，属于上下班途中的合理线路，并未存在绕道。

综上，在网约顺风车主利用多个平台在同一天多次接单，应当结合行驶路线、出行频率、费用分摊等因素，合理分配举证责任，综合考量车辆出行目的，从而判断车辆使用性质是否改变。

编写人：山东省青岛市中级人民法院　麻丽

10

越野车沙漠出险是否构成
保险法第五十二条规定的危险程度显著增加

——房地产开发公司诉保险北京分公司财产保险合同案

【案件基本信息】

1. 裁判书字号

北京金融法院（2021）京74民终469号民事判决书

2. 案由：财产保险合同纠纷

3. 当事人

原告（被上诉人）：房地产开发公司

被告（上诉人）：保险北京分公司

【基本案情】

房地产开发公司为其名下的越野车在保险北京分公司处投保了机动车损失保险、机动车损失保险无法找到第三方特约险、指定修理厂险、机动车第三者责任险、不计免赔险（机动车损失保险）、不计免赔险（机动车第三者责任保险），其中机动车损失险保险金额为462700元，保险费合计8032.02元，保险期间为2019年5月14日0时0分至2020年5月13日23时59分。2020年3月27日，房地产开发公司员工王某驾驶涉案车辆在内蒙古自治区乌海市翻车，致使车辆受损。事故发生后，房地产开发公司立即向保险北京分公司报案并申请理赔，但对方以出险时涉案车辆在沙漠中越野行驶，非正常道路交通事故，构成保险法第五十二条规定的危险程度显著增加，且房地产开发公司未将该情况及时通知为由拒赔。后房地产开发公司自行维修车辆，产生维修费及施救费共计180000元。房地产开发公司认为保险合同合法有效，保险北京分公司应予赔偿，故起诉至法院，请求法院判令保险北京分公司赔偿保险金。

【案件焦点】

1. 涉案车辆在沙漠中越野行驶，是否为保险北京分公司拒赔的合理事由；2. 房地产开发公司是否存在导致被保险车辆危险程度显著增加的情形。

【法院裁判要旨】

北京市朝阳区人民法院经审理认为：关于第一个焦点，根据双方签订的机动车损失保险条款，本案中保险北京分公司的保险责任为在保险期间内，被保险人或其允许的驾驶人在使用被保险机动车过程中，因碰撞、倾覆、坠落等原因造成被保险机动车的直接损失。其中并未明确约定被保险人必须在何种道路上行驶，也未明确约定被保险人不得在沙漠中行驶。从越野车的特性及使用范围看，其本身即可能涉及沙漠等特殊道路的行驶，保险北京分公司在承保时对车辆性质系明知，故保险北京分公司以事故发生在沙漠地带、不是在正常道路上行驶为由拒赔依据不足，对该答辩意见不予采信。

关于第二个焦点，《最高人民法院关于适用〈中华人民共和国保险法〉若干问题的解释（四）》第四条第一款规定，人民法院认定保险标的是否构成危险程度显著增加时，应当综合考虑以下因素：（一）保险标的用途的改变；（二）保险标的使用范围的改变；（三）保险标的所处环境的变化；（四）保险标的因改装等原因引起的变化；（五）保险标的使用人或者管理人的改变；（六）危险程度增加持续的时间；（七）其他可能导致危险程度显著增加的因素。保险标的危险程度虽然增加，但增加的危险属于保险合同订立时保险人预见或者应当预见的保险合同承保范围的，不构成危险程度显著增加。本案中，从事故发生照片及保险北京分公司提交的王某发布在某短视频平台的多条视频可见，涉案车辆多次在沙漠中行驶，且事故发生时该车辆亦在沙漠中，但该证据仅能证明王某作为越野爱好者多次进行越野活动并进行拍摄分享，尚不足以证明存在竞技的情况。越野车本身就是一种为越野而特别设计的汽车，具有一定的越野行驶能力，能在崎岖地面行驶，因此被保险车辆在沙漠中行驶并不超越其使用性能和使用范围，也不违反被保险车辆的使用用途。保险北京分公司在对涉案车辆进行承保时，明知该车辆为越野车，应当对该车辆的行驶条件有一定的预期。保险北京分公司提交的证据不足以证明王某对车辆的使用构成“危险程度显著增加”，故对其答辩意见不予采信。

现房地产开发公司在保险期间驾驶被保险车辆发生保险事故，因车辆发生事故造成的修理费、施救费损失均属于保险合同所约定的保险责任范围，保险北京分公司对费用结算单、发票的真实性亦予认可，房地产开发公司要求保险北京分公司向其赔偿相应金额的诉讼请求，具有事实和法律依据，予以支持。

北京市朝阳区人民法院依照《中华人民共和国保险法》第二十一条、第五十二条、第五十七条，《最高人民法院关于适用〈中华人民共和国保险法〉若干问题的解释（四）》第四条之规定，作出如下判决：

被告保险北京分公司于本判决生效之日起十日内赔偿原告房地产开发公司车辆维修费、施救费180000元。

二审法院同意一审法院裁判意见。

【法官后语】

保险法第五十二条规定了保险标的危险程度显著增加时被保险人的通知义务。《最高人民法院关于适用〈中华人民共和国保险法〉若干问题的解释（四）》第四条则进一步列举了涉及风险增加的常见因素，以便在个案中具体判断是否构成危险程度显著增加；同时该条第二款从反向规定危险程度显著增加应当具备“不可预见性”的要件，即如果增加的危险属于保险人订立保险合同时能够预见或者应当预见保险合同承保的范围，则不构成危险程度显著增加。结合情势变更原则对保险合同进行审视，考虑到双方当事人信赖的客观环境主要取决于保险合同订立时保险标的的风险状况，而嗣后危险情况的变化有可能超出合同双方的预期，若仍按增加后的风险来履行原合同，显然对保险人不利，因此保险法第五十二条被保险人危险增加通知义务规则的设置也是贯彻情势变更原则的体现。① 如果出现情势变更，保险人继续履行合同将显失公平，被保险人由此获益则不公，也悖于诚实信用原则。

在保险纠纷审判实践中，对于越野车在特殊环境下行驶是否构成危险程度显著增加存在争议，持肯定观点的认为该种情形将导致保险标的发生事故的概率增大，符合车辆危险程度显著增加的情形。笔者认为，具体案件则应具体分析，回到本案中，驾驶人驾驶越野车在沙漠出险不构成危险程度显著增加。第一，从保险标的特性和使用范围来看，驾驶人驾驶越野车穿越沙漠，在客观上确实增加了车辆的危险程度，但越野车本身就是为了越野而特别设计制造的，具有在非铺装路面和特殊地形的通过能力，驾驶人驾驶越野车在沙漠中行驶，甚至以探险和娱乐为目的进行有限度的冒险亦属于越野车的正常使用范围。第二，保险人应受“不可预见性”要件制约，保险北京分公司作为专业保险公司，在签订保险合同时，就应当预见越野车在特殊环境下行驶所增加的危险，此种危险属于保险合同订立时保险人预见或者应当预见的保险合同的承保范围，除非双方就此种危险另有特别约定，或者保险北京分公司提交证据证明案涉车辆的使用明显与越野车的用途不符，否则增加的危险就不能认定为危险程度显著增加，保险人不能以被保险人未履行危险增加通知义务为由拒赔。

随着人民生活水平日益提高，自驾游已经成为常见的出游方式，其中驾驶专业越野车也屡见不鲜。司法实务中，越野车在沙漠等特殊环境下发生事故是否构成保险法第五十二条规定的危险程度显著增加，应结合越野车的特性和使用范围以及保险人在订立合同时是否具备“不可预见性”来综合判断，本案在事实认定方面具有一定示范意义。

编写人：北京市朝阳区人民法院　王丽英　何方

---

① 张力毅：《被保险人危险增加通知义务司法适用之检讨——基于277个案例的裁判文书之分析》，载《政治与法律》2019年第6期。

11

事故车辆施救费和车辆损失鉴定费是否属于保险理赔范围的认定

——吴某诉某财产保险股份有限公司淄博市分公司财产保险合同案

【案件基本信息】

1. 裁判书字号

山东省淄博市中级人民法院（2021）鲁03民终4361号民事判决书

2. 案由：财产保险合同纠纷

3. 当事人

原告（被上诉人）：吴某

被告（上诉人）：某财产保险股份有限公司淄博市分公司（以下简称保险公司）

【基本案情】

2021年7月12日5时许，孙某驾驶车牌号为A/B挂的大型汽车出行，与蔡某某驾驶的车牌号为C/D挂的大型汽车发生追尾，造成两车不同程度受损。孙某负事故全部责任，蔡某某无责任。A重型半挂牵引车辆经某车辆评估有限公司评估车辆损失总值148840元。上述车辆所有权人为某物流有限公司，该车辆于2021年6月17日0时起至2022年6月16日24时止在保险公司投有机动车损失保险并不计免赔，保险金额为286440元。

A重型半挂牵引车辆实际车主为本案原告吴某，该车辆挂靠在某物流有限公司名下，该公司作为涉案车辆被保险人已将合同项下理赔权利转让于吴某。吴某提起本案诉讼，请求判令保险公司赔偿车辆损失、鉴定费、施救费等经济损失 162340 元。保险公司则辩称鉴定费、施救费属于间接损失，不属于车损险赔偿范围。

【案件焦点】

发生交通事故后，事故车辆的车辆施救费和车辆损失鉴定费是否属于保险公司理赔范围。

【法院裁判要旨】

山东省高青县人民法院经审理认为：根据《中华人民共和国保险法》第十四条的规定，保险合同成立后，投保人按照约定交付保险费，保险人按照约定的时间开始承担保险责任。本案中，原、被告签订的保险合同合法有效，投保车辆在投保期内发生事故，被告应当按照合同约定予以赔付。被告保险公司主张鉴定费、施救费属于间接损失，不属于车损险赔偿范围。但根据《中华人民共和国保险法》第五十七条、第六十四条之规定，本案中原告对车辆损失进行鉴定评估系为查明保险标的损失程度所产生的必要、合理费用，故鉴定费依法当由被告承担；原告所产生的施救费属于被保险人为防止或减少标的的损失所支付的必要的、合理的费用，车辆施救费亦应当由被告承担。对于原告鉴定费、施救费的诉求，依法予以支持。被告主张原告车辆损失应在交强险无责限额 100 元内予以扣减，于法有据，予以采纳。

山东省高青县人民法院依照《中华人民共和国保险法》第十八条、第五十七条、第六十四条的规定，判决如下：

一、保险公司赔偿吴某车辆损失费 148740 元、鉴定费 10000 元、施救费 3500 元，共计 162240 元，于本判决生效之日起十日内付清；

二、驳回吴某的其他诉讼请求。

保险公司不服一审判决，提出上诉。山东省淄博市中级人民法院经审理认为：保险公司主张鉴定费、施救费应当由吴某承担，但是，鉴定费系为查明和确定保险标的的损失所支出的必要合理费用，施救费属于车辆受损而产生损失的一部分，应当予以赔偿。保险公司的上诉主张不成立，依法不予支持。

山东省淄博市中级人民法院依照《中华人民共和国民事诉讼法》第一百六十九条、第一百七十条第一款第一项之规定，判决：

驳回上诉，维持原判。

【法官后语】

大型运输车辆通常会在法定的交强险外再投保商业三者险、车辆损失险等商业险，从而尽可能地减少交通事故发生后的经济损失。但对于上述保险，双方当事人常因赔偿及追偿等问题产生纠纷，其中车辆施救费、车辆损失鉴定费等常成为保险公司拒赔的事项。故对于车辆施救费、车辆损失鉴定费的认定无疑是处理此类财产保险合同纠纷的关键。

第一，关于车辆施救费。车辆施救费是指被保险标的遭遇保险责任范围内的事故，被保险人或其代理人、所雇人员为了减少事故损失而采取适当措施抢救保险标的所支出的额外费用。

从车辆施救费的范围来看，车辆施救费不等同于拖车费。在道路交通事故中，保险车辆出险后往往失去正常的行驶能力，被保险人雇用吊车及其他车辆进行抢救的费用，以及将出险车辆托运到修理厂的运输费用均属于施救费。之所以作此理解，是因为在发生道路交通事故也就是保险事故后，被保险人应当先尽力采取必要的措施，防止或者减少损失。而对发生事故的被保险车辆予以及时施救明显属于为防止或减少损失所采取的必要措施。在此前提下，为救出被保险车辆所支出的必要的、合理的施救费，显然也应当属于“保险事故发生后，被保险人为防止或者减少保险标的的损失所支付的必要的、合理的费用”，该费用应当由保险人承担。因此，承保车辆损失险的保险公司对此依法具有赔偿义务。另外，对施救费的赔偿不应考虑施救措施是否成功，出险车辆经被保险人进行施救，即使花费了相应费用但未奏效，保险公司对施救费用亦应负责。

关于车辆施救费的赔偿顺序，车辆施救费的赔偿采取先由交强险赔付再由商业险赔付的顺序。因施救费属于财产损失，首先，保险公司应在交强险财产损失项下进行赔偿而无需按事故责任划分比例；其次，在交强险财产损失项下赔偿因已满限额而不足以赔偿全部施救费损失的，则再按事故责任比例由承保商业险的保险公司予以赔偿；最后，若未投保商业险，则上述应由商业险赔偿的部分由肇事方予以赔偿。

第二，关于车辆损失鉴定费。车辆损失鉴定费是财产保险合同纠纷案件当事人申请对车辆损失进行鉴定，即通过鉴定对车辆具体损失作出明确的判断来进一步证明其诉请而产生的费用。

《中华人民共和国保险法》第六十四条规定："保险人、被保险人为查明和确定保险事故的性质、原因和保险标的的损失程度所支付的必要的、合理的费用，由保险人承担。"从前述车辆损失鉴定费的含义不难看出，该费用依法应当属于"为查明和确定保险标的的损失程度所支付的必要的、合理的费用"，属于必要且合理的支出。同时，鉴定机构得出的鉴定意见也是人民法院在处理此类案件作出裁判时所必需的重要依据。保险公司在诉讼中对于鉴定问题往往会以不认可鉴定结果或不认可鉴定机构为理由进行抗辩，故人民法院在裁判时应当对鉴定机构的资质以及鉴定结果的合理性进行审查，并以此来确定鉴定意见能否作为裁判的依据。而对于车辆损失鉴定费本身而言，其遵循意思自治原则，在无约定的情形下原则上依据《中华人民共和国保险法》第六十四条的规定由保险公司承担。但对此应当注意的是，第一，尽管车辆损失鉴定费由保险公司承担，但其不属于交强险的赔偿范围。因为车辆损失鉴定费虽属于必要支出，但其不属于直接损失，其作为间接损失，应当在商业三者险中计算，故不应纳入交强险赔偿范围。第二，车辆损失鉴定费是否应由商业险赔偿亦应根据保险合同的约定，即根据意思自治的原则，对此有约定的从其约定，充分尊重当事人的意思表示；在没有约定或者约定不明确的情况下，则依照《中华人民共和国保险法》第六十四条的规定由保险公司承担。

编写人：山东省淄博市中级人民法院　荣明潇

山东省高青县人民法院　马文涛　杨梦莹

12

受损保险车辆未维修情况下实际损失的认定

——张某诉某保险公司财产保险合同案

【案件基本信息】

1. 裁判书字号

山东省威海市中级人民法院（2021）鲁10民终705号民事判决书

2. 案由：财产保险合同纠纷

3. 当事人

原告（上诉人）：张某

被告（被上诉人）：某保险公司

【基本案情】

2020年3月18日，张某为其名下的轿车（以下简称案涉车辆）向某保险公司投保机动车损失保险，保险金额216038.4元，保险期间为2020年4月24日至2021年4月23日。2020年6月11日11时，张某驾驶案涉车辆与案外人徐某驾驶的轿车相撞，造成张某轻微受伤、双方车辆损坏的交通事故。后经公安机关交管部门认定，张某负事故主要责任，徐某负事故次要责任。事故发生后，张某将案涉车辆运往4S店[①]。保险公司使用其公司的理赔系统对案涉车辆进行定损，数额为87433元（包括配件费77863元、工时费9570元）。保险公司主张按原厂流通件价格标准赔偿，张某则主张按4S店的价格标准赔付，双方多次协商均未达成一致。后张某向法院提起诉讼，并申请对车辆损失进行鉴定。

---

① 4S指整车销售（Sale）、零配件（Sparepart）、售后服务（Service）、信息反馈（Survey）；4S店即提供以上服务的汽车商店。本书以下不再提示。

法院在诉前调解阶段委托某鉴定公司进行鉴定，鉴定公司在该 4S 店院内对案涉车辆进行了拆检，并按照 4S 店的价格标准对车辆维修费进行了鉴定。鉴定意见为案涉车辆事故发生后的维修费为 169865 元（包括配件费 140833 元、工时费 29032 元）。张某为此支付鉴定费 8000 元。鉴定公司完成拆检后，张某又将案涉车辆从 4S 店转移至他处，转移前案涉车辆未予维修。2020 年 9 月 29 日，案涉车辆从张某名下过户至他人名下。诉讼期间，张某承认转移车辆时没有维修，但拒绝提供车辆下落，拒绝提供车辆事后维修证据，导致法院无法查验车辆转移后是否维修。后经法院函询，鉴定公司书面证实，案涉车辆未整体灭失，修复后可以继续使用；事故发生前车辆价值约 20 万元，事故发生后车辆残值约 11 万元。由此可知，按照鉴定意见计算，案涉车辆维修费（169865 元）与车辆残值（11 万元）之和明显大于事故发生前的车辆价值（20 万元），甚至高于保险金额（216038.4 元）。

【案件焦点】

受损保险车辆在没有维修的情况下如何确定实际损失。

【法院裁判要旨】

山东省威海市环翠区人民法院经审理认为：机动车损失保险是指被保险人或其允许的驾驶人在驾驶保险车辆时发生保险事故，造成保险车辆受损，保险公司在保额范围内予以赔偿的一种汽车商业保险。在保险车辆未到达全损的情况下，车辆损失一般是指车辆维修费。一般情况下，汽车销售服务 4S 店是维修费用最高的维修单位。对车辆损失的确定，应当遵循保险法最大诚信原则和损失补偿原则，不应该盲从鉴定意见。本案中的鉴定意见确定的维修费和车辆残值之和不仅大于事故发生前的车辆价值，甚至大于保险金额。如果采信该鉴定意见，将发生高赔低修、赚取保险差价的后果，而这一后果必然违反最大诚信原则和损失补偿原则，故该鉴定意见不应予以采信。

发生保险事故后，被保险人对保险公司负有告知保险事故性质、原因和损失程度等情况的通知义务，还负有提供损失证明资料的协助义务，因故意或重大过失而未尽到通知义务或协助义务导致实际损失无法确定的，保险公司对无法确定的损失部分有权拒绝赔偿。为打击保险理赔过程中的投机行为，根据保险法的上述规定，采纳保险公司定损价格，认定案涉车辆实际损失为87433元。

山东省威海市环翠区人民法院依照《中华人民共和国保险法》第五条、第十三条、第十四条、第二十一条、第二十二条之规定，判决如下：

一、保险公司于判决生效之日起十日内赔偿张某车辆实际损失87433元；

二、驳回张某的其他诉讼请求，并责令张某自行负担鉴定费8000元。

二审法院同意一审法院裁判意见。

【法官后语】

本案的焦点问题是发生保险事故后，被保险人故意不维修受损车辆时如何定损。随着我国汽车保有量的上升，事故车辆保险理赔问题日益凸显，既存在被保险人投保容易理赔难的问题，也存在被保险人与鉴定机构、汽修厂相互利用，恶意进行鉴定和诉讼，利用司法漏洞赚取车损保险差价的乱象，个别地区甚至形成了以倒卖事故车辆为业的“车险黄牛”团体，干扰了人民法院的审判工作。如何科学定损、衡平被保险人与保险公司之间的利益，成为亟待解决的司法问题，本案可为类似案件的审判提供一定的参考。

1. 没有维修的受损车辆也应该赔偿

保险法未将车辆维修作为保险理赔的必要条件，只要发生了保险合同约定的保险事故，保险车辆客观上受损，就产生了保险法意义上的保险损失。即使受损车辆没有维修，保险公司也应该赔偿。有的保险公司以车辆没有维修、损失尚未产生为由拒赔，系对保险损失的误读，违反了保险法的规定，人民法院不应支持。

2. 根据保险法的损失补偿原则否定虚假鉴定意见

在车辆已经维修的情况下，被保险人的实际损失就是维修费，一般不存争议；而在车辆没有维修的情况下，如何定损经常引发争议，出现争议时一般是通过司法鉴定来解决。司法鉴定属于专业性、权威性较强的工作，只要不明显违反鉴定程序，一般会被人民法院采信，而不法分子看中的正是这一点。轻易采信鉴定意见认定车辆损失会催生两种违法理赔现象：一是被保险人套用4S店较高的价格进行鉴定却在普通汽修厂维修车辆，赚取维修费差价；二是被保险人获赔后变卖车辆残值，理赔款和残值之和远超事故发生前车辆实际价值。如此一来，司法鉴定和审判便成了不法分子赚取保险差价的“合法”外衣。因此，运用损失补偿原则对鉴定意见进行审查和否定便很有必要。

损失补偿原则是指被保险人从保险公司获得的赔偿正好填补被保险人因保险事故造成的保险损失，即损失多少赔偿多少。保险法充分保护被保险人因保险事故遭受的实际损失，但不允许被保险人通过投保获取额外利益，否则将引发道德风险、形成不良示范。本案鉴定公司按4S店价格计算维修费，貌似合理，但既没有事实根据，也没有法律依据。在鉴定意见确定的维修费和车辆残值之和大于事故发生前车辆价值甚至高于保险金额的情况下，采信鉴定意见无疑是对张某投机心理的放纵和鼓励，将发生高赔低修、赚取保险差价的后果，而这一后果必然违反保险法损失补偿原则。因此，该鉴定意见不应被采用。

3. 根据保险法的最大诚信原则及被保险人的法定通知义务和协助义务合理定损

保险法的最大诚信原则要求投保人或者被保险人对那些足以影响保险公司承保、足以影响理赔结果的重要事实负有充分而准确的告知义务，不得隐瞒，更不得虚构。发生保险事故后，被保险人对保险公司负有告知保险事故性质、原因和损失程度等情况的通知义务，还负有提供损失证明资料的协助义务，因故意或重大过失而未尽到通知义务或协助义务导致实际损失无法确定的，保险公司只赔偿可以确定的损失部分，对无法确定的损失部分有权拒绝赔偿。本案事故发生后，张某没有与保险公司协商维修地点和维修标准，而是自行将车辆从事故发生地送往4S店，鉴定完毕后又在车辆没有维修的情况下自行将车辆转移，事后拒绝告知车辆去向、车辆已经交易等实际情况。这足以说明张某存在按照4S店的高昂价格定损却又不想真的在4S店进行维修的投机心理，其行为违反了最大诚信原则，也违反了被保险人的通知义务和协助义务，应予否定性评价。此时可以根据保险法的规定，参考保险公司的定损数额判决赔偿；对因被保险人未尽到该两项法定义务而导致的无法确定的损失部分，不予支持。

4. 对不法鉴定机构进行必要的制约和监督

车辆受损却不维修，明显有违购车使用之目的，有投机之嫌。在车辆没有维修的情况下，被保险人的实际损失不是尚未发生的维修费，而应是车辆因保险事故导致的原配件损失及拆检费用等。实务中司法鉴定的对象往往不是原配件损失及拆检费用，而是尚未发生的车辆维修费，如此便产生了被保险人索赔数额与实际损失不符的问题，引发保险理赔纠纷。为了制约被保险人的投机行为，人民法院在委托鉴定时应向鉴定机构提出明确的鉴定标准，而不是任由鉴定机构自主决定。在没有任何限制要求的前提下出具的鉴定意见，不应成为被保险人申请理赔的依据，也不应成为人民法院裁判的依据。实践中，被保险人、鉴定机构和汽修机构（如4S店）共同实施上述行为的，涉嫌构成虚假诉讼，也涉嫌构成保险诈骗罪，不仅应在民事上予以否定和制裁，还可以通过刑事程序予以追究和打击。

综上，在受损车辆没有实际维修的情况下，被保险人按最高标准索要维修费，不仅有违公平原则，甚至有保险诈骗之嫌。为打击保险理赔过程中的投机行为，鼓励受损车辆真实维修，维护正常的保险理赔秩序，这类案件采用保险公司的定损价格进行赔偿，不仅具有保险法上的依据，而且具有破解违法理赔套路的现实意义。

编写人：山东省威海市环翠区人民法院　姜云浩

13

财产保险案件涉嫌骗保的应审慎审查保险事故过程

——朱某诉财险厦门分公司财产保险合同案

【案件基本信息】

1. 裁判书字号

福建省厦门市中级人民法院（2021）闽02民终4782号民事裁定书

2. 案由：财产保险合同纠纷

3. 当事人

原告（上诉人）：朱某

被告（被上诉人）：财险厦门分公司

【基本案情】

2019年11月1日，朱某就涉案车辆向财险厦门分公司投保机动车商业保险，险种包括机动车损失保险、第三者责任保险等，其中机动车损失险保险金额264520元。2020年12月10日19时，洪某驾驶上述车辆出行，声称与前车追尾，事故事实和碰撞部位均系洪某单方陈述，无他人证明。后经交警大队出具《交通事故认定书》，认定“洪某未确保安全，造成其车前部受损，洪某负事故全部责任”，但该认定中缺乏相对方的车辆信息。庭审中，法院根据案情分配举证责任，要求朱某对本案事故中相对方的信息负举证责任，并在庭后3日内提供交警部门的事故处理详细信息包括现场监控视频与对方车队的处理情况等。朱某未能提供。2021年2月4日，朱某就上述事故委托某保险公估公司对车辆修复费用进行公估，《公估报告》认为车辆修复总费用为32696元。

本案审理过程中，因发现上述疑点，法院向财险厦门分公司签发调查令，指派其代理人前往案外四家险企的厦门分公司调取朱某名下包括事故车辆在内的五部车的出险信息及相应的理赔材料。材料显示，2016 年至 2020 年，朱某名下的车辆共发生包括本案在内的 36 起保险事故，其中，3 起由本案被告财险厦门分公司理赔；10 起由案外 A 保险厦门分公司理赔；1 起由案外 B 保险厦门分公司理赔；7 起由案外 C 保险厦门分公司理赔；15 起由案外 D 保险厦门分公司理赔；不含已撤销案件、划痕险案件及信息不明的其他案件共计 16 起。另查明，朱某曾是某租车公司的员工，在职期间为 2015 年 3 月 24 日至 2019 年 4 月 30 日。本案事故中的洪某系朱某的表哥；其他理赔事故中的事故双方驾驶人均与朱某存在血缘关系或工作关系。

【案件焦点】

1. 讼争交通事故是否属于保险事故；2. 本案是否属于民事诉讼的受理范围。

【法院裁判要旨】

福建省厦门市思明区人民法院经审理认为：《交通事故认定书》中缺乏相对方的车辆信息，事故事实和碰撞部位均系洪某单方陈述，无他人证明，且朱某未能提供交警部门的事故处理详细信息（包括现场监控视频、对方车辆信息、与对方车队的处理情况等），无法证明事故真实存在，应承担举证不能的不利后果。

依法调取的朱某名下多辆汽车的出险信息及相应的理赔材料显示，2016 年至 2020 年间，朱某名下的车辆共发生包括本案在内的 36 起保险事故，其中多起保险事故均为其本人或亲戚驾驶其名下车辆与其亲戚或同事发生碰撞事故，亦有多起事故系与大型车辆发生追尾事故，同时存在多起原因可疑的单方事故（如直行撞树等），且大多数事故均为朱某名下的车辆负全部责任，赔款收款方也多为朱某。综合生活经验法则及在案证据，同时考量朱某通过保险赔偿可以获得的预期利益等因素，朱某存在故意制造包括本案在内的多起交通事故骗取保险金的高度嫌疑。鉴于本案可能涉嫌保险诈骗经济犯罪，应将在案材料移送公安机关一并侦查。因此，本案不属于民事诉讼的受理范围，原告提起本案诉讼不符合人民法院受理民事案件的起诉条件。

福建省厦门市思明区人民法院依照《最高人民法院关于在审理经济纠纷案件中涉及经济犯罪嫌疑若干问题的规定》第十一条，《中华人民共和国民事诉讼法》第一百一十九条第四项、第一百五十四条第三项的规定，裁定：

驳回朱某的起诉。

朱某不服上诉，请求撤销一审裁定，改判支持其全部诉讼请求。福建省厦门市中级人民法院经审理认为：法院依法有权将已受理但经审查认为不属经济纠纷而有经济犯罪嫌疑的案件直接移送公安机关。根据一审查明事实，现一审法院认为本案存在经济犯罪嫌疑而裁定驳回起诉，将材料移送公安机关一并侦查并无不当。如经法定程序认定不构成犯罪，双方可再通过民事诉讼程序解决。因此，一审法院认为本案不属于民事案件受理范围，裁定驳回起诉并无不当，予以维持。

福建省厦门市中级人民法院依照《中华人民共和国民事诉讼法》第一百七十条第一款第一项、第一百七十一条规定，裁定：

驳回上诉，维持原裁定。

【法官后语】

本案系一起典型的涉嫌骗保的保险合同纠纷。法院在庭审中处置规范，充分运用了“调查令”等工具，对在审理经济纠纷案件中发现经济犯罪嫌疑的类似案件处理，有较高的参考价值和借鉴意义。

大数法则[①]是现代保险运营的基石，然而，如果保险事故系人为故意制造，保险制度分散危险、分担损失的功能就将难以维系。因此，保险合同应当是最大诚信合同，打击包括骗保在内的保险欺诈行为是司法机关的使命。本案是财产保险合同纠纷，双方对保险合同成立以及讼争车辆仍在合同期内并无争议，争议焦点在于诉请支付保险金的行为是否存在骗保嫌疑。

---

① 大数法则是指大量重复出现的随机事件中，往往呈现出几乎必然的规律。通俗地说，就是偶然中包含某种必然。参见李贤平：《概率论基础》，高等教育出版社2010年版，第255页。

根据《中华人民共和国保险法》第二十二条规定，保险事故发生后，投保人、被保险人或者受益人按照保险合同约定请求保险人赔偿或者给付保险金时，应当向保险人提供其所能提供的与确认保险事故的性质、原因、损失程度等有关的证明和资料。本案中，根据《交通事故认定书》，案涉交通事故系单方事故，事故认定书中没有相对方的车辆和车主、驾车人信息，事故事实和碰撞部位均为被保险人单方陈述，而没有其他证据可以佐证。

骗保行为的举证责任分配是本案的一大亮点，原中国保监会2018年印发的《反保险欺诈指引》（保监发〔2018〕24号）[①] 中特别指出："本指引所称欺诈仅指保险金诈骗类欺诈行为，主要包括故意虚构保险标的，骗取保险金；编造未曾发生的保险事故、编造虚假的事故原因或者夸大损失程度，骗取保险金；故意造成保险事故，骗取保险金的行为等。"本案中，被保险人的相关行为的确存在诸多疑点，保险人亦辩称原告曾有多次理赔记录。因本案涉嫌骗保，法庭第一时间讯问原告，记录并固定其对事故时间、地点等要素的详细陈述。随后，为进一步查清案件事实，鉴于双方均有委托代理律师，为了节约司法资源，法庭充分运用民事诉讼法规定的"调查令"，给予双方公平的补强自身证据的机会：一方面，鉴于事故发生地有摄像头，法院向原告开具调查令，要求其在庭后3日内提供交警部门的事故处理详细信息包括现场监控视频、对方车辆信息等，但原告无正当理由未提供，无法证明事故真实存在，应承担举证不能的不利后果，故其保险理赔的诉求不应得到支持；另一方面，法院向保险人开具调查令，要求其向其他四家保险公司调取五年间原告名下车辆理赔记录。综合生活经验法则及在案证据，同时考量原告通过保险赔偿可以获得的预期利益等因素原告存在故意制造交通事故骗取保险金的高度嫌疑，因涉嫌保险诈骗经济犯罪，应移送公安机关侦查。故本案不属于民事诉讼的受理范围，法院依法裁定驳回原告的起诉，并将在案材料移送公安机关一并侦查。

公安机关在法院移送材料的基础上，认为案件存在犯罪事实，决定正式立

① 参见《保监会关于印发〈反保险欺诈指引〉的通知》，载中国政府网，http://www.gov.cn/gongbao/content/2018/content_5303471.htm，最后访问时间：2023年1月13日。

案，经过缜密侦查，最终破案。经查，本案是一起典型的团伙保险诈骗案。朱某以及上述事故的驾车人、相对方均为亲朋好友，涉嫌组成家族式的固定团伙，故意制造交通事故骗取保险金。公安机关经周密布控，已将朱某等8人抓获并对3人采取刑事拘留强制措施，后经检察机关审查批准决定对3人执行逮捕，截至本文交稿，该刑事案件处于公诉审查阶段。

编写人：福建省厦门市思明区人民法院　林鸿

14

无管辖权法院委托的鉴定意见效力如何认定

——冯某诉人保南京分公司保险合同案

【案件基本信息】

1. 裁判书字号

安徽省滁州市中级人民法院（2021）皖11民终3727号民事判决书

2. 案由：保险合同纠纷

3. 当事人

原告（上诉人）：冯某

被告（被上诉人）：人保南京分公司

【基本案情】

2020年11月8日，被保险人某物流公司为涉案机动车在人保南京分公司投保了机动车损失保险，保险金额329280元，保险期限自2020年11月8日起至2021年11月7日止。投保人已按约向人保南京分公司履行保费缴纳义务。

2020年11月17日0时许，朱某某驾驶被保险车辆时发生交通事故，造成该车辆受损。驾驶人及时向人保南京分公司报告了保险事故，向公安机关报案，并雇请某汽修公司对该车辆进行施救，支付施救费 14000 元。2020 年 11 月 18 日，滁州市公安局交巡警支队对该事故作出《道路交通事故认定书》，认定涉案车辆驾驶员朱某某承担事故全部责任。人保南京分公司亦派员对事故进行了现场勘查，但未定损。保险事故发生后，被保险人某物流公司于 2020 年 12 月 1 日依法将该车辆损失所有权益转让给冯某并通知了人保南京分公司，冯某向人保南京分公司主张保险金赔偿权时双方发生争议。

冯某诉前请求安徽省滁州市南谯区人民法院对该车辆损失进行司法鉴定，安徽省滁州市南谯区人民法院依法委托甲公估公司进行评估，评估结论为车辆损失 52665 元，冯某支付施救费 14000 元、评估费 2000 元。但人保南京分公司对该鉴定结果不认可，冯某向安徽省滁州市琅琊区人民法院提起诉讼后，人保南京分公司申请对案涉车辆的损失进行重新司法鉴定。该院依法委托乙公估公司对案涉车辆的损失进行评估。乙公估公司于 2021 年 7 月 1 日出具了评估报告，确定案涉车辆损失理算金额为 42600 元。人保南京分公司为此支付评估费 3500 元。

【案件焦点】

1. 无管辖权法院委托的鉴定意见效力如何认定；2. 人保南京分公司对冯某主张的保险金是否应当承担给付责任，若承担，具体金额是多少。

【法院裁判要旨】

安徽省滁州市琅琊区人民法院经审理认为：双方对案涉车辆因保险事故所导致的车辆损失数额有争议，冯某诉前申请无司法管辖权的法院对案涉车辆损失委托所作出的评估结论，人保南京分公司不认可，该评估程序不合法。本院在诉讼中依法委托具有保险公估资质的评估公司进行的车辆损失评估，严格按照委托司法鉴定程序作出，冯某虽提出异议但无合理理由予以推翻，因此采纳该评估结论。

安徽省滁州市琅琊区人民法院依照《中华人民共和国保险法》第十三条、第二十二条、第二十三条、第二十四条、第五十九条，《最高人民法院关于适用〈中华人民共和国民事诉讼法〉的解释》第九十条之规定，作出如下判决：

人保南京分公司于本判决生效后十日内给付冯某车辆损失保险金 49100 元。

冯某不服，提起上诉。安徽省滁州市中级人民法院经审理认为：冯某为证明其车辆损失诉前向安徽省滁州市南谯区人民法院申请诉前鉴定，而该院依法委托甲公估公司对案涉车辆进行评估，该评估结论在鉴定的申请主体、鉴定机构选择、鉴定机构的资质、鉴定材料的审查、鉴定意见的质证等程序和实体均符合法律的规定，且人保南京分公司未提供充分证据证明该评估结论存在法律规定违法的情形。故安徽省滁州市南谯区人民法院虽对本案没有管辖权，但是其委托的鉴定机构对案涉车辆的损失所作出的评估结论可以作为本案车辆损失定案的依据。而一审法院对案涉车辆损失重新启动鉴定不当，应予以纠正。

安徽省滁州市中级人民法院依照《中华人民共和国民事诉讼法》第一百七十条第一款第二项之规定，作出如下判决：

一、撤销一审判决；

二、人保南京分公司于本判决生效后十日内赔付冯某保险金 68665 元。

【法官后语】

司法实践中，经常出现这种情形：原告向人民法院提起诉讼后，被告提出管辖权异议申请，后该案被移送至具有管辖权的人民法院审理。在移送管辖前，原人民法院依照法定程序委托鉴定机构就案涉相关事项进行鉴定，并由鉴定机构作出鉴定意见，该意见效力如何认定？被告能否提起重新鉴定？

笔者认为，根据《最高人民法院关于民事诉讼证据的若干规定》第四十条第一款规定，当事人申请重新鉴定，存在下列情形之一的，人民法院应当准许：（一）鉴定人不具备相应资格的；（二）鉴定程序严重违法的；（三）鉴定意见明显依据不足的；（四）鉴定意见不能作为证据使用的其他情形。第八十一条第三款规定，当事人因鉴定人拒不出庭作证申请重新鉴定的，人民法院应当准许。无管辖权法院作出的鉴定意见不具有上述情形的，该意见应作为认定案件事实的根据。那么，重新启动鉴定程序如何审查和把握，应从以下几个方面分析：

第一，鉴定程序严重违法中“严重”的判断。下列情形一般认为属于严重违法：人民法院选定的鉴定机构未在人民法院诉讼资产网进行备案或公告等情形；提交的鉴定机构的鉴定材料系伪造的、鉴定材料的来源不合法；鉴定人与涉案当事人存在亲属关系或其他利害关系，应当回避未回避的；鉴定事项超出鉴定机构的业务范围；鉴定机构或者鉴定人员不具备相关的鉴定资格等。

第二，鉴定意见明显依据不足的判断。鉴定意见只有同时符合合法性、客观性和关联性，才能作为认定案件事实的依据。鉴定意见的合法性要求鉴定意见符合法律的相关规定，包括主体合法、程序合法、来源合法和形式合法。违反法律的强制性或禁止性规定、严重侵害他人合法权益形成或者获取的证据等，不得单独作为认定案件事实的证据。鉴定意见的客观性要求作出鉴定意见依据的材料应当客观真实，没有经过他人修改、伪造，鉴定人应保持中立态度，鉴定结论应有科学理论予以支撑。鉴定意见的相关性要求待证事实与案件具有关联性。若鉴定意见与案件争议事实没有关联性，该意见法院亦不能采信。

第三，鉴定意见不能作为证据使用的其他情形中“其他情形”的判断。该条款属于法官自由裁量权的范畴，系兜底条款。该条款不仅是对其他条款的补充，亦可应对科学技术发展所带来的新情况。对法官来说，该条款的采纳具有很大的灵活性，为防止权力滥用，法官依据该兜底条款启动重新鉴定程序时，应对当事人予以释明，并在裁判文书中予以充分说理，方便社会公众对重新启动鉴定程序的合法性予以监督。

编写人：安徽省滁州市中级人民法院　邓见阁

15

特种车辆在工地作业时发生责任事故是否属于交强险赔付范围

——郭某诉财保蚌埠支公司保险合同案

【案件基本信息】

1. 裁判书字号

安徽省蚌埠市中级人民法院（2021）皖03民终1911号民事判决书

2. 案由：保险合同纠纷

3. 当事人

原告（被上诉人）：郭某

被告（上诉人）：财保蚌埠支公司

【基本案情】

2019年7月27日，郭某在驾驶吊车的过程中触碰到低压线，导致下方正在作业的王某触电身亡。郭某于2019年6月24日在财保蚌埠支公司为吊车投保了机动车交通事故责任强制险和50万元工程机械设备综合附加第三者责任保险，保险期限自2019年6月26日起至2020年6月25日止。经法院判决认定，郭某关于案涉保险事故所应承担的责任比例为80%；王某因保险事故所产生的医疗费用为2265.38元；财保蚌埠支公司在工程机械设备综合保险附加第三者责任保险限额内赔付王某亲属435038.3元。前述判决生效后，财保蚌埠支公司又就工程机械设备综合附加第三者责任保险向郭某理赔64961.7元。2020年12月31日，郭某向财保蚌埠支公司提出理赔申请，财保蚌埠支公司于2021年1月17日告知郭某拒绝理赔，理由是不符合交强险的规定，遂成讼。

【案件焦点】

涉案的吊车属于特种车辆，保险事故发生在工地而非道路上，特种车辆在作业时发生责任事故，是否属交强险及第三者责任险的赔付范围。

【法院裁判要旨】

安徽省蚌埠市蚌山区人民法院经审理认为：首先，《机动车交通事故责任强制保险条例》第三条规定，本条例所称机动车交通事故责任强制保险，是指由保险公司对被保险机动车发生道路交通事故造成本车人员、被保险人以外的受害人的人身伤亡、财产损失，在责任限额内予以赔偿的强制性责任保险。第四十三条规定，机动车在道路以外的地方通行时发生事故，造成人身伤亡、财产损失的赔偿，比照适用本条例。该条例规定被保险车辆发生道路交通事故或在非道路通行时发生事故均可请求保险公司赔偿。其次，交强险的设立本意是通过法律规定强制机动车的所有人或管理人依法投保，让保险人来承担、分散社会风险，保障机动车责任事故受害人能及时从保险公司得到经济赔偿。本案原告郭某所驾驶的特种机动车辆，其在道路上行驶的时间显然少于作业时间，若将该特种机动车辆在作业时造成的人身伤亡或财产损失排除在交强险赔偿范围之外，则该特种车辆受害人获得交强险救济的概率将大大降低，投保人投保交强险的目的也难以实现，该结果显然不符合交强险的设立宗旨。最后，被保险车辆作为特种车辆，主要用途在于特殊作业而非道路行驶，且现实生活中特种车辆发生事故也多是在特殊作业过程中，保险公司作为保险人对此应明确清楚，本案被告财保蚌埠支公司在承保时亦明知涉案车辆为重型专项作业车。特种车辆在作业时本身处于启动状态和运动状态，亦可理解为《机动车交通事故责任强制保险条例》所规定的“通行”。综上，涉案事故虽为施工作业事故，但郭某仍有权依据交强险合同向财保蚌埠支公司索赔。

关于本案交强险保险金赔付数额的问题，原告郭某在庭审时明确其诉请的112333.58元包含交强险中死亡伤残赔偿限额11万元及医药费用2333.58元，但生效民事判决所认定的医疗费用为2265.38元、郭某承担赔偿责任的比例为80%，故本院仅对原告诉请的医药费用金额中的1812.3元予以支持。

安徽省蚌埠市蚌山区人民法院依照《中华人民共和国保险法》第十四条、第二十三条，《中华人民共和国民事诉讼法》第六十四条之规定，判决如下：

一、被告财保蚌埠支公司给付原告郭某机动车交通事故责任强制险保险金111812.3元，于判决生效后十日内付清；

二、驳回原告郭某的其他诉讼请求。

财保蚌埠支公司不服，提起上诉。安徽省蚌埠市中级人民法院经审理认为：根据《中华人民共和国道路交通安全法》第一百一十九条第三项规定，机动车是指以动力装置驱动或者牵引，上道路行驶的供人员乘用或者用以运送物品以及进行工程专项作业的轮式车辆。本案被保险车辆虽为特种车辆，但亦属于机动车，其主要用于特殊作业而非行驶，案涉吊车交强险投保单对车辆性质亦明确标注为“特种车”，财保蚌埠支公司作为保险人对此应明确清楚。交强险作为一种强制保险制度，其目的为保障受害人及时获得经济保障和医疗救治，具有较强的保障性和强制性。如果仅将交强险的理赔范围限于道路通行状态下发生的事故，显然有违特种车辆投保交强险的目的，不利于受害人权益的保护，也有悖于《中华人民共和国道路交通安全法》的立法意图。郭某为案涉吊车在财保蚌埠支公司投保了交强险并缴纳了相应保费，双方在保险合同中亦未约定涉案吊车在作业过程中发生的事故财保蚌埠支公司不予赔偿。故本案事故亦可比照适用交强险条例处理，财保蚌埠支公司应在交强险保险范围内予以赔偿。综上所述，财保蚌埠支公司上诉请求不能成立，应予驳回；一审判决认定事实清楚，适用法律正确，应予维持。

安徽省蚌埠市中级人民法院依据《中华人民共和国民事诉讼法》第一百七十条第一款第一项之规定，判决如下：

驳回上诉，维持原判。

【法官后语】

特种车辆在工地等道路以外的场所作业时发生责任事故，是否属于交强险赔付范围，该争议由来已久。有观点认为，不能把《机动车交通事故责任强制保险条例》第四十四条“机动车在道路以外的地方通行时发生事故，造成人身伤亡、财产损失的赔偿，比照适用本条例”中的“通行”扩大解释为“作业”，从而得出特种车辆在道路以外作业时发生责任事故不属于交强险赔付范围的结论。本案一、二审均未采纳该观点，而是从交强险制度的设立目的、特种车辆的属性及特殊用途、保险公司在交强险合同中的合同角色等判决保险公司在交强险范围内作出赔付，为类似问题的解决提供一种思路。

1. 交强险制度的设立目的即在于使事故受害人得到及时的救助与赔偿

《机动车交通事故责任强制保险条例》第一条规定，为了保障机动车道路交通事故受害人依法得到赔偿，促进道路交通安全，根据道路交通安全法、保险法，制定本条例；第三条规定，本条例所称机动车交通事故责任强制保险，是指由保险公司对被保险机动车发生道路交通事故造成本车人员、被保险人以外的受害人的人身伤亡、财产损失，在责任限额内予以赔偿的强制性责任保险。由此可见，交强险制度的设立目的在于通过法律规定强制机动车的所有人或管理人依法投保，保障机动车责任事故受害人及时得到经济赔偿。法院在办理涉及交强险理赔相关案件时，应当充分考虑交强险的社会保障功能。

2. 吊车等特种车辆系主要用于工程专项作业的“机动车”，其在工地的作业状态可理解为“在非道路通行”

《中华人民共和国道路交通安全法》第一百一十九条第三项规定，“‘机动车’，是指以动力装置驱动或者牵引，上道路行驶的供人员乘用或者用于运送物品以及进行工程专项作业的轮式车辆”。本案案涉吊车作为进行工程专项作业的轮式车辆，系法定的“机动车”范畴，但主要用途用于工程专项作业而非载人或载客行驶。虽然《机动车交通事故责任强制保险条例》第三条及第四十三条规定机动车发生道路交通事故或在非道路通行时发生事故可适用该条例，而未将特种车辆作业时发生事故的情形明确列入，但特种车辆在作业时本身处于启动状态和运动状态，亦可理解为《机动车交通事故责任强制保险条例》第四十四条所规定的“在道路以外的地方通行”。

3. 保险公司承保交强险是其承担企业社会责任的一种方式

保险公司是具有准公益性质的特殊的企业法人，交强险是保险公司响应政府倡导而开办的风险偏高的保险品种，是保险公司承担社会风险对抗责任的一种体现。保险公司作为交强险合同的承保人，其合同角色与其他商业保险合同有所不同。现实生活中，特种车辆也多是在特殊作业过程中发生事故。保险公司是具有专业保险知识的保险机构，在订立交强险合同时明确知晓涉案车辆为重型专项作业车，应对该特种车辆的出险情况有相应预判。保险公司在出险后将特种车辆作业事故排除在理赔范围之外有违诚信原则，也与交强险的公益性质不符。

编写人：安徽省蚌埠市蚌山区人民法院　张潇潇

16

避险紧急制动致承运物损失之保险责任范围认定

——运输公司诉财保甘肃分公司财产保险合同案

【案件基本信息】

1. 裁判书字号

江苏省淮安市中级人民法院（2021）苏 08 民终 514 号民事判决书

2. 案由：财产保险合同纠纷

3. 当事人

原告（上诉人）：运输公司

被告（上诉人）：财保甘肃分公司

【基本案情】

运输公司为涉案车辆在财保甘肃分公司处投保，被保险人为运输公司，保险金额为 10 万元，保障项目为火灾、爆炸或运输工具发生碰撞、倾覆事故所造成的车辆运输货物的损失。《公路货物运输定额保险条款》第五条列举了五项由于自然灾害或意外事故造成车载货物损失，保险人应赔偿的情形，其中第二项是运输工具发生碰撞、倾覆，其他情形与本案争议无关。

2020 年 5 月 22 日 18 时 10 分左右，驾驶员驾驶涉案车辆出行，因避让车辆采取紧急制动，致车载玻璃因惯性滑落、受损，损失为 58197.61 元。扣除残值 9500 元，运输公司向购买方赔偿 48697.61 元。事故发生在保险责任期间内，因理赔未果，运输公司诉请判令财保甘肃分公司赔偿公路货物运输定额保险金 48697.61 元。

诉讼中，双方对车辆紧急制动致车载货物损失是否在保险责任范围内产生分歧。运输公司认为，财保甘肃分公司没有在保险条款中对“碰撞”进行解释，而对于碰撞，可以理解为车辆与外在物体发生碰撞，也可以理解为车内的货物之间发生碰撞；此外，本案车辆是由主、挂车组成，主车刹车时必然会引起挂车与主车的连接部位发生碰撞，只是碰撞力度不够，连接部位没有发生损坏而已；再者，如果车辆不与外界发生碰撞就不赔偿，无疑是放纵碰撞的发生，这不符合保险的目的以及公序良俗。财保甘肃分公司则认为，保险条款已经明确了承保事项，对碰撞应按照通常理解去解释；运输工具发生碰撞就是运输工具与其他外在物体发生碰撞，而不是货物之间发生碰撞，即使是货物之间发生碰撞也是绑扎不牢的原因导致。

【案件焦点】

承运车辆紧急制动造成车载货物损失是否在保险责任范围内。

【法院裁判要旨】

江苏省涟水县人民法院经审理认为：车辆避险紧急制动致车上货物损失属于意外事故造成的损失，理应属于承保范围；诉争格式条款违背了被保险人的合理期待，与道路交通安全法律法规的精神相悖；保险条款未对“碰撞”的含义进行解释，诉争双方对于碰撞有两种以上解释，故应作出不利于保险人的解释，遂认定该意外事故造成货物损失在保险责任范围内。依约扣除免赔额。

江苏省涟水县人民法院依照《中华人民共和国保险法》第三十条及《中华

人民共和国民事诉讼法》第一百四十二条之规定，判决：

财保甘肃分公司赔付运输公司保险金43827.8元。

宣判后，双方均不服，提起上诉，后运输公司一方撤回上诉。江苏省淮安市中级人民法院经审理认为：首先，涉案保险条款列举五项由于自然灾害或意外事故造成车载货物损失，保险人应予赔偿的情形，而承运车辆因避险紧急制动，造成车载货物损失，属于意外事故造成的损失，该意外事故导致的车载货物损失可以得到保险理赔符合一般投保人的合理期待。其次，该保险条款列举的自然灾害或意外事故的具体情形中，有运输工具发生碰撞、倾覆的情形，无车辆避险紧急制动的情形，而本案系车辆因规避交通事故的风险而紧急制动，系自救、避免造成更大损失的行为，应予提倡；反之，如果非因运输工具碰撞、倾覆而保险不赔偿，则可能放任其他事故发生，形成不良的社会价值导向和道德风险。最后，车辆紧急制动时，因惯性的作用，车载玻璃难免产生冲击、挤压；“碰撞”有两种以上解释的，可以作出不利于财保甘肃分公司的解释。

江苏省淮安市中级人民法院依照《中华人民共和国民事诉讼法》第一百七十条第一款第一项规定，判决如下：

驳回上诉，维持原判。

【法官后语】

涉案《公路货物运输定额保险条款》第五条的保险责任范围条款列举了五项由于自然灾害或意外事故造成运输工具上的保险标的物的直接损失，保险人应予赔偿的情形。但是，该五项情形中不包含车辆避险紧急制动的情形，而与之相近的是该条第二项关于运输工具发生碰撞、倾覆的情形。本案二审考虑到保险责任范围条款有别于免责条款，没有对其效力进行否定评价，而是运用解释的方法从三个方面对诉争保险条款进行解释，从而作出车辆避险紧急制动造成车载货物损失属于保险责任范围的判决。这三个方面是：适用合理期待原则、运用目的解释方法、辅助适用不利解释原则。

首先，合理期待原则是指当保险合同当事人就合同内容的解释发生争议时，应以投保人对于合同缔结目的的合理期待为出发点，对保险合同有关条款进行解释。合理期待原则是一种救济性的解释原则，侧重于保护被保险人或受益人一方的利益，其有别于其他的一般合同解释原则。即使保单中严格的条款术语并不支持该合理期待，但是，司法裁判中也应予重视并尊重。一般来讲，保险人均以合同条款的明示方式确定了承保范围，但如果一般投保人依其常识可以合理地期待某种风险仍属于承保范围，尽管这种期待与合同条款约定不符，那么仍可以判决保险人承担保险责任。涉案保险条款第五条有“意外事故造成运输工具上的保险标的物的直接损失”这一可以得到理赔的前提。本案承运车辆因规避交通事故风险而紧急制动，造成车载货物损失，属于意外事故造成的损失，该意外事故导致的车载货物损失可以得到保险理赔符合被保险人运输公司的合理期待。

其次，目的解释也称论理解释，是指从社会发展需要出发，结合具体案件，根据法律所要实现的目的，从逻辑上进行解释。二审合议庭认为，该保险责任条款中列举了自然灾害或意外事故的具体情形，其中，在运输工具发生碰撞、倾覆的情形下所造成的车载货物损失保险人承担赔偿责任，财保甘肃分公司也据此抗辩。而本案系车辆因规避交通事故的风险紧急制动，系自救、避免造成更大损失的行为，应予提倡；反之，如果非因运输工具碰撞、倾覆而保险人不赔偿，则可能产生放任其他事故发生的不良社会价值导向和道德风险，有违立法目的，也不符合保险目的。

最后，辅助适用不利解释原则。保险法第三十条规定，采用保险人提供的格式条款订立的保险合同，保险人与投保人、被保险人或受益人对合同条款有争议的，应当按照通常理解予以解释。对合同条款有两种以上解释的，应作出不利于保险人的解释。本案保险条款未对“碰撞”的含义进行解释，诉争双方对运输工具发生碰撞的理解存在争议。财保甘肃分公司认为按照该保险责任范围条款，车辆避险紧急制动的情形不属于碰撞；被保险人运输公司认为可以理解为车辆与外在物体发生碰撞，也可以理解为货物之间发生碰撞，而且主车制动时必然会引起挂车与主车的连接部位发生碰撞。诚然，财保甘肃分公司的解释符合通常理解，但是，车辆避险紧急制动是阻却碰撞、倾覆结果发生的行为，在惯性作用下车载货物难免产生冲击、挤压，因而，运输公司的解释也不无道理，故可以作出不利于财保甘肃分公司的解释。

二审裁判在进行论理解释时，融入了老百姓心中的一个“理”。这个“理”就是：无论是保险理赔，还是司法裁判，都要尊重法治精神，考虑投保人的合理期待，不能让老百姓在紧急制动与放任事故发生之间作出有违道德良知、有违社会主流价值观的选择，更不能作出违背公平正义、违背立法目的的裁判。司法裁判要有意识地以司法公正引领社会公平正义，以公正裁判树立社会行为规则，彰显司法裁判在国家治理、社会治理中的规则引领和价值导向作用。

编写人：江苏省淮安市中级人民法院　徐炜　马作彪

17

IDI保险[①]合同生效及投保人解除权的认定

——财保上海分公司诉房地产开发公司财产保险合同案

【案件基本信息】

1. 裁判书字号

上海金融法院（2020）沪74民终1163号民事判决书

2. 案由：财产保险合同纠纷

3. 当事人

原告（被上诉人）：财保上海分公司

被告（上诉人）：房地产开发公司

① IDI保险是指建筑工程质量潜在缺陷保险，以下不再提示。

【基本案情】

2018 年 8 月，被告在原告处投保建筑工程质量潜在缺陷保险，保险单明细表载明：被保险人为被告；保险项目为嘉定区××东地块项目，总保险金额为 112544696 元；总保险费为 1102938.02 元，应于 2018 年 9 月 5 日前支付，并分别约定了地基基础和主体结构工程、保温工程、防水工程的保险期限。涉案保险合同第十九条约定：投保人应当在投保时按照约定比例缴纳首期保险费或者保险人委托或认可的工程技术检查服务机构在保险建筑建设阶段实施风险管理的费用；待保险建筑工程合格完工保险人正式承保本保险之前一次性缴清剩余金额保险费；剩余的保险费交清前本保险合同不生效，保险人不承担保险责任。第三十七条约定：本保险合同成立后，投保人可要求解除本保险合同；投保人要求解除本保险合同的，应当向保险人提出书面申请，保险人在收到投保人交纳物业保修金的书面证明之后，本保险合同自保险人收到书面申请时终止。上述保险合同签订后，被告未依约支付保险费。经双方协商，支付保险费的时间顺延至 2018 年 11 月 30 日，被告仍未付款。2018 年 12 月 6 日，原告向被告发送《催款通知函》。后被告仅于 2019 年 1 月 7 日支付了 50%的保险费 551469.01 元。

另查明：2016 年，上海市出台《关于本市推进商品住宅和保障性住宅工程质量潜在缺陷保险的实施意见》[①]（以下简称 2016 年《实施意见》），规定本市在保障性住宅工程、浦东新区范围内的商品住宅工程中，推行工程质量潜在缺陷保险；前述范围的住宅工程在土地出让合同中，应当将投保工程质量潜在缺陷保险列为土地出让条件；鼓励本市其他区县的商品住宅工程逐步推进工程质量潜在缺陷保险；建设单位已经投保工程质量潜在缺陷保险的，可按照规定免予交纳物业保险金。2017 年 9 月，工业和信息化部、财政部发布《关于公布国务院部门涉企保证金目录清单的通知》[②]，取消了地方设立的各类涉企保证

① 载上海城市法规全书网，https://law.sfj.sh.gov.cn/#/detail? id=6003ff946ef4ead769525fde，最后访问时间：2023 年 1 月 30 日。

② 载工业和信息化部网站，https://www.miit.gov.cn/jgsj/yxj/wjfb/art/2020/art_5091bd97d3f24705b5aad77a316d734e.html，最后访问时间：2023 年 1 月 30 日。

金，物业维修金也在取消之列。2019年，上海市出台《关于本市推进商品住宅和保障性住宅工程质量潜在缺陷保险的实施意见》① （以下简称2019年《实施意见》），其第三条规定：本市在保障性住宅工程和商品住宅工程中推行工程质量潜在缺陷保险；前述范围的住宅工程在土地出让合同中，应当将投保工程质量潜在缺陷保险列为土地出让条件；保障性住房工程、商品住宅工程投保建设工程质量潜在缺陷保险的，依约不得解除保险合同。

本案保险合同涉及的地块项目竣工时间为2015年5月14日。2016年4月，房地产开发公司向嘉定区住房保障和房屋管理局（以下简称嘉定房管局）交纳涉案地块的物业保修金。后因物业保修金取消，嘉定房管局通知房地产开发公司退还物业保修金并建议其购买IDI保险。2018年7月30日，房地产开发公司收到该笔款项，但该款处于冻结状态。2018年8月，房地产开发公司向财保上海分公司投保案涉保险。2018年9月18日，房地产开发公司向嘉定房管局申请解冻物业保修金，提交的《申请书》载明"我司已按照要求购买了建筑工程质量潜在缺陷保险"，同时提交了涉案保险单、涉案保险合同予以佐证，后嘉定房管局对该笔款项予以解冻。

原告诉称，被告于2018年8月向原告投保，原告予以承保并出具保单。然被告在支付部分保费后，未再支付剩余保费。故原告诉至法院，请求判令被告支付剩余保险费551469.01元，并赔偿原告利息损失（以551469.01元为基数，自2018年12月21日起至实际支付日止，按照中国人民银行同期贷款利率计算）。

被告房地产开发公司辩称：对投保事实及尚余未付保费无异议，但不同意原告的诉讼请求，要求解除合同并退还相应的保费。理由主要为涉案保险合同第19条约定剩余保费交清前本保险合同不生效，被告未付清保费，故合同尚未生效；本案保险并非强制险，涉案保险合同第37条、第40条约定了被告有合同解除权，且涉案保险合同是原告提供的格式条款，故被告有权解除合同。

---

① 载上海市人民政府网站，https：//www.shanghai.gov.cn/nw44863/20200824/0001-44863_58820.html，最后访问时间：2023年1月30日。

【案件焦点】

1. 系争保险合同是否生效，双方当事人是否需履行合同义务；2. 房地产开发公司是否符合系争 IDI 保险合同解除条件，保险人要求投保人承担保险费缴付义务的诉请应否支持。

【法院裁判要旨】

上海市虹口区人民法院经审理认为：关于争议焦点一，涉案 IDI 保险系由房地产开发公司向财保上海分公司投保，财保上海分公司签发保险单予以承保，当事人要约和承诺意思表示清楚，保险合同依法成立。对于保费交纳是否能作为合同生效条件的问题，经查明，涉案投保单、保险单、保险单明细表均未将保费交纳作为合同生效条件。涉案保险合同第 19 条虽约定剩余保险费交清前保险合同不生效，但该约定适用于建筑工程尚未完工，保险费按约定分期交纳的情形。本案建筑工程在投保前已竣工，双方约定保险费一次性交付，上述条款适用的情形与本案并不相同。涉案 IDI 保险合同自成立之日起生效，房地产开发公司应根据保险合同约定一次性交纳保险费，财保上海分公司应根据保险合同约定的时间开始承担保险责任。上述合同义务应由当事人各自负担，在无约定的情况下，二者并不互为条件。

关于争议焦点二，根据双方的诉辩意见，因客观因素导致合同约定的解除条件之一无成就可能，在仅以文义解释方法无法直接确定该条款含义的情况下，应采取整体解释、目的解释、习惯解释、诚实信用原则解释等合同解释方法确定约定内容。

第一，从 IDI 保险性质及相关规范性文件的内容演变看，在物业保修金被取消的背景下，2019 年《实施意见》在全市范围内推行 IDI 保险，明确规定商品住宅工程投保人不得解除保险合同。IDI 保险将开发商对建筑工程的保修义务分散给保险公司承担，体现了 IDI 保险具有的公共利益保障属性。基于 IDI 保险的公益性质，将上述条款解释为投保人有任意合同解除权有所不当。

第二，从涉案保险合同设定投保人合同解除权的目的看，涉案保险合同建立在物业保修金制度有效施行的基础上，当时约定投保人在交纳物业保修金后享有IDI保险合同解除权的条件有其合理性。格式条款并未赋予投保人无条件的合同解除权。即便2016年至2018年处于物业保修金制度到IDI保险的过渡期，非试点范围内的建设单位也需要在投保IDI保险与交纳物业保修金中选择其一。

第三，从当事人的真实意思表示看，房地产开发公司以购买IDI保险等为由，向嘉定房管局请求解冻相应的物业保修金，并提交涉案保险单予以佐证，可知房地产开发公司对于以IDI保险的方式代替物业保修金的投保目的及退还物业保修金需以投保IDI保险为前提的义务属性属明知。因此，房地产开发公司获得物业保修金后再解除保险合同，与其《申请》内容不符，有违诚信原则。

综上，房地产开发公司仅依据物业保修金取消情形，提出投保人有权解除合同的观点，不符合IDI保险合同性质、合同目的和诚实信用原则，不符合规范性文件规定。

上海市虹口区人民法院依照《中华人民共和国合同法》第六条、第八条，《最高人民法院关于适用〈中华人民共和国民事诉讼法〉的解释》第九十条之规定，判决如下：

一、被告房地产开发公司于判决生效之日起十日内支付原告财保上海分公司保险费551469.01元；

二、驳回原告的其他诉讼请求。

二审法院同意一审法院裁判意见。

【法官后语】

建筑工程质量潜在缺陷保险在国内属新兴险种，多地尚处于试点阶段。上海作为首批试点城市，自2012年试点以来，已积累了丰富经验，涌现出了不少案例。本案就是其中较为典型的一个，案件中涉及的IDI保险生效及保险责任承担的认定、投保人是否享有解除权等都是实践中常见的争议焦点和审判难点。本案通过分析IDI保险的特殊性质，综合运用体系解释、诚信解释、目的解释等多种解释方法对上述争议问题作出了解答。

1. IDI保险的性质

IDI保险是指由住宅建筑工程的建设单位投保，保险公司根据保险合同的约定，对在保险范围和保险期限内出现的由于工程质量潜在缺陷所导致的投保建筑物损坏，履行赔偿修理、加固或重建费用等义务的一种保险。在IDI保险期内发生工程质量问题，保险公司将在第一时间向业主进行赔偿，再对相关责任方进行代位追偿。因此，该保险作为一款准公共保险产品，具有公益性、保障性、强制性。①

2. IDI保险生效及保险责任承担的认定

本案在此问题上的价值在于：一是当格式条款约定与实际工程状况不符时，如何认定合同生效要件；二是投保人交纳保费义务与保险人承担保险责任是否互为条件。

关于问题一，本案房地产开发公司以涉案保险合同第19条约定“剩余保险费交清前保险合同不生效”为由，辩称其未缴清保费，故涉案保险合同不生效。而财保上海分公司则认为，案涉工程已竣工，不符合涉案保险合同第19条适用前提，不应适用；且公司已在保险期间开始后，聘请第三方对涉案工程项目进行风险评估检查，并将评估报告上传至IDI保险信息平台，开始承担保险责任，故不应以投保人交纳保险费的情况作为认定涉案保险合同是否生效的要件。对此，法院认为，对条款的理解应结合条款所在的上下文内容，明确其适用前提、适用范围，涉案保险合同第19条约定适用前提为建筑工程尚未完工，而本案涉及的工程在投保前已经竣工，适用前提不符，故不应适用。再结合涉案投保单、保险单、保险单明细表，上述文本均未将保费交纳作为合同生效条件。因此，本案关于保险合同生效的认定应按未作特别约定处理，合同成立即生效，即涉案保险合同自成立之日起生效。

关于问题二，鉴于本案当事人未将保费交纳作为合同生效条件，因此保险费的交纳是投保人应当履行的合同义务。投保人不按时交纳保险费是违约行为，

① 我国IDI保险具有较强的强制性与政策性，具体表现为合同订立上的强制性和保险人承保的强制性。如北京、上海等地，从土地出让环节入手，要求全市保障性住宅工程和商品住宅工程在土地出让合同中，将投保工程质量潜在缺陷保险列为土地出让条件；保险公司应以报价函形式响应，不能拒绝承保或随意解除保险合同。

保险人不能因投保人有违约行为就免除自己的义务。有观点认为，在先履行一方投保人不交纳保险费的情况下，后履行一方的保险人可以不承担保险责任。笔者认为，双务合同履行中的抗辩权，无论是同时履行抗辩权还是后履行抗辩权，都只是一时的抗辩权、延缓的抗辩权，其效力只是在一定期限内中止履行合同并不消灭对待履行的义务。待抗辩原因消失后，抗辩权人应继续履行合同义务。因此，投保人交纳保费与保险人承担保险责任是合同当事人应各自负担，二者并不互为条件。房地产开发公司应根据合同约定一次性交纳保险费，财保上海分公司应根据合同约定的时间开始承担保险责任。

3. IDI保险解除条件的认定

IDI保险投保人合同解除权的行使关乎保险人是否最终保障工程质量。本案中当事人争议的主要焦点在于合同解除条件。本案在此问题上的价值在于：确立了当约定解除条件无成就可能时，法院可运用多种解释方法探究当事人的真意，确定合同解除条件的审判思路。

本案中，房地产开发公司认为，根据涉案保险合同约定，解除合同需提交物业保修金交纳的书面证明，但因物业保修金被取消，故投保人只要书面申请即可解除。而财保上海分公司认为，物业保修金被取消，投保人不符合约定的解除条件，故投保人不得解除。法院认为，因客观因素导致合同约定的解除条件无成就可能时，在仅以文义解释无法直接确定该条款含义的情况下，应运用体系解释、诚信解释、目的解释等解释方法确定约定内容，从而对投保人是否符合合同解除条件作出判断。

编写人：上海市虹口区人民法院　袁园

18

保险事故发生时，被保险人对保险标的不具有保险利益的，不得向保险人请求赔偿保险金

——邓某诉财险浦城支公司、某林场财产保险合同案

【案件基本信息】

1. 裁判书字号

福建省南平市中级人民法院（2021）闽07民终1319号民事裁定书

2. 案由：财产保险合同纠纷

3. 当事人

原告（上诉人）：邓某

被告（被上诉人）：财险浦城支公司、某林场

【基本案情】

2020年3月25日，浦城县林业局与财险浦城支公司签订《浦城县2020年分散性商品林森林综合保险协议》，约定：保险标的为浦城县境内分散性商品林及县级生态公益林（含县属国有林场、纳入资金补助的天然商品林）；被保险人为林木所有权者；保险期为一年，自2020年3月28日起至2021年3月27日止；保险责任为在保险期间内，由于发生林业有害生物等事故造成的保险林木受害损失，保险公司按照保险协议的赔偿标准负责赔偿。

2020年10月，某林场发布《公开招标文件》及《某林场山场林木定产定销经营权转让项目招标公告》，对涉案林木的定产定销经营权转让项目公开招投标。邓某中标后于2020年10月26日签字确认同意该《公开招标文件》的内容及所有条款。2020年11月6日，浦城县某投资公司（2017年已整合至某林场）就涉案

林木提交林木采伐申请书，采伐申请理由为病虫害，其尾部有邓某作为委托人的签名。2020年11月11日，邓某与某林场签订《林木经营权转让合同》，合同约定某林场将涉案林木经营权转让给邓某，其后，邓某至涉案林场采伐林木并销售完毕，林木售价款归其所有。经查，《公开招标文件》《某林场山场林木定产定销经营权转让项目招标公告》《林木经营权转让合同》均明确，采伐下来的马尾松不能运输出浦城县，需根据就地就近的原则，销往指定的病害木处理加工厂。

邓某以其受让的林木属于《浦城县2020年分散性商品林森林综合保险协议》投保范围，且涉案林木在保险期限内发生林业有害生物危害这一保险事故为由，向法院提起本案诉讼，请求财险浦城支公司赔偿保险金，并由某林场协助办理保险赔付事宜。

【案件焦点】

1. 邓某能否承继被保险人的权利和义务；2. 邓某是否有权向财险浦城支公司请求赔偿保险金。

【法院裁判要旨】

福建省南平市浦城县人民法院经审理认为：邓某从某林场处受让的是林木经营权，而非林木所有权。且邓某也非涉案林木的登记所有权人。因此，邓某并未通过林木经营权转让取得涉案林木的保险权益，其向财险浦城支公司主张保险责任，属原告主体不适格，邓某的起诉应予驳回。

福建省南平市浦城县人民法院依照《中华人民共和国民事诉讼法》第一百一十九条、第一百五十四条第一款第三项，《最高人民法院关于适用〈中华人民共和国民事诉讼法〉的解释》第二百零八条第三款的规定，作出如下裁定：

驳回原告邓某的起诉。

邓某不服一审裁定，提出上诉。福建省南平市中级人民法院经审理认为：《林木经营权转让合同》约定转让的实质上应当是林木所有权，财产保险合同保险标的转让后，相应的保险权利义务由受让人承继，保险合同继续有效。故自林木所有权转让之日，邓某承继某林场的被保险人权利和义务。《中华人民共和国保险法》第四十八条规定："保险事故发生时，被保险人对保险标的不具有保险利益的，不得向保险人请求赔偿保险金。"在案证据表明在邓某与某林场签订《林木经营权转让合同》前，案涉林木已发生有害生物危害这一保险事故，该保险利益应当归属于当时的林木所有者即某林场所有。病虫害保险事故发生时，因邓某对林木尚不具有保险利益，《林木经营权转让合同》亦未约定某林场将合同订立前产生的保险金赔偿请求权让渡给邓某，故邓某无权就案涉保险事故向财险浦城支公司请求赔偿保险金，其作为本案原告主体不适格，其起诉依法应予驳回。

福建省南平市中级人民法院依照《中华人民共和国民事诉讼法》第一百七十条第一款第一项、第一百七十一条，《最高人民法院关于适用〈中华人民共和国民事诉讼法〉的解释》第三百三十四条之规定，作出如下裁定：

驳回上诉，维持原裁定。

【法官后语】

本案一审、二审都裁定驳回起诉，但对于邓某是否有权向财险浦城支公司请求赔偿保险金的观点却有所不同。鉴于此，借本案谈谈保险标的转让后，被保险人如何行使保险金请求权的问题。

1. 保险标的转让的，保险合同权利义务的转让问题分析

《中华人民共和国保险法》第四十九条规定："保险标的转让的，保险标的的受让人承继被保险人的权利和义务。保险标的转让的，被保险人或者受让人应当及时通知保险人，但货物运输保险合同和另有约定的合同除外。被保险人、受让人未履行本条第二款规定的通知义务的，因转让导致保险标的的危险程度显著增加而发生的保险事故，保险人不承担赔偿保险金的责任。"据此，《中华人民共和国保险法》明确规定了财产保险合同保险标的转让后，相应的保险权利义务由受让人承继，保险合同继续有效，保险合同主体的变更不以保险人同意为要件。且保险合同主体的变更不以"通知保险人"为强制性要求，通知是否为必要，取决于转让行为是否导致危险程度增加。

就本案而言，保险标的为林木所有权。若认定某林场将涉案林木所有权转

让给邓某，其转让保险标的的行为并不存在导致危险程度增加的情形，则无需通知财险浦城支公司，亦无需经其同意。故自林木所有权转让之日，邓某是否承继某林场的被保险人权利和义务，还需进一步分析某林场与邓某签订《林木经营权转让合同》所体现的意思表示。

2. 是否属于转让林木所有权应从行为实质上判断

审理过程中，有观点认为，《招标公告》中的项目名称为“某林场林木定产定销经营权项目”，且邓某中标后，与某林场签订的合同名称亦为《林木经营权转让合同》。故邓某从某林场处受让的是林木经营权，而非林木所有权。邓某并未取得涉案林木的保险权益，其以林木所有权的身份向财险浦城支公司主张保险责任，属原告主体不适格，应裁定予以驳回。

笔者认为，对涉案合同的解释不应仅满足于对合同所使用文字的含义进行文义解释，还需按目的解释方法探寻合同当事人的真实意思。林木所有权是林木所有者对林木的占有、使用、收益和处分的权利，经营者以招标方式将已取得采伐许可证或计划采伐的林木转让给购买者根据许可证的规定进行采伐，由购买者对转让的林木自行砍伐、运输和销售，符合转让林木所有权的情形。就本案而言，结合邓某已将林木采伐、出售，且林木售价款归其所有等事实，《林木经营权转让合同》约定转让的实质上应当是林木所有权。而就约定转让的林木，浦城县林业局向财险浦城支公司办理了分散性商品林综合保险，保险合同约定被保险人为林木所有权者，因此，邓某以林木所有权者承继某林场的被保险人权利和义务，一审法院以邓某非林木所有权者故不具有原告主体资格裁定驳回起诉不妥。

3. 被保险人能否主张赔偿保险金应结合具体案情进行判断

《中华人民共和国保险法》第四十八条规定：“保险事故发生时，被保险人对保险标的不具有保险利益的，不得向保险人请求赔偿保险金。”因此，财产保险的被保险人在保险事故发生时对于保险标的具有保险利益，是该被保险人行使保险金请求权的必要条件。邓某虽承继某林场的被保险人权利和义务，但并非当然获得保险合同约定的所有保险利益的请求权，需从个案判断其对涉案林木在保险事故发生时是否享有保险利益。

就本案而言，在案的《公开招标文件》《某林场山场林木定产定销经营权转让项目招标公告》《林木经营权转让合同》均明确，采伐下来的马尾松不能运输出浦城县，需根据就地就近的原则，销往指定的病害木处理加工厂。落款日期早于《林木经营权转让合同》的林木采伐申请书上亦记载采伐申请理由为病虫害，其尾部有邓某的签名。由此表明，在邓某与某林场签订《林木经营权转让合同》前，案涉林木已发生保险事故，邓某系以转让合同签订前发生的保险事故为由主张保险赔偿金，该保险利益应当归属于当时的林木所有者某林场所有。病虫害保险事故发生时，邓某还未受让涉案林场，故其尚不具有保险利益，《林木经营权转让合同》亦未约定某林场将合同订立前产生的保险金赔偿请求权让渡给邓某，加之合同订立时邓某明知所受让林木遭受病虫害的事实，故邓某并非该保险利益的权利人，根据《中华人民共和国保险法》第四十八条之规定，其作为本案原告主体不适格，应依法裁定驳回起诉。

编写人：福建省南平市中级人民法院　张聪荣　曾筱宇

19

当事人诉讼外对损失金额的自认可以作为认定损失金额的重要证据

——纺织公司诉保险诸暨支公司财产保险合同案

【案件基本信息】

1. 裁判书字号

浙江省绍兴市中级人民法院（2021）浙06民终3820号民事判决书

2. 案由：财产保险合同纠纷

3. 当事人

原告（上诉人）：纺织公司

被告（被上诉人）：保险诸暨支公司

【基本案情】

2017年11月13日，纺织公司向保险诸暨支公司投保财产保险综合险并支付保险费，保险标的是纺织公司的仓库，主险：1. 建筑物保险金额1200000元；2. 机器设备保险金额5950000元；3. 存货保险金额3062000元，保险价值按出险时账面余额，总保险金额为10212000元，并约定每次事故绝对免赔3000元或损失金额的30%，以高者为准。2017年12月12日13时29分，保险标的物发生火灾。消防大队经调查询问及现场勘验后，形成火灾事故简易调查认定书，判断起火点位于纺织公司仓库的钢棚下方（靠近工具房5~6米处）、起火原因为电焊作业时溅出的火星引燃周边可燃物。

事故发生后，保险诸暨支公司进行现场查勘时向纺织公司实际控制人吴某调查情况，制作了询问笔录。2017年12月，吴某在回答派出所的询问时陈述："仓库是租来的，价值在5万元左右。其他烧掉的货是我的。""发生火灾的时候有20吨的成品棉纱烧掉了，还有化纤3包烧掉了，另外是25吨的废棉纱。保险公司来估算了之后是18.1万元左右的损失，我自己估算在17万元左右。""原来堆放在那里的是几百吨的货物。刚刚发生火灾的时候，我以为几百吨的货物还堆在那里，后来我才知道大部分都已经搬掉了。经过清点之后，就只有我上面说的这些材料被烧掉了。"12月27日，诸暨市公安局出具行政处罚决定书一份，查明吴某在明知叶某未持有电焊证件的情况下，让叶某在纺织公司堆有大量棉纱、化纤等易燃物品的仓库中进行电焊作业，导致火灾发生，决定给予吴某相应的行政处罚。

事后，纺织公司多次向保险诸暨支公司索赔，要求赔偿的数额在20万元到400万元不等。因金额差距悬殊，双方始终未能达成一致意见，遂成讼。诉中，法院依据纺织公司的申请选择案外某资产评估公司对财产损失进行评估，但因现场损害严重、时隔过长等原因，最终无法评估。

【案件焦点】

1. 本案是否需要终止审理，移送公安先行处理；2. 纺织公司因火灾遭受的损失金额如何认定。

【法院裁判要旨】

浙江省诸暨市人民法院经审理认为：原、被告之间的保险合同，系双方当事人的真实意思表示，双方主体适格，主要内容未违反国家法律法规的强制性规定，应属有效。

被告认为，吴某、叶某涉嫌构成失火罪，原告及有关人员构成包庇罪，刑事责任的追究将直接影响鉴定及保险人责任的免除，要求移送公安机关并终止本案审理。经依法移送后，公安机关未予立案，被告也未能就该主张继续举证，故该其主张缺乏事实依据，不予采纳。

鉴于鉴定评估无法得出结论，就火灾损失作如下分析确定：首先，火灾事故发生后，公安机关依职权所作的询问笔录，其中 2017 年 12 月 12 日和 21 日笔录有吴某本人签字确认，可以确认火灾发生的过程、受损范围及受损金额。其次，被告在火灾事故发生后，第一时间会同吴某对火灾事故现场进行了实地查勘和现场清点，原告及吴某也在现场查勘笔录及询问笔录、报损清单上进行盖章及签字确认，再次确认了损失范围及受损金额。事后，原告曾以损失金额 20 万元向被告进行索赔，也与吴某的陈述基本相符。从上述一系列事实来看，该损失金额具有客观真实性。再次，根据《中华人民共和国保险法》第二十二条第一款规定，原告对损失范围和金额负有法定举证义务。本案火灾事故发生后，原告未能提交火灾发生时的企业报表及其客户的原始账本等相关资料以查明案件事实，其曾经自认损失范围及金额，却以其单方制作的相关的账册、发票，主张实际损失达 400 万元，明显有违诚信原则，不具有可信度。最后，原告对于对错过评估的基础和调查的最佳时机也负有相应责任。

浙江省诸暨市人民法院依照《中华人民共和国保险法》第十四条、第十七条、第二十二条第一款，《最高人民法院关于适用〈中华人民共和国保险法〉若干问题的解释（二）》第十一条，《中华人民共和国民事诉讼法》第六十四条的规定，判决如下：

一、保险诸暨支公司应支付纺织公司保险理赔款 14 万元，限本判决生效之日起十日内付清；

二、驳回纺织公司的其他诉讼请求。

二审法院同意一审法院裁判意见。

【法官后语】

民法基本理念之一是具有民事行为能力的民事主体“自己对自己行为负责”。自认对于当事人而言，一旦作出，除非法定原因，不得撤销，同时也不能提出与自认事实相反的主张，其效力相当于民事诉讼证据中的“当事人陈述”。当事人作出的不利于己方的自认同时也将直接免除对方当事人对该节事实的举证责任。当事人的自认对于法院也具有约束力，自认可以作为定案的事实基础，同时对于当事人双方一致认可的事实，无需再进行真实性审查，乃至在二审中也不能在无正当理由的情况下被其他证据所推翻。诉讼中的自认所具有的法律效力十分强大，因此对于民事主体在诉讼外的自认在诉讼中的效力以及是否作为诉讼中认定相关事实的依据，应进行审慎的分析。

首先，应当综合案件全部证据综合认定。本案中，当事人对损失金额的自认系其自身估算，如存在其他能够证明损失具体金额的书面证据，且证据三性能够获得法庭确认的，则其证明效力应高于当事人自认。

其次，须分析该民事主体在诉讼外作出自认时的真实意思表示，双方当事人在协商过程中的谈判让步不应作为自认。本案中，原告方就损失金额的自认系在向公安机关笔录及报损清单上作出，且在一定的时间跨度内多次作出相同的自认，能够确认该金额系原告方经过慎重考虑对损失作出的估算。

最后，法官应遵循职业道德，运用逻辑推理和生活经验，进行全面、客观和公正的分析后，认定民事主体在诉讼外自认的证明效力。本裁判意见对当事人在诉讼外的自认行为效力作出了判断，即原告在现场查勘笔录及询问笔录、报损清单上对于自身损失范围及受损金额进行了确认，事后曾一度以自认的损失金额 20 万元向被告进行索赔，从上述一系列事实来看，原告在诉讼外自认的损失金额具有客观真实性，可以作为法庭认定损失金额的重要证据。但后来，原告又以其自行提供的账册、发票，主张实际损失达400万元，明显有违诚信原则，且上述材料均系其单方制作，证据效力较其在公安机关笔录中的陈述更低。在本案因种种原因导致鉴定不能的情况下，赋予当事人诉讼外自认行为的证明效力，符合民法的基本理念和诚信原则。

编写人：浙江省诸暨市人民法院　李晖

20

共同海损理算程序未启动情形下的保险赔偿责任

——矿产公司诉保险浙江分公司海上保险合同案

【案件基本信息】

1. 裁判书字号

浙江省高级人民法院（2021）浙民终873号民事判决书

2. 案由：海上保险合同纠纷

3. 当事人

原告（被上诉人）：矿产公司

被告（上诉人）：保险浙江分公司

【基本案情】

2020年10月9日，保险浙江分公司签发货物运输电子保险单，为矿产公司承保货物运输险，载明：保险货物为9594.96吨热轧钢坯；保险金额为4517308美元；运输工具为“××”轮。2020年10月18日，涉案保险货物被装载于“××”轮，自越南鸿基港运往中国南京港。矿产公司系提单项下货物的实际收货人。同年10月22日，承运人运输公司发出《共同海损通知书》，称“×

×”轮在运输途中主甲板破裂，已安排前往洋浦港进行救援和应急，并准备减载和修理，同时宣布共同海损。10月26日，矿产公司的货物从“××”轮卸下。根据运输公司的共同海损通知要求，保险浙江分公司为矿产公司向运输公司出具了《共同海损担保函》：“保证支付经适当、合法理算的下述货物应分摊的共同海损和/或救助报酬和/或特殊费用。”自11月23日起，矿产公司与运输公司多次协商货物的续运和后期处理，均无果。12月1日，矿产公司与某报关公司签订货代委托协议，委托后者安排从洋浦港至南京港的转运、报关等事项。12月3日，矿产公司在南京港为货物办理海关进口手续。12月4日，矿产公司与案外某公司签订国内水路货物运输合同，委托对方将货物自洋浦港运至南京中储码头。12月7日，矿产公司又与物流园公司签订货物运输合同，由物流园公司承担船边至堆场以及堆场卸车、堆场装车至码头船边的卸、装作业。后矿产公司向保险浙江分公司理赔未果，遂成讼。

【案件焦点】

因船方宣称共同海损而中止航程从而对矿产公司诉称所造成的各项费用和损失，是否属于保险浙江分公司的保险责任范围。

【法院裁判要旨】

宁波海事法院经审理认为：本案系海上保险合同纠纷。根据保单约定，承保范围为“除外责任”之外的一切风险，除免责条款列举事项外，运输途中因外来原因造成的保险标的的损失均在保险人的责任范围内。本案中，船舶在途中发生主甲板破裂，矿产公司货物在中途被卸下并转船，由此支出了额外费用。这些费用发生于“仓至仓”的保险期间，既是由船方所宣称的“共同海损”所产生，也是因承运人未履行完毕运输合同的目的港交货义务所导致。在承运人一直未启动共同海损理算程序的情形下，保险浙江分公司以理算未完成为由拒赔，将导致矿产公司可分摊的保险利益长期得不到保障。相反，保险人先行向被保险人进行赔偿，被保险人因共同海损和从其他受益方获得分摊或赔偿的权利可同时转移给保险人，有利于促使保险人及时行使向承运人代位求偿的权利。

续运费用由运输途中的外来原因所致，属于本案货运保险的责任期间和保险责任范围。矿产公司所诉请各项费用和损失的合理部分属于保险浙江分公司的保险责任范围，矿产公司有权要求保险浙江分公司予以赔偿。

宁波海事法院依照《中华人民共和国海商法》第二百一十六条、《中华人民共和国民事诉讼法》第六十四条第一款的规定，判决如下：

一、保险浙江分公司于本判决生效后十日内支付矿产公司保险赔款1806558.68元及利息；

二、驳回矿产公司的其余诉讼请求。

二审法院同意一审法院裁判意见。

【法官后语】

本案为海上保险合同纠纷，所涉保险事故由承运人声称并宣布的共同海损引发。在共同海损一直未理算的情形下，如何依据运输保险条款审查保险人是否应承担保险赔偿责任？

1. 本案保险条款具有一切险的属性

本案保险条款的责任范围较为广泛，类似于一切险。海洋运输货物一切险的承保范围为“除外责任”之外的一切风险，包括被保险货物在运输途中由于外来原因所致的全部或部分损失。同样，本案保险条款采用“一切风险减去除外责任”的方式，将约定和法定的除外事项全部予以列明，对于未列入“除外责任”的海上风险和一般外来风险，保险人均予负责。这里的一切风险，必须属于外来原因，可以是自然原因，亦可以是人为的意外事故。船舶运输途中触礁，属于外来原因，使承运人无法完成航程，不得不在中途转船，由此产生的额外费用，保险人应予以赔偿。当然，如果航程中止是除外风险引起，如由于承运人的经济困境所致，保险人并不负责。

2. 共同海损也属于一切险的属性范围

本案保险条款包括共同海损条款，其第二条约定：“本保险承保根据运输合同、准据法和惯例理算或确定的共同海损和救助费用，其产生是为了避免任何原因造成的损失或与避免任何原因造成的损失有关，但此种原因须不是本保险第四条至第七条或其他条文除外的危险。”从该第二条看，只要不属于第四条至第七条等约定的除外风险，共同海损也属于其中的保险责任范围。

3. 共同海损理算未启动前的保险赔偿

通常，共同海损以理算机构遵循相应的理算规则所作出的理算报告为依据。矿产公司主张的续运费用属于共同海损费用，是为了各个利益方的共同安全而产生，是矿产公司作为货主应分摊的费用。本案共同海损尚未理算，事故的原因及责任均不明确。矿产公司作为货方是否应承担共同海损损失以及如何具体分摊尚未确定，在存在过错方的情形下，保险人在承担保险赔偿之后还有权对过失方追偿。而无论如何，如果保险浙江分公司以理算未完成为由拒赔，将导致矿产公司可分摊的保险利益长期得不到保障。为避免此种风险，保险赔偿不仅不应该停滞，保险人还应先行向被保险人进行赔偿。被保险人因共同海损从其他受益方获得分摊或赔偿的权利可同时转移给保险人，有利于促使保险人及时行使向承运人代位求偿的权利。

4. 不认定共同海损并不妨碍保险责任的承担

本案保险条款第十二条续运费用条款虽将共同海损和救助费用排除适用，但在是否构成共同海损尚未有最后定论的情形下，该条款不能预先排除对本案的适用。对此法院认为，船舶在航程途中发生主甲板破裂，承运人为此宣布共同海损，矿产公司货物不得不在中途卸下并转船，由此支出了相应额外费用。这些续运费用属于运输途中的外来原因所致，理应在本条适用范围之内，属于本案货运保险的责任期间和保险责任范围。

编写人：宁波海事法院　史红萍

21

重复保险分摊请求权的成立和行使

——A 保险中山分公司诉 B 保险东莞分公司财产保险合同案

【案件基本信息】

1. 裁判书字号

广东省高级人民法院（2021）粤民终 318 号民事判决书

2. 案由：财产保险合同纠纷

3. 当事人

原告（被上诉人）：A 保险中山分公司

被告（上诉人）：B 保险东莞分公司

第三人：港务公司、码头公司

【基本案情】

2017 年 1 月，化肥公司与港务公司、码头公司签订《港口代理协议》，约定化肥公司委托码头方代理到港货物的储存保管等事宜，化肥公司负责货物储存期间的保险。2018 年 3 月，A 保险中山分公司签发尾号为 035 保险单，承保化肥公司投保的财产一切险及相关附加险，载明：被保险人为化肥公司，保险价值以出险时的市场价值确定，保险范围为所有甲方拥有货权的商品、所有甲方投保的存放在我国各港口及内陆堆场、仓库的货物等。2018 年 5 月，B 保险东莞分公司中标港务公司、码头公司的一揽子保险项目，签发尾号为 23M 的保险单，载明：被保险人为港务公司/码头公司及其他相关利益公司，扩展存货货主为共同被保险人；保险财产包括建筑物及附属设施、机电设备及附属设备、水工类以及存货（包括被保险人所有的存货和处于被保险人作业/照管之下的第三者所有的货物)；若存在重复保险且其他保险合同没有按重置价值承保，保险价值变更为出险时的市场价值；存货为足额投保；台风造成损失每次事故绝对免赔额5万元或损失金额的20%，以高者为准。两份保险单均载明，如果构成重复保险，保险人按其保险金额占保险金额总和的比例承担赔偿责任，不负责垫付其他保险人的赔偿金额。

A保险中山分公司提交的购销合同、付款凭证、说明等证据显示，某公司代理化肥公司进口案涉化肥，进口后堆存在案涉码头，其确认化肥公司对案涉化肥享有所有权。

2018年9月16日，化肥公司堆存在东莞市虎门港麻涌港区、处于港务公司和码头公司作业/监管之下的共计308333.68吨化肥（以下简称化肥公司堆存在麻涌港区的化肥）因台风导致损失。化肥公司向A保险中山分公司通知出险，A保险中山分公司委托公估公司定损。公估报告记载：损失数额为43427337.88元，理算金额为43203058.34元。A保险中山分公司致函B保险东莞分公司，告知保险事故，要求分摊保险赔偿责任。B保险东莞分公司未作答复。A保险中山分公司于2019年12月10日向化肥公司赔付4320万元。赔付后，A保险中山分公司再次致函B保险东莞分公司，要求其支付赔偿金2160万元。B保险东莞分公司未作答复。A保险中山分公司遂起诉要求B保险东莞分公司向其支付2160万元重复保险分摊款及利息。B保险东莞分公司认为，案涉两份保险不构成重复保险；即使构成重复保险，A保险中山分公司也不享有分摊请求权；即使A保险中山分公司享有分摊请求权，其请求赔付数额也明显不合理，应按B保险东莞分公司委托的另一家公估公司的报告认定赔偿数额。

【案件焦点】

1. 案涉保险是否构成重复保险；2. 如果构成重复保险，A保险中山分公司的重复保险分摊请求权是否成立；3. 如果分摊请求权成立，A保险中山分公司应当如何行使。

【法院裁判要旨】

广州海事法院经审理认为：本案为重复保险分摊纠纷。案涉两份保险构成重复保险，A 保险中山分公司有权要求 B 保险东莞分公司支付分摊款，鉴于存货在两份保险中均足额投保，故 B 保险东莞分公司应向 A 保险中山分公司支付分摊款 17280000 元及利息。

广州海事法院依照《中华人民共和国保险法》第十二条第二款、第五款、第六款、第五十六条第二款、第四款以及《最高人民法院关于适用〈中华人民共和国民事诉讼法〉的解释》第一百零八条第一款规定，判决：

B 保险东莞分公司于该判决生效十日内向 A 保险中山分公司支付重复保险分摊款 17280000 元及其利息。

B 保险东莞分公司不服一审判决，提起上诉。广东省高级人民法院经审理认为：本案为财产保险合同中的重复保险分摊纠纷。首先，化肥公司在案涉两份保险中均为被保险人，化肥公司堆存在麻涌港区的化肥是两份保险合同的共同承保财产且可与其他承保财产分割，化肥公司在两份保险中对该财产所享有的利益相同，结合两份保险符合其他重复保险构成要件的情况，案涉两份保险构成重复保险。其次，重复保险下的已赔付保险人享有分摊请求权，有权就超额赔付部分向未赔付保险人追偿。虽然保险法第五十六条未明确规定重复保险分摊请求权，但该条是对保险人内部责任的最终分配，未禁止超额赔付。保险人赔付后，依据保险法第五十九条取得受损保险标的全部或部分权利，包括要求未赔付保险人进行赔偿的权利。海上保险的重复保险已赔付保险人追偿权可作为一般保险的重复保险分摊请求权正当性依据。确认分摊请求权体现了利益平衡原则和对保险人积极赔付行为的肯定，有利于发挥保险的制度价值，营造诚信社会环境。本案中，A 保险中山分公司的分摊请求权符合其成立的积极要件和消极要件，其分摊请求权成立。最后，分摊请求权的行使需要符合法律规定、当事人约定，体现权利性质和制度价值。已赔付保险人对重复保险下的未赔付保险人、第三者、投保人等主体有不同的请求权，有权先主张分摊请求权。分摊请求权的行使范围为被保险人对未赔付保险人享有的全部或部分保险赔偿请求权及其从权利，以及分摊请求权的从权利，排除不符合法定或约定的权利；分摊请求权的责任比例应当依据其请求权行使对象所承担的重复保险下的保险赔偿责任比例确定；分摊请求权的数额应以实际赔付数额为基础，结合责任比例和免赔数额予以确定。据此，A保险中山分公司分摊请求权对应数额为17324928［43200000×50.13%×（1-20%）=17324928］元。一审法院判令B保险东莞分公司支付的分摊款数额和利息低于A保险中山分公司起诉请求的数额和分摊请求权及其利息对应的数额，A保险中山分公司未提起上诉，二审对此处理结果予以维持。

广东省高级人民法院依照《中华人民共和国民事诉讼法》第一百七十七条第一款第一项、《最高人民法院关于适用〈中华人民共和国民事诉讼法〉的解释》第三百三十四条规定，判决：

驳回上诉，维持原判。

【法官后语】

本案是关于重复保险的典型案例。其中，A保险中山分公司的分摊请求权是否成立和如何行使，属于本案争议焦点，实践中争议较大。二审法院先通过文义解释、体系解释等法律解释方法，确认已赔付保险人享有重复保险分摊请求权，再审查A保险中山分公司分摊请求权是否符合成立要件，最后明确分摊请求权的行使规则。

1. 已赔付保险人享有重复保险分摊请求权

重复保险分摊请求权是指重复保险下，已赔付保险人就实际支付保险赔偿金数额超出自己份额的部分，向其他未履行或部分履行保险赔偿责任的保险人即未赔付保险人追偿的权利。已赔付保险人享有重复保险分摊请求权，主要理由如下：

首先，保险法第五十六条是对各保险人内部责任比例认定标准的规定，体现各保险人内部责任的最终分配，未禁止保险人实际赔付时支付超过其责任比例的保险金。已赔付保险人的实际超额赔付行为属于法律准许的行为，其因超额赔付而受到的损失属于可循法律途径救济的损失。保险法第五十九条规定，保险人已支付全部或者部分保险金额的，取得受损保险标的的全部或部分权利。在财产保险中，归于保险人的受损保险标的权利为财产权利，包括被保险人要求保险人支付保险赔偿金的债权。虽然该债权在保险人赔付后因清偿而归于消灭，但法律拟制债权继续存在，为已赔付保险人取得，其有权向未赔付保险人主张。

其次，重复保险产生于海上保险，海上保险和一般财产保险在重复保险的理论基础、利益平衡、责任比例等方面具有共性，存在统一规则的合理性和可行性。《中华人民共和国海商法》第二百二十五条规定，重复保险下已赔付保险人享有向未赔付保险人追偿的权利，虽然该法同时赋予被保险人向任何保险人要求赔偿的权利，而保险法未作此规定，但对各保险人而言，其与被保险人之间的关系为债务人的外部关系，法律对外部关系所作规定不影响其内部责任认定，故海上保险关于已赔付保险人追偿权的规定可作为一般保险中已赔付保险人重复保险分摊请求权正当性的依据。

最后，重复保险是保险损失补偿制度的派生制度，其立法目的除了准许被保险人从多份保险合同中获得保险保障又不因此就同一损失重复受偿之外，还包括平衡各保险人之间的利益关系、督促保险人承担保险责任等。已赔付保险人向被保险人超额赔付，解除了其他保险人所对应的赔偿责任，确认其享有分摊请求权体现了利益平衡原则和对保险人积极赔付行为的肯定，有利于简化被保险人索赔程序，减少索赔成本，更好地发挥保险分散风险、增强保障的制度价值，有利于鼓励保险人积极参与理赔并提供更有市场竞争力的保险服务，推动保险行业健康有序发展，营造诚信友善社会环境。

2. 重复保险分摊请求权的成立要件

已赔付保险人享有重复保险分摊请求权，其对被请求分摊的未赔付保险人的分摊请求权是否成立，需要审查其主张的分摊请求权是否符合分摊请求权的成立要件，包括积极要件和消极要件。其中，积极要件包括主张分摊请求权的保险人已经履行保险责任、其他保险人因已赔付保险人的行为而免除全部或部分债务、已赔付保险人承担的保险赔偿责任大于其责任份额等，消极要件包括不存在阻却分摊请求权成立的事由等。具体案件中，需要确定成立要件的审查范围。本案中，B保险东莞分公司在知晓保险事故后一直未履行保险赔偿责任；A保险中山分公司实际赔付数额大于其责任范围；虽然两份保险合同均约定重复保险下保险人不负责垫付，但既未约定垫付以被保险人先向其他保险人索赔为前提，也未约定垫付后无权向其他保险人追偿，没有阻却分摊请求权的事由。据此，A保险中山分公司对B保险东莞分公司的重复保险分摊请求权成立。

3. 重复保险分摊请求权的行使规则

在重复保险下，已赔付保险人对未赔付保险人享有分摊请求权，行使分摊请求权需要符合法律规定、当事人约定，体现权利自身性质和制度价值。首先，关于权利的顺位。重复保险涉及多个法律关系，已赔付保险人在不同法律关系中对不同主体享有不同的请求权，在法律没有规定且当事人没有特别约定的情况下，已赔付保险人有权向未赔保险人主张分摊请求权。其次，重复保险分摊请求权的行使范围为被保险人对未赔付保险人享有的全部或部分保险赔偿请求权及其从权利，以及分摊请求权的从权利，排除不符合法定或约定的权利取得条件的权利，包括未尽合理审慎义务多付的赔偿金额、保险合同约定免赔的数额等。再次，为避免分摊请求权循环行使，已赔付保险人有权向各未赔付保险人主张的分摊款应以各未赔付保险人本应承担的份额为限。分摊请求权对应的责任比例应当依据其请求权行使对象所承担的重复保险下的保险赔偿责任比例确定。最后，重复保险下分摊请求权的制度设计，具有防止保险人逃避保险责任的目的，但也不允许保险人借此获得额外利益，损害其他保险人的利益。因此，已赔付保险人分摊请求权对应的数额应以其实际赔付数额为基础，结合责任比例和免赔数额予以确定。

编写人：广东省高级人民法院　焦小丁

（二）信用保险合同纠纷

22

融资性信用保险合同纠纷之裁判路径

——金融租赁公司诉财险公司财产保险合同案

【案件基本信息】

1. 裁判书字号

上海金融法院（2021）沪 74 民终 857 号民事判决书

2. 案由：财产保险合同纠纷

3. 当事人

原告（被上诉人）：金融租赁公司

被告（上诉人）：财险公司

【基本案情】

被告财险公司（甲方）、原告金融租赁公司（乙方）、案外人丙公司（丙方）签署《上牌车辆融资租赁信用保险合作协议》及《补充协议》，约定：1. 财险公司为承租人的租赁履约行为提供信用保险，丙公司就租赁业务提供真实性审核服务。2. 丙方向甲乙双方分别提供丙方确认的承租人具有真实性的书面文件。3. 信用险合同中甲乙双方履行依据为租赁信用保险条款、保险单、投保单和本协议有关约定……保险条款、保险单、投保单和本协议约定有冲突的，以本协议为准。业务流程具体为：1. 原告在征信系统中完成承租人的征信审核，将结果反馈丙方。2. 丙方初审，审核融资租赁合同资料原件、面签照片或面签视频。3. 被告再审，根据自身的内控要求进行独立审核后，将拟同意承保的承租人资料交由原告复审，并向原告出具保险单。4. 原告再根据内控要求进行审核，通过后对符合要求的承租人进行投放。5. 自承租人逾期满60天，原告将《索赔申请书》等寄送至被告。

2017年3月29日，金融租赁公司与承租人崔某签订《融资租赁合同》及相关附件，财险公司就该笔业务出具《租赁信用保险保险单》，约定：承租人违反《租赁合同》项下约定的偿付义务，发生并持续存在60个自然日的，视为发生保险事故；保险赔付范围为《租赁合同》项下所有到期应付未付租金及所有未到期本金；被保险人及其代表的故意、纵容、授意或重大过失行为或被保险人雇员的故意行为造成的损失，保险人不负责赔偿；被保险人承诺始终以谨慎、负责的态度维护其与《租赁合同》相关的权益，采取所有合理努力维护和维持《租赁合同》的正常执行，不因本保险合同的存在而放弃应有的审慎或怠于行使权利。被保险人未遵守上述约定而导致保险事故的，保险人不承担赔偿责任；被保险人未遵守上述约定而导致损失扩大的，保险人对扩大部分的损失不承担赔偿责任。

因承租人拖欠租金，金融租赁公司申请理赔，财险公司出具《保险责任核定通知书》，确认理赔款项为807150.81元，应于365日内赔付。后财险公司未予实际赔付，遂成讼。

被告辩称：金融租赁公司作为专业的金融公司和融资方，是控制融资租赁业务风险的责任主体，首付款的支付是评估承租人履约能力最重要的依据之一，金融租赁公司在承租人未足额支付首付款的情形下即放款租车，未履行融资租赁审慎经营义务以及维护保险标的安全义务，造成承租人的还款能力不足，最终导致承租人不能按时足额还款的风险显著增大，财险公司有权拒赔。

【案件焦点】

1. “合作协议”与保险合同的关系；2. 保险公司是否可以金融租赁公司（投保人）未履行融资租赁审慎经营义务及维护保险标的安全义务为由拒赔。

【法院裁判要旨】

上海市浦东新区人民法院经审理认为：《合作协议》及相关补充协议中关于本案保险合同法律关系的约定，不违反法律、行政法规规定，与本案租赁信用保险单及条款共同构成认定本案保险责任的依据。

被告认为，承租人未足额支付首付款，原告将收取首付款这类对于控制融资租赁风险至关重要的权利和义务委托给经销商行使，也未对经销商的收取行为进行监督，违反审慎经营义务、维护保险标的安全义务，属于保险条款约定的“被保险人及其代表的故意、纵容或重大过失行为”和“放弃应有的审慎或怠于行使权利”，属于免赔情形。对此，法院认为：第一，原、被告双方基于大批量租赁信用保险业务共同制定《合作协议》及业务流程，应当认为各方均持审慎态度。首付款的支付确为评估承租人履约能力的重要依据，但原告取得首期款到账确认书原件（即《经销商确认函》）符合业务流程的约定，即使将原告未进一步核实首付款是否实际由承租人本人足额支付视为审查上的欠缺，在原告同时要求经销商对承租人承担连带保证责任，为承租人履约提供一定的保障的情形下，也不足以认定原告存在重大过失，亦不构成被告减免责任的事由。第二，双方系共同委托管理人丙公司对租赁业务的真实性予以审核；丙公司初审时应当提供首付款到账确认书原件、融资租赁合同原件、产品买卖合同原件等材料；之后被告再审，向原告出具保单；原告复审，再对承租人投放。被告在承保之前，即已获取经销商、承租人的联系方式、地址等，《经销商确认函》也明确系经销商代为收取首付款，被告应已知晓。若被告认为应当进一步审核首付款的实际支付情况以控制风险，则其也有条件、有能力向承租人、经销商核实。被告在订立合同时知道或者应当知道风险，仍予以承保，后又以该风险拒赔，法院难以支持。第三，被告作为保险人，对保险标的即承租人履约风险负有独立的审查义务。业务流程系双方共同制定，被告对该流程中关于首付款的审核未曾提出异议或进一步审核的意见，现被告在弱化自身审查义务同时，以原告在首付款审核时存在过错为由，要求减免保险责任，法院不予采信。

上海市浦东新区人民法院根据《中华人民共和国保险法》第二条、第二十三条第一款、第五十二条，《最高人民法院关于适用〈中华人民共和国保险法〉若干问题的解释（四）》第四条第二款，《最高人民法院关于适用〈中华人民共和国民事诉讼法〉的解释》第九十条之规定，判决如下：

被告财险公司赔付原告金融租赁公司保险理赔款807150.81元。

二审法院同意一审法院裁判意见。

【法官后语】

信用保险具有“保障、增信及融资”的金融属性，一方面对（准）金融机构而言是风险缓释和风险分担的重要工具，另一方面有利于助力实体企业获得融资，但其标的特殊、调查困难、风控要求高，在高速发展的过程中，也几经波折。保险法第九十五条以法律的形式确认了信用保险的独立法律地位，但除“信用保险”四字外，未有其他更多的解释说明。在信用保险规定较少的情形下，司法裁判可以为其发展提供示范引导作用。本案判决以期提供裁判思路，即厘清信用保险交易结构中各项法律关系，明确“合作协议”与保险合同的关系，明确信用保险纠纷的审判依据，合理分配资方与保险人的资信审查义务，进而合理认定保险赔付责任。

1. 融资性信用保险的交易结构

融资性信用保险，是指保险公司为借贷、融资租赁等融资合同的履约信用风险提供保险保障的信用保险，当债务人未能履行债务致使债权人（被保险人）遭受损失时，由保险人向债权人承担保险赔偿责任。其交易架构较复杂，通常形成以信用保险合同关系为核心，包含融资合同关系、合作协议关系、担保合同关系的法律关系群。根据合同相对性原理和信用保险合同独立性原理，在保险合同纠纷中，应当围绕保险合同法律关系进行。

2. 信用保险合同与“合作协议”的关系

“合作协议”通常签订在前，围绕信保业务的开展与合作，订立框架式合作协议，明确各自的权利义务；之后出现具体的债务人时，再就每一单具体的融资业务签订“保险合同”，包括投保单、保险单、保险条款等。二者内容各有侧重，又有所交叉重叠，就二者之关系观点不一：（1）合作协议系保险合同的组成部分，前者签订在前，类似于框架协议，只有当后者成立时，双方才成立保险合同法律关系，二者内容发生冲突的，应以后者为准。(2) 二者相互独立，系不同的法律关系，在保险纠纷中仅适用后者。

笔者认为，二者既非简单的包含关系，亦非简单相互排斥，而应遵循如下规则：首先，合作协议系双方真实意思表示，具有法律效力，如对二者关系进行了约定，应当遵从约定。如本案合作协议即约定，二者有冲突的，“以本协议为准”。其次，合作协议中涉及本案保险合同法律关系的约定，与保险合同共同构成认定保险责任的依据。本案中，双方就如何计算理赔金额发生争议，但保险合同未有明确约定，而合作协议则有较为明确的计算方式，自可作为理赔金额的裁判依据。再次，在保险合同纠纷项下，如当事人依据合作协议中不属于保险合同法律关系的约定主张其权利时，可另行处理。本案中，合作协议还就保险理赔之后发生融资租赁合同纠纷的诉讼费用、律师费用等如何承担予以约定，原告在本案中据此主张上述费用，后经法院释明而撤回。最后，需要注意的是，二者存在冲突时，虽原则上可依约定以合作协议为准，但笔者认为，若合作协议对于保险合同的变更严重背离保险法律原则，如通过合作协议实质性排除保险合同中的重要免责事项，则司法应予以审慎评价，避免以“意思自治原则”规避保险监管，对保险金融秩序造成影响。2020 年 5 月颁布的《信用保险和保证保险业务监管办法》[①] 第七条即明确禁止“通过保单特别约定或签订补充协议等形式，实质性改变经审批或备案的信保产品”“对同一承保主体的同一保险责任，出具与保险合同的法律效力类似且具有担保性质的函件”。

3. 资方与保险公司的资信审查义务

本案中，被告以原告“违反审慎经营义务”属于免责事项为由，抗辩不应承担保险赔偿责任，该问题实质涉及资方与保险公司对债务人资信审查义务的分配，亦是司法实践的争议焦点。有观点认为，根据意思自治原则，如双方在合作协议或保险合同中对资信审查义务有约定，则从其约定，无约定或约定不

---

① 载中国政府网，http：//www.gov.cn/zhengce/zhengceku/2020-05/28/content_ 5515518.htm，最后访问日期：2023 年 1 月 30 日。

明的，应共担。笔者认为，二者的资信审查义务相互独立、不可互相替代，不应简单以意思自治原则单方排除。

对于资方，第一，作为金融机构或准金融机构的资方本身对其融资业务本身即负有资信审查义务，系其法定义务。如银行对借款人的资信审查义务源于商业银行法等法律规定，不应因该融资业务上存在信用保险就使得其资信审查义务削减，投保信用保险转嫁的是债务人的履约风险，而非同时转移资信审查义务。第二，资方基于融资合同关系直接与债务人发生联系，其有更多机会对债务人资信进行审查。第三，其作为投保人，在保险合同项下负有如实告知义务，资信审查系其尽到该项义务的必要途径，否则可能无法尽到履行如实告知义务，导致保险合同被解除、无法获得理赔。

对于保险公司，第一，如实告知义务的前提是保险公司的询问，其只有对融资合同项下债务人存在的风险予以调查，才可能提出有效的询问。第二，保险精算以基本信息的准确、完整为前提，保险人只有以合同相对人的告知为基础，结合自己的调查，才能对保险风险作出尽可能正确的评估，进而合理厘定费率。信用保险的保险标的是履约信用风险，极具主观性，风险主体是保险合同当事人以外的第三方，具有显著的信息不对称性、风险概率分布的厚尾性和不规律性等特征，其风险评估本就极具难度，《信用保险和保证保险业务监管办法》亦特别针对此强化保险人风险审核的独立性，明确核心业务不得外包等独立风控要求。

综上，在融资性信用保险业务中，资方与保险公司并非对立，双方依据各自规则履行资信审查义务，相互配合、降低履约风险，减少保险赔付率，进而降低保费，进而将更多的融资性业务纳入保险范围，资方进而获得更广泛的保障，如此良性循环，可谓双赢，司法审判应对此予以引导。

本案中，原、被告双方共同制定了资信审查的流程，原告提供材料符合该流程规定，且双方通过该流程所获取债务人的信息相同，被告对该流程中相关审核未曾提出异议，诉讼中却在弱化自身审查义务的同时，以原告审核时存在过错为由，要求减免保险责任，法院未予采信。

编写人：上海市浦东新区人民法院　徐秋子

23

投保出口信用险并不能豁免被保险人对交易对手的审慎调查义务

——五金制品公司诉保险厦门分公司财产保险合同案

【案件基本信息】

1. 裁判书字号

福建省厦门市中级人民法院（2021）闽02民终8045号民事判决书

2. 案由：财产保险合同纠纷

3. 当事人

原告（上诉人）：五金制品公司

被告（被上诉人）：保险厦门分公司

【基本案情】

2018年3月27日，五金制品公司向塞尔维亚共和国的A公司出售不锈钢餐具，总价19.11万美元；装货港口为中国厦门港，合同系与G××通过电子邮件签订，买方在《货物买卖协议》上盖章确认。

2018年6月29日，五金制品公司向保险厦门分公司投保短期出口信用保险，投保范围为全部非信用证支付方式的出口，投保金额307万美元。投保单上五金制品公司声明："已经详读《短期出口信用保险综合保险条款》，对上述保险条款，尤其是涉及免赔或限制保险人责任的黑体字部分，保险人已进行明确的提示和说明……"五金制品公司法定代表人王某在法定代表人签字处签名并加盖公章。7月5日，保险厦门分公司签发《短期出口信用保险综合保险单》，关于适保范围约定如下：本保单适用于在中国境内注册的企业进行的销售合同真实、合法、有效的出口贸易。除外责任以加黑字体约定：非信用证支付方式下，买方的代理人破产、违约、欺诈或其他违反法律的行为引起的损失不承担赔偿责任。保单有效期至2019年6月30日。“资信调查费是保险人因提供信用限额管理服务而收取的费用，资信报告仅供保险人审批信用限额使用……每个申请收费800元。”保单另有批改：对存在贸易纠纷的案件，被保险人可自行与买方协商解决争议……如被保险人无法与买方达成和解协议，又不认同保险人的责任判定结果，则被保险人应先进行仲裁或在买方所在国家（地区）提起诉讼，在对生效仲裁裁决或法院判决申请执行之前，保险人不予定损核赔。

2018年8月28日，五金制品公司将货物交买方指定的货代公司装船发货，装运单和提单上载明收货人为限额买方，目的港为希腊的比雷埃夫斯港。2019年2月15日，五金制品公司因买方逾期付款报损。

2019年2月19日，保险厦门分公司委托荷兰某公司调查讼争交易，调查报告称：买方明确否认与原告间存在贸易往来、否认收到货物，亦否认G××系其员工，买卖合同中的公章及买方电话也与其官方备案的不同。该报告经荷兰当地公证处公证并经我国驻荷兰大使馆认证。

2019年10月29日，保险厦门分公司向五金制品公司出具《通知函》，称鉴于限额买方否认交易，否认提取涉案货物，否认与五金制品公司联系的G××为其雇员，且五金制品公司寄送提单正本的地址非限额买方经营地址，实际收货人也非限额买方，在无法证明五金制品公司与限额买方存在真实、合法、有效的贸易合同关系前，暂无法承担赔偿责任，遂成讼。

【案件焦点】

1. 案涉出口贸易是否属于保险合同约定的适保范围；2. 保险人是否负有审查买方信息真实性之义务；3. 保险人是否有权在生效判决、仲裁作出前不予定损核赔。

【法院裁判要旨】

福建省厦门市思明区人民法院经审理认为：本案为出口信用保险合同纠纷，

根据保险条款第一条，该险种适保范围和赔付前提为被保险人的销售合同真实、合法、有效。本案限额买方为 A 公司，保险厦门分公司仅就原告与该公司的真实贸易承保。五金制品公司主张其与限额买方代表 G××签订《货物买卖协议》并根据其指示发货，交易真实，然而，其未提交任何证据证明 G××系限额买方代表。据其陈述，其是在德国一次展会上认识 G××，时隔多年通过邮件与对方签订销售合同及发货。整个交易过程中，没有证据显示五金制品公司曾要求 G×× 出具限额买方的授权证明文件。缔约磋商过程中 G××使用的邮箱是公共邮箱，没有企业身份标注功能，与一般贸易惯例不符，也没有证据证明其曾通过拨打邮件预留电话等其他方式向限额买方核实 G×× 的身份。荷兰某公司的《调查报告》经过公证和大使馆认证，内容与五金制品公司提交的往来电子邮件截图、《买卖合同》等证据可相互印证，形成链条，动摇五金制品公司关于其与限额买方发生真实交易之主张，对此五金制品公司并不能提出相反证据予以反驳。最后，五金制品公司提交的提单显示，收货地址并非限额买方在塞尔维亚共和国的地址，而是希腊的比雷埃夫斯港。五金制品公司虽然辩称提单有备注收货人名称，承运人还需核对提货人的身份，但综合考虑承运人的甄别能力以及欧美地区的航运惯例，提单仍是提货主要依据。五金制品公司仅根据身份可疑的交易相对人通过公共邮箱发送的要求就将收货文件正本寄至非限额买方的注册地址，难以证明其已向限额买方履行交货义务。综上，五金制品公司申请理赔，但其损失疑似由他人冒充限额买方名义所致，鉴于五金制品公司在交易中未尽审慎、合理的注意义务，存在重大过错，也未尽证明其交易真实、合法、有效的举证义务，应承担不利后果，本院认定其损失不属于合同约定的适保范围。

鉴于五金制品公司未举证证明双方约定保险人负有核实买方信息义务，且双方间有贸易纠纷无法协商解决时先予诉讼/仲裁条款，五金制品公司的诉讼请求缺乏事实和法律依据，应予驳回。

福建省厦门市思明区人民法院依照《最高人民法院关于适用〈中华人民共和国保险法〉若干问题的解释（二）》第十一条、第十三条，《中华人民共和国民事诉讼法》第六十四条第一款的规定，判决：

驳回五金制品公司的全部诉讼请求。

二审法院同意一审法院裁判意见。

【法官后语】

本案系一起典型的出口信用保险合同纠纷，主要价值在于厘清了外贸中投保出口信用保险并不能减轻被保险人对交易对手的审慎注意义务。

民法上的“注意义务”，是基于诚实信用原则以及社会正常秩序的一般要求而产生的法的正义价值、秩序价值的具体体现。在民商事案件审判中，注意义务的判断及认定，对民事责任的承担意义重大。在风险社会的背景下，民事主体应尽到的注意义务越高，其所应承担的民事责任就越重。注意义务是判定行为人是否承担责任及承担多少责任的重要划分依据。

本案虽是保险合同纠纷，但保险人拒赔的理由并非保险合同的免赔条款，而是主张被保险人与限额买方间并不存在真实交易，被保险人系与非授权代表签约，因此讼争交易不属于适保范围。

在商事实践中，合同是确立双方权利义务的基础法律文件，因此签订合同的双方都必须具备签约资格。否则，即使签订了合同，也是无效的合同。签约时必须尽到审慎注意义务，全面、细致地调查对方的资信情况，而确认交易对手的身份，是签约的基础。商事交易者应要求对方当事人提供法人开具的正式书面授权证明，如授权书、委托书等，以证明其合法资格。本案中，五金制品公司在交易过程中并未尽到审慎的注意义务，既未审慎核实交易相对方及其委托人的身份、授权，也未尽到证明其交易真实、合法、有效的举证义务，难以证明其已向限额买方履行交货义务。信用限额管理服务，从字面来看，并不包含核实具体交易时买方所提供信息的真实性，更不包含核实买方代理人身份之真伪，在投保人不能举证证明双方存在特殊约定的情况下，要求保险人代替自己承担审查买方信息真实性之义务显失公平，也没有依据，五金制品公司应承担不利后果。

保险之功用在于由保险人对被保险人恪尽合理注意义务仍不可避免之损失（如案涉保险条款所列买方破产、无力偿付债务、拖欠货款、拒收货物甚至政治风险等情形所致损失）提供先行赔付保障，保险人赔付后享有代替被保险人向买方代位追偿的权利，保险公司理赔的基础是追偿权让渡。审查买方信息真实性并非保险人之法定义务，被保险人作为卖方，对于买方负有的审慎注意义务并不因投保而转移，否则被保险人可能放任甚至制造保险事故，造成保险人追偿权难以实现，进而危及出口信用保险制度的安全。此外，从权利义务平衡的角度分析，若在买方冒名而被保险人善尽注意义务甚至略加注意即可发现之情形下，仍要求保险人承担赔付责任，无异于将因被保险人过错所致损害结果转嫁由保险人承担，也显失公平。如前所述，审慎注意义务的主体是出售方，外贸企业在出口贸易交易应尽审慎注意义务。保险人并不因接受投保而负有代其审查交易对手的法定义务，鉴于投保人不能证明双方在保险合同中曾作出审查义务转移的特别约定，理应承担举证不能的不利后果。

从近年来最高人民法院的公报案例、指导案例所反映出来的司法观点来看，司法实践中对合同相对方在交易中的审慎注意义务的要求也是日趋严格，这意味着未尽到该等义务所承受不利后果的法律风险有所加大。出口信用保险对于分散贸易风险、促进外贸工作具有重要的意义。本案判决厘清了出口信用保险中保险人、被保险人的权利义务，案件确立的投保出口信用险并不能豁免被保险人对交易对手的审慎调查义务的裁判规则，有利于弘扬诚实信用精神，从源头提升外贸风险意识、减少潜在法律风险，促进出口信用保险行业以及进出口贸易的健康发展，对类似案件审理也有一定的参考价值。

编写人：福建省厦门市思明区人民法院　林鸿

（三）保证保险合同纠纷

24

保证保险合同保险人主张代位求偿权的金额范围应限于赔付金额及资金占用期间的利息损失

——财保公司诉李某保证保险合同案

【案件基本信息】

1. 裁判书字号

广东省深圳市福田区人民法院（2021）粤 0304 民初 5689 号民事判决书

2. 案由：保证保险合同纠纷

3. 当事人

原告：财保公司

被告：李某

【基本案情】

2017 年 11 月 29 日，案外人某银行作为贷款人（乙方），被告作为借款人（甲方），双方签订了《个人借款合同》，约定：甲方向乙方借款 199000 元，借款期限为 36 个月，借款利率为年利率 7.2%，利率调整方式为按次年对月对日起调整，还款方式为等额本息还款，还款日为每月 21 日。合同还约定，甲方未按照约定偿还借款本息或其他应付款项的，构成违约；乙方有权宣布借款立即到期，要求甲方立即清偿借款本息及相关费用；本合同项下贷款逾期的，乙方有权自逾期之日起按借款利率上浮50%计收罚息，未支付的利息（含罚息）按罚息利率计收复利。某银行于2017年11月29日向被告发放了贷款199000元。

原告向广东省深圳市福田区人民法院提交一份《个人贷款保证保险单》复印件，上述复印件显示，被告曾向原告投保个人贷款保证保险。2017年11月28日，原告出具《个人贷款保证保险单》，载明：投保人为被告，被保险人为某银行，保险金额为241984元，保险期间为自贷款发放之日起至约定的清偿全部贷款本息之日止，保费分36期缴纳，总保费金额为53730元。合同还约定，投保人拖欠任何一期贷款达到90天（不含），保险人依据保险合同约定向被保险人进行理赔。保险人理赔后，投保人需向保险人归还全部理赔款和未付保费。从保险人理赔当日开始超过30天，投保人仍未向保险人归还上述款项的，则视为投保人违约，投保人需以尚欠全部款项为基数，从投保人理赔当日开始计算，按每日千分之一向保险人缴纳违约金。

因被告自2019年12月21日起未依约履行还款义务，某银行向原告发出《索赔申请书》。2020年3月9日，某银行出具《代偿债务确认书》，确认原告代被告清偿本金70935.63元、利息933.36元、罚息238.56元、复利7.36元。原告提起本案诉讼，向被告追偿前述款项。

【案件焦点】

1. 本案中，原告对被告行使追偿权的范畴应当如何确定；2. 原告主张被告按照每日千分之一的计收标准支付违约金是否符合法律规定。

【法院裁判要旨】

广东省深圳市福田区人民法院经审理认为：被告在原告提供的投保单中签名确认向原告投保履约保证保险，原告已出具被告作为投保人、案外人某银行作为被保险人的保险单，故原告与被告之间成立保证保险合同关系。因被告未按照约定履行还款义务，某银行向原告提出索赔申请。原告为此支付了代偿款72114.91元，原告已履行了保险赔付义务，故原告作为保险人，有权在代偿金额内向被告追偿。原告要求被告支付代偿款72114.91元，依法应予支持。因未有证据显示被告已支付 2019 年 12 月 21 日至 2020 年 2 月 29 日期间的保费，原告要求被告支付保费 4925.25 元，符合合同约定，法院亦予支持。

关于原告主张的违约金。依据保险条款约定，被告未付保费，应按照每日千分之一的标准，自代偿之日向原告支付违约金。但考虑到违约金主要具有补偿性质，本案中因被告未及时付款而给原告造成的损失主要体现在利息方面，合同约定的违约金标准过分高于原告的实际损失，故法院酌情将违约金标准调整为全国银行间同业拆借中心公布的一年期贷款市场报价利率，即违约金计算方式为以 77040.16（72114.91+4925.5）元为基数，按照全国银行间同业拆借中心公布的同期一年期贷款市场报价利率自 2020 年 3 月 9 日起计算至实际清偿之日止。原告超出上述范围部分的诉讼请求，法院不予支持。

广东省深圳市福田区人民法院依照《中华人民共和国合同法》第八条、第一百零七条、第一百一十四条第一款，《中华人民共和国保险法》第六十条第一款，《中华人民共和国民事诉讼法》第六十四条第一款、第一百四十四条之规定，判决如下：

一、被告李某应于本判决发生法律效力之日起十日内向原告财保公司支付赔偿款 72114.91 元；

二、被告李某应于本判决发生法律效力之日起十日内向原告财保公司支付保费 4925.25 元；

三、被告李某应于本判决发生法律效力之日起十日内向原告财保公司支付违约金（违约金以 77040.16 元为基数，按照全国银行间同业拆借中心公布的同期一年期贷款市场报价利率自 2020 年 3 月 9 日起计算至实际清偿之日止）；

四、驳回原告财保公司的其他诉讼请求。

判决后，双方当事人均未上诉，本判决现已生效。

【法官后语】

保证保险合同是指由保险人为投保人（债务人）作为被保证人的债务履行向被保险人（权利人）提供担保，当投保人未能按期履行债务的情况下，保险人依约就投保人未偿还的债务向被保险人提供保证责任的一种保险合同。日常生活中，因买车、创业急需资金可以向银行申请贷款，不少银行要求保险公司提供保证保险，方便分散资金风险，保证银行款项的回收。需要明确的是，保证保险合同在性质上属于财产保险合同，而非担保合同，因此该类合同所产生的纠纷应当适用保险法及其司法解释的规定。在保证保险合同的履行过程中，保险人因为投保人的违约行为向被保险人赔偿损失后，依法取得对投保人的代位求偿权。但是对于保险人的代位求偿权的金额范围，法律上没有明确的规定。在本案中，原告作为保险人主张按照涉案保证保险单向被告追偿代偿款项及违约金，被告应当按照每日千分之一的标准缴纳违约金。笔者认为，保险人向投保人主张代偿款的范畴应当以代偿金额为限，违约金或者利息的计收标准不应超过同期全国银行间同业拆借中心公布的一年期贷款市场报价利率。理由如下：

1. 从法律依据的角度看，根据保险法第六十条第一款规定，因第三者对保险标的的损害而造成保险事故的，保险人自向被保险人赔偿保险金之日起，在赔偿金额范围内代位行使被保险人对第三者请求赔偿的权利。在司法实践中，该条款也是法院处理保证保险合同纠纷的法律依据。保证保险合同的保险标的是借款合同中的借款人，即投保人的履约责任，作为投保人的借款人未能依约还款，实际上已经损害了保证保险合同的保险标的，在保险人向出借人代偿投保人欠付的借款后，该代偿金额实际上即为保险人的赔偿金额，因此保险人的追偿金额应当以其向权利人赔付的保险金额为限。

2. 保险人的代位求偿权在本质上属于法定的债权转移，保险人赔付后取得的债权系被保险人对借款人的原债权，其权利主张的依据应当是被保险人与借款人之间的借款合同约定，而不是保险人与投保人签署的保险单约定，因此不应当适用保险单有关收取违约金的约定。保险人实际代偿借款人拖欠的借款本金 70935.63 元、利息 933.36 元、罚息 238.56 元、复利 7.36 元，上述金额系被保险人与借款人之间的借款合同所约定，保险人代偿后可以据此向借款人主张上述还款金额。

3. 关于保险人主张代偿款的利息问题，司法实践中存在争议。有些法院支持保险人利息请求，也有些法院只支持保险人赔付金额而不支持利息请求。笔者认为，一方面，在非借贷合同中，利息的给付并非合同追求的目的，而是作为一种救济方式，属于损害赔偿请求权的内容。保险人在先行赔付被保险人之后，借款人的迟延履行在客观上使保险人产生了资金占有损失，对该损失的补偿不会使保险人获得额外收益。另一方面，利息是保险赔偿款的法定孳息，根据债权法定转让的理论，保险人在取得被保险人的债权时也会取得主张孳息的从权利。最后，保险人在赔付保险款项后无法向借款人主张利息，会导致借款人因违约行为而获得不当得利，有可能引发道德风险，有违公平正义。综上考虑，保险人关于支付保险赔偿金利息的请求应予以支持，但利息计收标准不应超过同期全国银行间同业拆借中心公布的一年期贷款市场报价利率。

编写人：广东省深圳市福田区人民法院　黄文勇

25

保证保险合同中“约定受益人”条款的有效性认定

——投资公司诉保险公司保证保险合同案

【案件基本信息】

1. 裁判书字号

上海金融法院（2020）沪74民终906号民事判决书

2. 案由：保证保险合同纠纷

3. 当事人

原告（被上诉人）：投资公司

被告（上诉人）：保险公司

第三人：段某、王某

【基本案情】

2018 年 1 月 23 日，保险公司与案外人 A 公司及第三人王某签订《业务合作协议》，约定 A 公司按要求推荐债务人，并经债务人委托后同意为债务人向保险公司支付《保险合同》约定的保费，保险公司为 A 公司、第三人王某提供保险服务，第三人王某对债务人出借资金。2018 年 1 月 29 日，投资公司与第三人王某签订《债权收益权转让及回购协议》，约定投资公司以其合法拥有或合法管理并有权处分的资金受让第三人王某持有的标的债权收益权，第三人王某同意向投资公司转让其合法持有的相应标的债权收益权，并在约定期限到期后按约定价款对债权收益权进行回购。自投资公司全额支付转让价款之日（含当日）起，该批次的标的债权收益权所对应的财产性权利等，均归投资公司所有。

2018 年 2 月 1 日，第三人王某与段某签订《抵押借款合同》，约定第三人段某向王某借款 520 万元，第三人段某以其房屋为借款提供抵押担保，第三人王某就前述房产办理了不动产抵押登记。同日，由第三人王某持有的银行卡向段某转账出借款 520 万元。后投资公司与第三人王某共同签署《第 3 期转让信息确认函》，明确第三人王某同意转让确认函所列标的债权收益权，投资公司同意受让前述债权收益权并支付转让价款。

2018 年 2 月 1 日，第三人段某作为投保人就前述借款向保险公司投保个人借款保证保险，投保单的“特别约定”部分约定，受益人为投资公司。后保险公司向投资公司出具《承诺函》，承诺切实履行《业务合作协议》中的各项义务，在发生未履约的情况时按合作协议约定进行处理。2019 年 2 月，投资公司向保险公司申请对涉案个人借款保证保险进行理赔，保险公司未予回复，投资公司起诉要求保险公司赔付保险金。

北京市公安局朝阳分局已对 A 公司涉嫌非法吸收公众存款进行立案侦查，涉及的受害人包括第三人段某等个人投资者，本案诉讼时刑事案件处于补充侦查阶段。

【案件焦点】

1. 案件是否应移送公安机关处理；2. 投资公司是否享有保险索赔权；3. 保险事故是否已经发生。

【法院裁判要旨】

上海市浦东新区人民法院经审理认为：本案系保证保险合同纠纷。案外人 A 公司的法定代表人虽因涉嫌非法吸收公众存款被立案侦查，但本案涉及的是保险合同关系，与刑事案件基于不同的法律事实，分属不同的法律关系。故上述刑事案件不影响本案的处理。

首先，投资公司作为保证保险的“受益人”，同时作为保险标的受让人，实质上居于被保险人的法律地位，享有保险索赔权。其次，投资公司受让债权后，对保险标的具有保险利益，享有提起索赔的权利基础。最后，保险公司向投资公司出具的《承诺函》应视为对涉案保证保险合同的补充约定。承诺函承诺发生未履约的情况按《业务合作协议》约定进行处理，《业务合作协议》中约定“第三人王某指定投资公司为《保险合同》中保险保障权益唯一受益人，并授权投资公司代理其向保险公司办理相关保险理赔事宜”，应视作保险公司通过《承诺函》对保险理赔作了补充约定，故《业务合作协议》关于“受益人”的约定应当予以适用，投资公司享有索赔权。

保险事故是否发生，应当根据保险条款的约定予以判断。保险条款约定，投保人在约定的期间内未履行还贷义务，或借款到期投保人仍未履行还贷义务的，视为保险事故发生。首先，第三人段某作为借款人，在审理过程中已明确未向第三人王某或作为债权受让人的投资公司偿还过借款本息，投资公司作为债权受让人，在借款到期后未收到投保人偿还的借款本息。其次，根据《业务合作协议》，保险公司应知悉涉案还款情况，保险公司认为保险事故未发生，但并未提出证据加以反证，应承担相应的不利后果。因此，根据保险条款的约定，保险事故已经发生。

上海市浦东新区人民法院依照《中华人民共和国合同法》第六十条第一款，《中华人民共和国保险法》第二条、第五条、第二十三条第一款、第四十九条第一款，《最高人民法院关于适用〈中华人民共和国民事诉讼法〉的解释》第九十条之规定，作出如下判决：

一、被告保险公司应于本判决生效之日起十日内支付原告投资公司保险金5642866.67元；

二、驳回原告投资公司其余诉讼请求。

二审法院同意一审法院裁判意见。

【法官后语】

本案系典型的涉刑、涉“约定受益人”保证保险合同纠纷。保证保险为财产保险业务，适用保险法的规定。一般认为，保证保险中，基础合同中的债务人作为投保人，债权人为被保险人，由投保人向保险人投保，发生约定保险事故时，由保险人向被保险人支付保险金。保证保险合同的基础是债权债务关系，实践中主要为借贷关系，基础关系的债务人作为投保人向保险人投保保证保险，约定发生到期不能履行债务的保险事故时，被保险人有权向保险人主张赔付保险金。现行《中华人民共和国保险法》没有在财产保险的相关规定中规定受益人，但随着网络贷款等业务的不断发展，保证保险业务也呈现快速发展的趋势，与社会保险业务实践相关的法律文件中越来越多地出现在财产保险中约定受益人的情形，或是订立合同时就约定保险受益人，或是约定在合同期间出现特定情况时变更受益人。实践中，对财产保险中“约定受益人”条款的效力存在争议。

就本案而言，法院通过裁判明确：第一，涉及刑事犯罪并不必然导致案件处理上“先刑后民”。本案中基础合同涉及刑事犯罪，但构成保证保险法律关系的合同系各方当事人真实意思表示，不存在违反法律的情形，不涉及经济犯罪，涉案合同合法有效。因本案涉及的是保险合同关系，与刑事案件基于不同的法律事实，分属不同的法律关系，故刑事案件不影响本案的处理。第二，“约定受益人”条款的效力要综合具体保险法律各方的权利义务进行认定。针对实践中越来越多的约定受益人条款，不能仅简单以保险法没有规定受益人否认其效力。约定受益人条款如系各方真实意思表示，也不违反保险法的基本原则，则受益人索赔权行使的核心仍在保险利益。如本案中，一方面，无论是投保人、被保险人还是保险人，对于银行作为受益人都是认可的，且银行虽然在保险合同关系中没有承担支付保费的义务，但系通过第三人支付合理对价取得的基础关系债权，在交易过程中，银行作为约定受益人在保险事故发生时提起索赔，符合各方的约定，与权利义务相一致原则、损害填补原则也并不冲突。另一方面，"约定受益人"通过受让债权的方式取得保险标的，实质上居于被保险人的法律地位，应当认定在保险事故发生时该受益人具有保险利益，享有保险索赔权，保险人应当根据约定向约定受益人支付保险金。

编写人：上海市浦东新区人民法院　孔燕萍　胡建媛

26

电子借款保证保险合同效力在诚信原则下的认定规则

——严某诉某保险分公司等保证保险合同案

【案件基本信息】

1. 裁判书字号

江苏省无锡市锡山区人民法院（2021）苏0205民初6464号民事判决书

2. 案由：保证保险合同纠纷

3. 当事人

原告：严某

被告：某保险分公司、某担保公司、某服务公司

第三人：某银行

【基本案情】

严某使用其名下的手机号作为用户名注册了某应用程序。为申请借款，严

某按该应用程序设置的固定环节逐步进行操作：于2020年10月27日进行电子签名信息授权、绑卡鉴权、人脸识别，完善个人信息后正式进行借款申请及方案确认。借款方案通过后，根据要求需投保个人保证保险，严某点击“已知悉，前往投保”后前往投保页面并在三家保险公司中自主选择某保险公司进行投保，完成实名认证、个人征信业务授权，勾选各项告知书并电子签名，随后逐一阅读《产品免责条款》《个人借款保证保险投保单》及附件，电子签名后点击“同意投保”，并确认阅读完毕“保险重要权益确认页”。投保成功后，严某点击进入第三方平台按步骤提交借款信息。某银行审核通过后，进入最终签约页面，页面展示月保险费等各项费用信息，严某阅读《付款金额确认书》等文件后在“客户签名”处签字签约。签约完成后，《个人借款保证保险（2020款）保险单》出单，该保险单载明了被保险人、保险金额、期间、理赔条件、保险费、违约责任等内容。同日，严某与某银行签订《借款合同》，载明严某向某银行借款50万元用于经营性支出，并约定了其他事项。此后，严某获得并使用了上述50万元借款。

在按约归还了11期款项后，严某向法院提起诉讼，以其在借款时对保险合同不知情且借款利息超过法律规定上限等为由，请求判令确认其与某保险分公司间的保险合同关系不成立，要求某保险分公司退还保险费并由某应用程序的运营主体某担保公司、为应用程序提供服务的某服务公司对此承担连带责任。同时，严某还称所有验证信息均系单方诱导，其并不知晓保险内容、金额及保险费扣取方式，只有《借款合同》上签名系其本人所签，其余名字均非其所签，可能是系统复制粘贴的，当天其在办理时忽然没电了，但签订合同时其人身未受强制、意识清楚。

【案件焦点】

严某与某保险分公司间是否建立了有效的保证保险合同关系，该公司是否应向严某退还保险费。

【法院裁判要旨】

江苏省无锡市锡山区人民法院经审理认为：合同调整的是合同项下当事人间的权利义务关系，严某明知案涉保证保险合同的相对方为某保险分公司，其要求其他主体承担责任缺乏依据，不予支持。

首先，根据严某在某应用程序的借款流程，其在每个页面均需确认签名才能进入下一界面，该设计确保借款人对每一贷款步骤都清楚明晰，一旦不想继续即可退出，保障借款人拥有足够选择权。从时间顺序来看，投保申请在先、借款申请在后，严某完成上一步骤方能进入下一步骤。现严某承认借款却否认投保，与操作流程相悖，不符合逻辑、常理。

其次，案涉借款保证保险的投保单、条款、费率、特别约定及说明等所有文件上均有严某签字。严某仅认可《借款合同》上的签字，其余则猜测为复制粘贴，但其未能提供证据。如上所述，投保申请在先、借款申请在后，电子签名在操作过程中本也无法复制粘贴，遑论复制在后形成的签名粘贴至在先流程中。退一步说，《借款合同》中也有投保借款保证保险的提示，加上供投保的保险公司有三家，严某有一定的选择权。故严某对投保是明知且主动申请的。

再次，通常来说，普通民众向银行等正规金融机构申请贷款，应当具备特定资质或提供担保，以保障金融机构贷出款项后收回相应本息，否则很难获得贷款。严某要获得高达 50 万元的经营性贷款，如没有案涉保险合同为其增信，其很难获得该贷款。不论其申请贷款的初衷为何，其实际获得并使用了贷款。作为一个理性有良知的民事行为能力人，其不能从同一行为中获益的同时又否认该行为的存在。

最后，严某每月支出的保险费并非少到可忽略不计，其未提出异议且已支付 11 期还款。现严某提出不知情，不符合常理。同时，严某支付给某保险分公司的是保险费而非借款利息，两者不能混为一谈，如严某认为借款利率超过法律规定上限，可另行主张，与案涉保证保险合同纠纷无涉。

综上，严某与某保险分公司的保险合同关系是当事人真实意思表示，应属合法有效，各方当事人均应按合同约定履行各自义务。严某的诉讼请求无事实及法律依据，不予支持。

江苏省无锡市锡山区人民法院依据《中华人民共和国民法典》第七条、第五百零九条，《中华人民共和国民事诉讼法》第一百四十四条规定，作出如下判决：

驳回严某的诉讼请求。

判决后，双方当事人均未上诉，本判决现已生效。

【法官后语】

电子数据化时代，线上借款日益发展，从正规渠道借款往往需要借款人提供增信支持，较常见的就是投保线上借款保证保险合同。审查电子借款保证保险合同有无违背诚信原则从而导致合同无效或重大履行瑕疵，可以根据《中华人民共和国民法典》关于合同履行原则的规定，从合同签订实际流程、投保人知情权和选择权的合理行使、合同目的和利益归属、日常生活经验法则等方面综合判断。

1. 合同履行的诚实信用原则

《中华人民共和国民法典》第五百零九条是关于合同履行原则的规定。合同履行是合同债务人全面地、适当地完成其合同义务，债权人的合同债权得到完全实现。合同履行的原则，是指当事人在履行合同债务时应当遵循的基本准则。当事人在履行合同过程中，只有遵守这些基本准则，期待的合同利益才能实现。

合同履行的基本原则中最重要的一条即诚实信用原则（简称诚信原则）。诚信原则要求所有民事主体在从事任何民事活动时，包括行使民事权利、履行民事义务、承担民事责任时，都应该秉持诚实、善意，信守自己的承诺。诚信原则作为民法最重要的基本原则，被称为民法的“帝王条款”①，是各国民法公认的基本原则。诚信原则具有高度抽象性和概括性，对于民事主体从事民事活动、司法进行民事裁判活动具有重要作用。诚信原则为民事主体开展民事活动

---

① 王利明主编：《侵权责任法裁判要旨与审判实务》，人民法院出版社2010年版，第250~252页。

进行指导，是民事主体从事民事活动的行为规则，要求民事主体行使权利、履行义务都应善意不欺、恪守信用。

2. 合同效力认定中诚实信用原则的综合考量

诚实信用原则对于一切合同及合同履行的一切方面均应适用，各方均应根据合同的性质、目的和交易习惯履行合同义务。[①]

诚信原则在保险合同类纠纷中运用得比较多。保险公司作为居于优势地位的格式合同提供方，对其是否违背诚信原则应进行更严格的审查，加重其举证责任，一直以来，司法实践关注点也集中在规制保险公司一方。

但正如上文所述，诚信原则对于一切合同及合同履行的一切方面均应适用，故作为双务合同一方的投保人的诚信履行义务也不容忽视，应当进行综合认定。如投保人欲主张保险人违背诚信原则导致合同无效的，尤其应慎重，因为合同无效是对合同的根本性否定[②]。为维护交易秩序，平衡民事主体之间、民事主体与社会之间的利益，进而实现社会的公平正义，我们应遵循诚实信用原则，严格依法认定合同效力，不应当轻易否定合同效力。尤其在电子数据化时代，审查电子保证保险合同有无违背诚信原则，可以以有无根据合同性质、目的和交易习惯履行通知、协助、保密等义务，合同签订实际流程，投保人知情权和选择权的合理行使，合同目的和利益归属，日常生活经验法则等方面综合判断。

本案中，严某在线上借款时投保相应保证保险合同，法院即根据上述因素综合判断，认为严某要求确认合同无效并退还保险费的诉讼请求应予驳回。线上借款保证保险正处于蓬勃发展时期，此判决对于该类保证保险合同的规范具有一定指导意义，对于投保人的行为也具有正向引导作用。

编写人：江苏省无锡市锡山区人民法院　黄晔

---

① 全国人大常委会法制工作委员会编：《中华人民共和国民事诉讼法释义》，法律出版社2007年版，第20~21页。

② 叶阳：《效力性规定在司法实践中的辨识》，载《人民法院报》2011年11月23日，第7版。

27

无特别约定时贷款保证保险人无权向其他贷款担保人行使追偿权

——保险镇江分公司诉制桶公司等追偿权案

【案件基本信息】

1. 裁判书字号

江苏省镇江市中级人民法院（2020）苏11民终3142号民事判决书

2. 案由：追偿权纠纷

3. 当事人

原告（上诉人）：保险镇江分公司

被告（被上诉人）：制桶公司、塑料五金厂、赵甲、赵乙、许某

【基本案情】

2015年4月28日，某市科技局作为甲方、某银行作为乙方、保险镇江分公司作为丙方签订《科技型企业信用履约保证保险贷款合作协议》，约定：由乙方某银行向经三方共同审核同意的科技型企业发放贷款，由丙方保险镇江分公司提供履约保证保险。乙方承担风险损失比例为15%，丙方承担风险损失比例为85%，保单承保范围覆盖借款人应偿还某银行的全部贷款本金和利息。贷款到期或提前到期后仍未能足额清偿，视为保险事故发生。保险事故发生后，丙方应按照本协议和保险合同的约定履行赔付的义务。丙方理赔后取得对借款企业相应赔付比例的债权，并有权对借款企业追偿。本协议与保险合同不一致的，以本协议为准。

后制桶公司经审核被认定为上述科技型企业之一。2016年2月，制桶公司

作为借款人与某银行句容支行签订《流动资金借款合同》，制桶公司借款2000000元，借款期限1年。塑料五金厂、许某、赵甲、赵乙为借款人在借款合同项下全部债务提供连带责任保证担保。制桶公司向保险镇江分公司投保了中小企业贷款保证保险，约定投保人为制桶公司，被保险人为某银行，绝对免赔率为15%，第一受益人为某银行句容支行。2017年1月，某银行句容支行向保险镇江分公司送达贷款提前到期通知书，告知制桶公司违约，宣布债务提前到期，要求保险镇江分公司履行担保责任。后制桶公司共计归还某银行句容支行本金63296.23元及截至2017年1月22日的利息，未归还借款本金1936703.77元及2017年1月22日之后的利息。

2017年3月，某银行句容支行向法院起诉，请求判令制桶公司返还借款、支付利息；判令塑料五金厂、赵甲、赵乙、许某承担连带清偿责任；判令保险镇江分公司承担保险责任，先行给付。法院判决：一、保险镇江分公司于判决生效之日起十日内给付某银行句容支行保险金1665234.43元；二、制桶公司于判决生效之日起十日内返还某银行句容支行借款本金、利息、逾期利息合计301587.51元；三、塑料五金厂、赵甲、赵乙、许某对制桶公司的上述第二项债务承担连带清偿责任。

2017年4月，某银行句容支行向保险镇江分公司出具权益转让书，载明："我方同意，在收到保险镇江分公司赔付款项后，我方向贷款人及担保人的索赔权益即自动转让给贵公司。"

2019年1月，保险镇江分公司向法院提起本案诉讼，请求判令：1. 制桶公司返还其先行给付的借款本金和利息；2. 担保人塑料五金厂、赵甲、赵乙、许某对上述债务承担连带清偿责任。

案件审理过程中，保险镇江分公司未能提交制桶公司投保单，其提交了《中小企业贷款保证保险条款》一份，该条款第24条约定："保险人自向被保险人赔偿保险金之日起，在赔偿金额范围内代位行使对投保人、担保人请求赔偿的权利，被保险人应当向保险人提供必要的文件和所知道的有关情况。"

【案件焦点】

塑料五金厂等担保人是否应当对制桶公司所负保险镇江分公司的债务承担连带清偿责任。

【法院裁判要旨】

江苏省句容市人民法院经审理认为：案涉《科技型企业信用履约保证保险贷款合作协议》为保证保险合同。保险事故发生后，保险镇江分公司已向某银行句容支行进行保险赔付，依约可就其赔付部分向制桶公司进行追偿。关于保险镇江分公司是否有权向塑料五金厂等担保人进行追偿，就案涉借款，保险镇江分公司与制桶公司、某银行句容支行形成保证保险合同关系，塑料五金厂等与某银行句容支行形成保证担保合同关系。两合同相互独立，且法律性质不同，塑料五金厂等并非保证保险合同当事人。保险镇江分公司提交了保险条款一份，拟证明有权向担保人进行追偿，但未能提供投保单，也未能提供证据证实就保险条款的相关内容向制桶公司进行过提示说明。故保险镇江分公司提交的保险条款对塑料五金厂等不具有法律效力，无权向上述担保人进行追偿。

江苏省句容市人民法院依照《中华人民共和国合同法》第一百一十三条，《中华人民共和国保险法》第五条、第十四条，《中华人民共和国民事诉讼法》第一百四十二条、第一百四十四条规定，判决：

一、制桶公司于判决生效之日起十日内支付保险镇江分公司人民币1665234.43元及利息；

二、驳回保险镇江分公司的其他诉讼请求。

保险镇江分公司不服一审判决，提起上诉。江苏省镇江市中级人民法院经审理认为：保证保险合同是以借款合同的债务人向保险人投保，当因债务人不履行借款合同约定的义务，导致债权人权益受到损失时，由保险人承担保险赔偿责任的财产保险合同。保证保险合同效力独立于借款合同或借款担保合同效力，不具有从属性。保险人根据保证保险合同向债权人履行给付义务，其承担的是保险赔偿责任，并非连带保证责任，故应当适用保险法相关规定。

根据《中华人民共和国保险法》第六十条第一款规定，因第三者对保险标的的损害而造成保险事故的，保险人自向被保险人赔偿保险金之日起，在赔偿金额范围内代位行使被保险人对第三者请求赔偿的权利。案涉保险事故系债务人制桶公司不履行借款合同约定的义务而引起，故制桶公司属于上述法律规定中的“第三者”，保险镇江分公司可以向其行使代位求偿权；但塑料五金厂等系借款合同担保人，不属于前述法律规定的“第三者”，故保险镇江分公司无权向上述担保人行使代位求偿权。保险镇江分公司二审提交权益转让书，拟证明某银行句容支行已将对债务人及担保人的索赔权益转让给保险镇江分公司。对此，保险法对代位求偿权的行使对象有明确规定，保险镇江分公司不能依据该权益转让书在法律规定的“第三者”之外向其他主体主张代位求偿。关于保险镇江分公司一审提交的贷款保证保险条款，其中虽有“保险人自向被保险人赔偿保险金之日起，在赔偿金额范围内代位行使对投保人、担保人请求赔偿的权利”等内容，但塑料五金厂等并非保险合同的当事人，该条款内容不能约束上述担保人，故保险镇江分公司不能依据保险合同条款的约定向塑料五金厂、赵甲、赵乙、许某追偿。

江苏省镇江市中级人民法院依照《中华人民共和国民事诉讼法》第一百七十条第一款第一项规定，判决：

驳回上诉，维持原判。

【法官后语】

本案处理的问题是，借款人在金融借贷合同中同时提供担保人和投保贷款保证保险合同的双重保险时，当保险人先行赔付后，保险人的代位求偿权是否可及于担保人。

从合同的功能分析，保证保险合同和担保合同的功能近似。保险公司向贷款人提供的保证保险服务，是指当借款人未能按约足额清偿贷款时，由保险人先行赔付，从而有效规避银行贷款出现坏账的风险。该类保险服务在一定程度上能够缓解中小企业融资难的问题。关于担保人之间相互追偿的处理，根据《最高人民法院关于适用〈中华人民共和国民法典〉有关担保制度的解释》第十三条和第十四条规定，同一债务人有两个以上第三人提供担保，除担保人之间对相互追偿、承担连带共同担保进行约定，或在同一份合同书上签字、盖章、按指印的，承担了担保责任的担保人请求其他担保人分担向债务人不能追偿部分的，人民法院不予支持。即除例外情形外，不支持担保人之间相互追偿。

从合同的性质分析，保证保险合同和担保合同存在明显区别，两者是不同的法律关系。保证保险合同是一种射幸合同，射幸合同双方当事人的给付并非等价物，投保人给付保费，保险公司是否给付则须基于偶然事件的结果。案涉保证保险合同和担保合同是相互独立的合同。本案中，亦没有证据证明案涉保证保险合同的保险费率是在综合考虑了担保人资信的基础上进行测算和确定的。

本案的最终处理思路是：根据案涉合同的性质确定本案应当适用保险法相关规定予以处理。根据保险法规定，保险人承担保险责任后所取得代位求偿权的行使对象是“造成保险事故的第三者”，案涉贷款的担保人不属于发生保险事故的过错人，并非保险法规定的代位求偿权行使对象，保险公司不能对法律规定之外的对象主张代位求偿。

从本案的处理结果看：一是有效地帮助了互联互保的中小企业破圈解链，保护中小企业的合法权益和稳定经营。二是本案的处理与《中华人民共和国民法典》及相关司法解释对担保人之间相互追偿的处理保持了一致思路。随着市场化的不断发展，各类保险产品推陈出新。从贷款保证保险的社会效益看，一方面，贷款保证保险险种有利于促进贷款业务的发展，借款人可以通过购买贷款保证保险方式用以增信从而获取相应贷款，对中小企业而言能够在一定程度上缓解融资困难；另一方面，贷款保证保险的推出，实质是帮助银行将坏账风险转嫁给保险公司而增加的环节，其最终结果是推高了融资综合成本。从促进经济发展、充分发挥民营企业的市场活力角度出发，在担保人和保险公司没有进行特别约定的情况下，若支持保险公司向担保人行使代位求偿权，会进一步加剧企业的融资负担，亦会增加互联互保企业破圈解链的工作难度。

编写人：江苏省镇江市中级人民法院　丁奕帆　汤雨婷

（四）责任保险合同纠纷

28

诉讼保全责任险中保险人向被保险人追偿权成立的前提为被保险人的保险金给付请求权不能成立

——保险无锡分公司诉常某某追偿权案

【案件基本信息】

1. 裁判书字号

江苏省无锡市中级人民法院（2021）苏02民终5952号民事判决书

2. 案由：追偿权纠纷

3. 当事人

原告（被上诉人）：保险无锡分公司

被告（上诉人）：常某某

【基本案情】

2015年7月，常某某以建筑实业公司为被告，提起建设工程施工合同纠纷一案，要求支付工程款。该案诉讼中，常某某申请江苏省无锡市新吴区人民法院（以下简称新吴法院）对建筑实业公司进行财产保全，为此常某某向保险无锡分公司购买了诉讼保全责任险，保险无锡分公司向法院出具《诉讼财产保全责任保险保单保函》（以下简称《保单保函》）提供担保，新吴法院根据常某某的申请，查封了建筑实业公司的银行账户。之后，该案经过一审、二审，均驳回了常某某的诉讼请求。

2017年7月，建筑实业公司以常某某、保险无锡分公司为被告，提起申请诉中财产保全损害责任纠纷一案，要求常某某、保险无锡分公司赔偿其银行账户因被冻结产生的利息损失。之后，该案经过一审、二审，生效判决认定常某某在申请诉讼保全过程中未尽合理审慎注意义务，应向建筑实业公司赔偿存款被冻结产生的利息损失，保险无锡分公司承担连带清偿责任。后因常某某未履行付款义务，保险无锡分公司于2018年5月10日向建筑实业公司支付了296763元赔偿款。

2021年10月，保险无锡分公司以常某某为被告，提起本案追偿权纠纷，保险无锡分公司认为，常某某投保诉讼保全责任险时，填写了调查问卷并出具了承诺函，保证不存在虚构事实、隐瞒真相、重大误导的陈述，承诺在保险无锡分公司出具保函之时起，就财产保全被申请人针对保险无锡分公司因出具保函而承担或可能承担不属于保险无锡分公司赔付范围的损失或费用而承担的赔偿责任负连带保证责任，要求常某某赔偿296763元及相应利息损失。

【案件焦点】

保险无锡分公司是否有权向常某某追偿或者主张赔偿。

【法院裁判要旨】

江苏省无锡市梁溪区人民法院经审理认为：保险无锡分公司为常某某申请财产保全出具了《保单保函》，该行为实质系为常某某应承担的财产保全损害赔偿责任提供担保。常某某在申请诉讼保全过程中未能尽到合理的审慎注意义务，存在主观过错，致使建筑实业公司银行账户资金被冻结造成的损失，常某某应承担赔偿责任。因保险无锡分公司为常某某的诉讼保全提供了担保，保险无锡分公司应对常某某的赔偿承担连带清偿责任。保险无锡分公司在承担连带清偿责任后，依据调查问卷中的保证条款及常某某出具的承诺函，有权向常某某追偿。

江苏省无锡市梁溪区人民法院依照《中华人民共和国保险法》第十条、

《中华人民共和国民法典》第七百条之规定，判决如下：

常某某向保险无锡分公司赔偿 296763 元及相应利息损失。

常某某不服一审判决，提起上诉。江苏省无锡市中级人民法院经审理认为：保险无锡分公司无权向常某某追偿或者主张赔偿。理由如下：第一，保险无锡分公司与常某某之间成立担保追偿关系。保险无锡分公司对常某某可能因诉讼保全错误而给建筑实业公司或他人造成的损失承担保证担保责任。第二，保险无锡分公司与常某某之间成立担保追偿关系的同时亦成立保险合同关系。对属于诉讼保全责任险保险责任范围的情形，保险无锡分公司应向常某某履行责任保险的保险金赔付义务。第三，常某某投保诉讼保全责任险的同时还向保险无锡分公司出具承诺函提供反担保，常某某承诺为保险无锡分公司在诉讼保全责任险保险责任范围以外或者属于保险无锡分公司免责情形下作出的赔偿责任提供反担保，保险无锡分公司对建筑实业公司作出赔偿后有权依据承诺函对常某某追偿或主张赔偿。第四，保险无锡分公司以常某某存在重大过失未履行如实告知义务拒绝赔偿诉讼保全责任险保险金的意见不能成立。该义务对应的是保险无锡分公司的合同解除权，现保险无锡分公司既未在法律规定的合同解除权行使期间内主张解除保险合同，又未举证证明保险无锡分公司存在其他保险除外责任情形，故而保险合同仍然成立并有效，保险无锡分公司应当按照保险合同的约定向常某某履行赔偿义务。因此，保险无锡分公司向建筑实业公司履行赔偿责任后享有的对常某某的担保追偿权，与在保险无锡分公司未主张解除保险合同情况下常某某享有的对保险无锡分公司的保险金给付请求权实质上构成抵销。第五，保险无锡分公司依据保证条款和承诺函要求常某某承担赔偿责任的意见不能成立。保险无锡分公司依据保证条款要求投保人对诉讼保全责任险中保险无锡分公司的赔偿责任提供反担保，改变了责任保险不能向被保险人进行追偿的性质，应属无效条款。保险无锡分公司依据承诺函对常某某所享有的反担保权的范围，并未超过保险无锡分公司依据《保单保函》对常某某所享有的担保追偿权的范围。在保险合同未解除的情况下，保险无锡分公司向建筑实业公司承担连带担保责任实质是履行保险合同中赔偿保险金义务的行为，此情形不属于承诺函所约定的适用情形，保险无锡分公司无权以保证条款及承诺函向常某某追偿或者主张赔偿。

江苏省无锡市中级人民法院依照《中华人民共和国担保法》第十二条，《中华人民共和国保险法》第二条、第十六条，《最高人民法院关于适用〈中华人民共和国保险法〉若干问题的解释（二）》第八条等规定，判决如下：

一、撤销一审判决；

二、驳回保险无锡分公司的诉讼请求。

【法官后语】

近年来，为切实减轻市场主体的担保负担，激活市场主体财产的融资功能，保险公司在责任保险中创新出诉讼保全责任险的新险种，最高人民法院也将诉讼保全责任险作为诉讼保全的担保方式之一，引入司法程序。诉讼保全责任险作为责任保险的属性，决定保险公司对投保人仍会享有保险责任范围及免责条款等拒赔的常见抗辩事由，导致保险公司对作为财产保全的被申请人因保全错误导致的损失是否进行赔偿具有不确定性，这种理赔的不确定性，与法院对诉讼保全的担保人应当对保全错误导致的损失进行赔偿的确定性的要求产生冲突。因此，保险公司向法院出具的《保单保函》的担保范围，通常要大于诉讼保全责任险的保险责任范围。由此在诉讼保全责任险中，保险公司与被保险人通常存在保证和保险双重法律关系。法律关系的交织给这类案件的审理带来较大困扰，本案对今后此类案件的审理具有一定的参考价值。

第一，诉讼保全责任险作为保全担保措施时，同时成立保证和保险双重法律关系。一是保险公司因向法院出具担保书而就申请保全人对被申请人可能造成的损失形成的保证关系。保险公司依据保证书负有直接赔偿义务，即使保险合同自始无效或嗣后被撤销，也不能构成免除保险公司担保责任的抗辩事由，担保书具有不可撤销性和不可抗辩性。二是申请保全人与保险公司之间的保险合同关系。保险标的为申请保全人因申请保全错误致被申请人损失的赔偿责任，性质为责任保险，以填补和分散申请保全人的责任风险为目的，在保险公司支付的赔偿金范围内免除申请保全人的赔偿责任。作为私法合同，会存在保险合同的无效、撤销和解除等情形，也会有免责条款约定。

第二，诉讼保全责任险合同未解除情形下，保险公司不能以投保人存在重大过失未履行如实告知义务拒绝赔偿诉讼保全责任险保险金，此时保险公司仍然负有保险金给付的义务。投保人违反如实告知义务对应的是保险公司的合同解除权。本案中，保险无锡分公司既未在法律规定的合同解除权的行使期间内主张解除保险合同，又未举证证明存在其他保险除外责任情形，故而保险合同仍然成立并有效，保险无锡分公司应当按照保险合同的约定向常某某履行给付保险金的义务。

第三，保险无锡分公司的担保追偿权与常某某的诉讼保全责任险保险金给付请求权实质构成抵销。本案中，一方面，保险无锡分公司向建筑实业公司履行赔偿责任之后即享有对常某某的担保追偿权；另一方面，在保险无锡分公司未主张解除保险合同的情况下，常某某享有对保险无锡分公司的保险金给付请求权。保险无锡分公司对常某某的担保追偿权与常某某对保险无锡分公司的保险金给付请求权实质上构成抵销。

第四，保险公司无权依据保证条款或承诺函等反担保约定向被保险人追偿或主张赔偿。在保险合同关系之外，保险公司一般还会要求被保险人以保证条款、承诺函等形式提供反担保。首先，对于保证条款所载内容的认定。一是保证条款约定违反义务产生赔偿责任，实际上与申请保全人承担保全错误责任的情形基本一致，如按照该条款约定，只要申请保全人存在错误保全，就要向保险无锡分公司承担赔偿责任，显然与申请保全人的投保目的相违背，违反了责任保险在责任范围内不得向被保险人追偿的属性，因此属于无效约定；二是投保人对保证条款约定义务的违反，属于违反如实告知义务的性质，保险无锡分公司享有合同解除权，但不得在未行使解除权情况下直接以此拒赔。其次，关于承诺函的性质认定。承诺函系常某某承诺对保险无锡分公司超出保险责任范围的赔偿责任提供反担保，但本案中，保险无锡分公司系在保险责任范围内履行赔偿义务，故不属于承诺函所约定的适用情形。

综上，针对诉讼保全责任险的保险人理赔后能否向被保险人追偿或主张赔偿的问题，不能仅关注诉讼保全责任险的保证法律关系而径行认定可予追偿，而应结合诉讼保全责任险中保证和保险双重法律关系特性予以综合考量。如保险人未在法律规定的合同解除权行使期间内主张解除合同以及不存在其他保险除外责任的情形，那么保险人对申请保全人（被保险人）的担保追偿权与申请保全人（被保险人）对保险人的保险金给付请求权实质上构成抵销，保险人因而无权向被保险人追偿或主张赔偿；反之，则有权追偿或主张赔偿。

编写人：江苏省无锡市中级人民法院　陈迪金　刘英

二、人身保险合同纠纷

（一）人寿保险合同纠纷

29

保险代理人阻碍投保人履行如实告知义务行为的认定及责任承担

——王某诉韩某、保险北京分公司人身保险合同案

【案件基本信息】

1. 裁判书字号

北京市海淀区人民法院（2020）京0108民初5404号民事判决书

2. 案由：人身保险合同纠纷

3. 当事人

原告：王某

被告：韩某、保险北京分公司

【基本案情】

2016年11月4日，王某向保险北京分公司为其本人投保人身保险并签署投保单，该公司保险代理人韩某对王某进行投保指导。该投保单健康告知部分

载明，王某有吸烟史且吸烟量为 3 支/天，无吸毒史，无合同所涉家族病史。2016 年 11 月 5 日，王某签署该投保单对应的投保提示书及投保确认书，该投保确认书载明，其内容均为王某的真实意愿，并附王某已阅相关内容的手抄字样。韩某在“代理人声明”部分签字确认。其后，保险北京分公司同意承保并出具保险单一份，该保险单对应保险条款载明，自投保人签收主险合同次日起，有 10 日犹豫期，如投保人认为主险合同与其需求不相符，可在此期间提出解除主险合同；如果保险人就投保人及和被保险人有关情况提出询问，投保人应当如实告知；投保人故意或因重大过失未履行如实告知义务，足以影响保险人决定是否同意承保或者提高保险费率的，保险人有权解除主险合同。2016 年 11 月 9 日，王某在保险合同回执中签字。2016 年 11 月 11 日，保险北京分公司客服人员致电王某进行回访，王某确认诉争保险合同真实性，明确其对合同内容尤其是保险责任、责任免除等相关权益内容基本了解。

另查，王某与韩某系杨某介绍认识，杨某曾向韩某介绍王某父亲死于癌症、哥哥姐姐患有糖尿病等家庭情况，未介绍吸毒史。在办理本案诉争保险时，由韩某操作平板电脑录入投保单信息，全程未将信息内容展示给王某，由王某最终签字确认，此过程中，王某就其家族成员疾病进行过陈述。

交纳三期保险费后，王某发现投保单健康告知部分与自身情况严重不符，主张韩某作为保险代理人明知王某存在吸烟史、吸毒史及家族病史，仍未逐项询问其健康状况，违反保险法的强制性规定，故请求法院确认本案诉争保险合同无效、保险北京分公司退还已交纳全部保险费。保险北京分公司主张，诉争保险合同不存在合同无效事由。

【案件焦点】

诉争保险合同是否存在无效情形。

【法院裁判要旨】

北京市海淀区人民法院经审理认为：本案系由《中华人民共和国民法典》施行前的法律事实引发的民事纠纷，应适用当时的法律、司法解释的相关规定。

本案中，王某该诉讼主张不能成立，理由如下：

第一，现有证据不足以证明韩某存在阻碍王某履行如实告知义务、诱导王某不履行如实告知义务的行为。根据王某提交的证据，可以认定投保单系在王某在场情况下由韩某代为填写后经王某签字确认，因此，依据《最高人民法院关于适用〈中华人民共和国保险法〉若干问题的解释（二）》第三条第二款的规定，投保书中有关健康告知部分的告知内容，应视为王某的真实意思表示，除非王某提供证据证明韩某存在保险法第一百三十一条相关规定情形。依据王某提交的现有证据，不能认定韩某存在阻碍王某履行如实告知义务、诱导王某不履行如实告知义务的行为，王某作为负有举证义务的一方，应当承担举证不能的不利后果。

第二，即便韩某存在保险法第一百三十一条第三项规定之行为，亦不能直接产生合同无效的法律后果。保险代理人系根据保险人的委托，在保险人授权的范围内代为办理保险业务，保险代理人在授权范围内代办保险业务的行为，应由保险人承担责任。结合保险法第十六条第五款的规定，如保险代理人阻碍投保人履行如实告知义务或诱导投保人不履行如实告知义务，其法律后果应为保险人丧失保险合同解除权，并对相应保险事故继续承担保险责任，而非直接导致保险合同无效。

综上所述，北京市海淀区人民法院依据《中华人民共和国合同法》第五十二条，《中华人民共和国保险法》第十四条、第十六条第五款、第一百一十七条第一款、第一百二十七条第一款、第一百三十一条第三项、第一百六十五条，《最高人民法院关于适用〈中华人民共和国民法典〉时间效力的若干规定》第一条第二款，《最高人民法院关于适用〈中华人民共和国保险法〉若干问题的解释（二）》第三条第二款，《中华人民共和国民事诉讼法》第六十四条第一款，《最高人民法院关于适用〈中华人民共和国民事诉讼法〉的解释》第九十条之规定，判决如下：

驳回王某的全部诉讼请求。

判决后，双方当事人均未上诉，本判决现已生效。

【法官后语】

由于投保人和保险人之间的利益差异性、掌握信息不对称性，以及保险合同本身的射幸性，诚实信用原则在保险合同中发挥着至关重要的作用，对投保人如实告知义务的规定就是一种体现。订立保险合同时，保险人就保险标的或者被保险人的有关情况提出询问的，投保人应当如实告知。而保险代理人规范、诚信执业，则是保险人询问及投保人如实告知的重要保障。

在人身保险合同签订过程中，多有保险代理人代填保险单甚至代为签字盖章的情形，对此，《最高人民法院关于适用〈中华人民共和国保险法〉若干问题的解释（二）》第三条第二款规定："保险人或者保险人的代理人代为填写保险单证后经投保人签字或者盖章确认的，代为填写的内容视为投保人的真实意思表示。但有证据证明保险人或者保险人的代理人存在保险法第一百一十六条、第一百三十一条相关规定情形的除外。"结合《中华人民共和国保险法》第一百一十六条、第一百三十一条规定看，保险代理人在保险业务活动中阻碍投保人履行本法规定的如实告知义务，或者诱导其不履行本法规定的如实告知义务的，保险代理人代为填写的内容不应视为投保人的真实意思表示。

在认定保险代理人是否存在阻碍投保人履行如实告知义务、诱导其不履行如实告知义务的行为时，应注意的是，投保人应对其向保险代理人的询问所作出的回答承担相应法律责任，亦应对"阻碍""诱导"行为承担举证责任。"阻碍""诱导"行为一般包括以下情形：其一，保险代理人在投保人如实回答后代为填写相反内容，或者保险代理人未对单证所涉问题逐一询问即自行填写，后投保人因善意信赖保险代理人未予检查即签字确认。本案中，王某称韩某未对家族病史、吸毒史、吸烟史进行询问，且韩某明知其家族病史、吸毒史、吸烟史却未如实代为填写，属于阻碍其履行如实告知义务，但其提交的证据不足以证明韩某存在上述行为，应承担举证不能的法律后果。其二，保险代理人诱导投保人陈述不实内容，如以投保人如实陈述将无法承保或相应问题并不重要、无须如实回答等理由诱导投保人作出错误回答。此种情形下，投保人可能存在与保险代理人串通隐瞒事实的主观故意。本案中，王某称韩某要求其在电话回访时简单回答“是、对”，属于诱导其不履行如实告知义务，但未能提交证据予以证明，故相应主张亦无法得到支持。

在上述情形下，即便投保人举证证明保险代理人确有保险法第一百三十一第三项规定的“阻碍”“诱导”行为的，并不能直接产生合同无效的法律后果。根据我国保险法规定，如保险代理人阻碍投保人履行如实告知义务或诱导投保人不履行如实告知义务，其法律后果应为保险人丧失保险合同解除权，并对相应保险事故继续承担保险责任。若是因保险代理人的过错导致，保险人可向保险代理人另行主张相应责任。

编写人：北京市海淀区人民法院　陈玲玉　毛添萌

30

民法典第四百九十六条第二款不能作为请求解除保险合同的法律依据

——龚某诉人保重庆分公司人身保险合同案

【案件基本信息】

1. 裁判书字号

重庆自由贸易试验区人民法院（2021）渝0192民初10712号民事判决书

2. 案由：人身保险合同纠纷

3. 当事人

原告：龚某

被告：人保重庆分公司

【基本案情】

2019年10月28日，龚某向人保重庆分公司投保以配偶周某作为被保险人的人身保险，周某在电子投保书上签名确认。人保重庆分公司于当日向龚某出具并送达包括《保险单》《主要保险利益摘要表》《现金价值与减额交清保额表》《保险条款》等内容的《保险合同》。其中，《保险单》主要载明：保险项目包括主险鑫利 17Ⅱ、三份附加险（一年期短险健享人生 A、附加意外伤害 13、意外医疗 A)。被保险人为周某，身故保险金受益人为龚某。主险鑫利 17Ⅱ的《现金价值与减额交清保额表》载明保单年度末自第 1 年至第 33 年的现金价值金额和减额交清保额金额，其中第 1 年末的现金价值为 694 元。主险鑫利 17Ⅱ的《保险条款》第 5 条是关于“如何退保”的约定，其中载明“在犹豫期内退保没有损失，犹豫期后退保会有损失”；第 5.2 条约定“在犹豫期后可以申请解除合同”；第 6.1 条约定“现金价值：指保险单所具有的价值。通常体现为解除合同时，由本公司退还的那部分金额。合同保单年度末的现金价值会在保险单上载明”。同日，龚某向人保重庆分公司缴纳首期保险费 2230 元，其后再未交纳保险费。

2019 年 10 月 29 日，人保重庆分公司工作人员向龚某进行电话回访，回访人员先后询问了是否收到电子保单、是否签收回执、是否阅读条款、产品说明书、投保提示书等，以及告知有 20 天犹豫期、犹豫期内可以退还所交保费、超过犹豫期退保会产生损失等，龚某均表示了解。

2021 年 9 月 28 日，龚某拨打人保重庆分公司总部客服电话，询问如果申请解除保险合同能否全额退还保费，人保重庆分公司客服人员答复按照现金价值进行退还。

2021 年 9 月 29 日，龚某依据《中华人民共和国民法典》第四百九十六条第二款规定，以保险公司未就重大利害关系条款进行提示和说明为由诉至法院，主张解除合同并退还全部已交保险费。

【案件焦点】

1. 龚某主张解除保险合同的理由能否成立；2. 如果主张解除合同的理由不能成立，保险合同能否解除，费用如何退还。

【法院裁判要旨】

重庆自由贸易试验区人民法院经审理认为：龚某主张解除保险合同的理由不能成立。第一，虽然按照《最高人民法院关于适用〈中华人民共和国民法典〉时间效力的若干规定》第三条规定，《中华人民共和国民法典》第四百九十六条第二款规定可以溯及适用，但按照该款规定，采用格式条款订立合同的，提供格式条款的一方应当遵循公平原则确定当事人之间的权利和义务，并采取合理的方式提示对方注意免除或者减轻其责任等与对方有重大利害关系的条款，按照对方的要求，对该条款予以说明。提供格式条款的一方未履行提示或者说明义务，致使对方没有注意或者理解与其有重大利害关系的条款的，对方可以主张该条款不成为合同的内容。即使龚某认为人保重庆分公司未尽到对格式条款的提示说明义务，其也仅可以主张相关条款不成为合同内容，现龚某以此主张解除合同，缺乏法律依据。第二，投保人解除保险合同时，保险人返还现金价值而非保费系法律明确规定，并非不当免除或减轻保险人责任，龚某主张以上条款属于免责条款进而应进行提示说明不能成立。本案中，保险公司以表格对现金价值情况进行了完全列举，足以供投保人充分了解掌握。且在电话回访中，龚某也知晓了犹豫期后退保将产生损失等情况。故龚某关于现金价值偏低且不了解计算方式的主张缺乏事实依据，不能成立。

虽然龚某主张解除合同的理由不能成立，但保险合同仍应解除。首先，根据《中华人民共和国保险法》第十五条规定及双方保险合同条款第 5.2 条约定，龚某作为投保人享有合同解除权，对其解除合同请求予以支持。其次，关于保险合同解除后费用退还的问题。依据双方明确约定，人保重庆分公司应退还保险合同的现金价值。对于合同解除的时间。龚某未在起诉前通知保险公司解除，故合同解除时间应为起诉状副本送达人保重庆分公司时的 2021 年 10 月 8 日。对于现金价值的金额，人保重庆分公司当庭举示系统的计算金额为 715.1 元，龚某对其真实性无异议，予以确认。

重庆自由贸易试验区人民法院根据《中华人民共和国保险法》第十五条、第十七条、第四十七条，《中华人民共和国民法典》第四百九十六条第二款、

第五百六十五条第二款，最高人民法院《关于适用〈中华人民共和国民法典〉时间效力的若干规定》第三条，《中华人民共和国民事诉讼法》第一百四十二条之规定，判决如下：

一、龚某与人保重庆分公司之间签订的保险合同于2021年10月8日解除；

二、人保重庆分公司自本判决生效之日起十日内支付龚某715.1元；

三、驳回龚某的其他诉讼请求。

判决后，双方当事人均未上诉，本判决现已生效。

【法官后语】

本案涉及《中华人民共和国民法典》实施后，《中华人民共和国民法典》第四百九十六条第二款与《中华人民共和国保险法》第十七条保险人提示说明义务的法律适用问题。本案裁判对于厘清二者适用关系，理顺民法典与其他民事单行法的关系具有一定参考借鉴意义。

1.《中华人民共和国民法典》第四百九十六条第二款与《中华人民共和国保险法》第十七条的关系问题

《中华人民共和国民法典》第四百九十六条在原《中华人民共和国合同法》的基础上进一步扩大了格式条款提供方履行提示义务的适用范围，即格式条款提供方对包括“免除”或“减轻”责任在内的所有“与对方有重大利害关系的条款”均有“提示对方注意”的义务。而《中华人民共和国保险法》第十七条虽规定了“保险人应当向投保人说明合同的内容”，但因缺乏法律责任后果的规定，难以约束保险人，故在实践中保险人的提示说明义务往往仅限于“免除保险人责任的条款”。该内容涵盖范围明显小于民法典中的“与对方有重大利害关系的条款”。如保险标的、保险期间、争议解决条款等明显不属于“免除保险人责任的条款”，但其可能因属于“与对方有重大利害关系的条款”而适用《中华人民共和国民法典》第四百九十六条的相关规定。因此，在《中华人民共和国民法典》实施后，其第四百九十六条实际填补了《中华人民共和国保险法》第十七条免责条款之外其他重大利害关系条款的法律空白，对于《中华人民共和国民法典》提示说明义务的扩展规定，保险人应当严格遵守。

2. 违反《中华人民共和国民法典》第四百九十六条第二款与《中华人民共和国保险法》第十七条的法律后果

违反《中华人民共和国民法典》第四百九十六条第二款的法律后果为“对方可以主张该条款不成为合同的内容”，该表述是新增的，实质系赋予了当事人一次选择权，由当事人进行自主选择。所谓不成为合同的内容，是指虽然合同中有该条款，但因双方未就此形成合意，导致其不成立。同时该条款不成为合同的内容不影响其他合同条款的效力，当事人更不能以此为由主张整个合同无效或解除合同。因此，《中华人民共和国民法典》第四百九十六条第二款在兼顾公平性的同时，最大限度地保护了交易安全性和稳定性。而违反《中华人民共和国保险法》第十七条的法律后果为“不产生效力”。该条款系法律法规的强制性规定，相较于《中华人民共和国民法典》第四百九十六条，其法律后果更为严厉，但该条亦不能导致整个保险合同不发生效力或解除合同。

本案中，原告在2019年交纳首期保费后，2020年再未交纳保费，到起诉时保险合同处于停效状态。原告以《中华人民共和国民法典》第四百九十六条为依据要求解除保险合同，审理中法官反复向其释明该条款规定的含义，并询问是否变更诉讼请求为相关条款不成为合同内容，但原告坚持以此为依据要求解除合同，因而人民法院对其该项主张不予支持，并最终依据《中华人民共和国保险法》第十五条赋予投保人的任意解除权判令解除保险合同，并计算现金价值退还投保人。

编写人：重庆两江新区人民法院（重庆自由贸易试验区人民法院） 何欣 赵警淇

（二）意外伤害保险合同纠纷

31

按机动车处理的超标电动车不属于意外伤害保险中约定的“机动车交通工具”范畴

——吉甲、谌甲诉保险公司保险合同案

【案件基本信息】

1. 裁判书字号

江苏省无锡市中级人民法院（2021）苏 02 民终 4276 号民事判决书

2. 案由：保险合同纠纷

3. 当事人

原告（被上诉人）：吉甲、谌甲

被告（上诉人）：保险公司

【基本案情】

吉甲、谌甲系死者吉某之父母。2015 年 10 月 20 日，某学校为吉某向保险公司投保了学生意外伤害保险，保险金额为 50000 元。合同约定被保险人酒后驾驶、无有效驾驶证照驾驶，或驾驶无有效行驶证的机动车交通工具发生的交通事故属于免赔情形。2016 年 4 月 15 日，吉某驾驶无号牌二轮电动车（交通事故后，该车经交管部门鉴定为机动车）时发生交通事故，后经送医抢救无效于当日死亡。同时，交管部门认定吉某未依法取得机动车驾驶证。保险公司认为，吉某驾驶机动车发生交通事故，未取得机动车驾驶证，且车辆无有效行驶证，符合免责条款约定，因此拒赔。后吉甲、谌甲诉至人民法院，要求保险公司赔偿保险理赔款50000元。

【案件焦点】

吉某驾驶经交管部门鉴定为机动车的超标电动车发生保险事故是否属于保险条款中“被保险人无有效驾驶证照驾驶，或驾驶无有效行驶证的机动车交通工具”的责任免除情形。

【法院裁判要旨】

江苏省无锡市滨湖区人民法院经审理认为：在保险条款对“机动车交通工具”的定义未约定的情况下，“机动车交通工具”应按照普通人的理解和识别力进行判断，解释成具有普遍意义上的机动车外观等，且可以办理机动车驾驶证照等手续的机动车。交管部门出具的交通事故认定书将超标电动车认定为机动车，是基于交通事故发生后从技术角度对电动车的动力、速度、质量等因素作出的一种推定，是为处理交通事故赔偿作出的认定，用以区分事故责任。但是站在管理规范角度，相关法律、法规未明确规定超标电动车属于机动车，而且按照电动自行车交通管理的相关规定，超标电动车并未按照机动车进行管理，无法取得机动车牌照，也无法申领机动车驾驶证和行驶证。因此，免责条款中所列的情形应该是针对驾驶者怠于履行申领证照义务的制约和风险提示，该条款中“机动车交通工具”应理解为可以取得有效驾驶证和车辆牌照的机动车，不应包括交管部门在处理交通事故时按技术参数鉴定后按机动车处理的超标电动车。

江苏省无锡市滨湖区人民法院依照《中华人民共和国保险法》第十七条、第三十条之规定，判决：

保险公司支付吉甲、谌甲保险金50000元。

二审法院同意一审法院裁判意见。

【法官后语】

保险合同系射幸合同。投保人希望通过保险转移风险，那么其关注保险保障范围、支付的对价是否公允等。保险人为控制赔付风险，则会通过预先拟定的可以重复使用的格式条款来限缩赔付范围。但由于保险人和投保人地位不平等、利益不同、信息不对称，投保人只能接受保险人预先拟定的格式条款，因此格式条款的理解分歧往往成为保险合同纠纷的集中点。

根据《中华人民共和国保险法》第三十条之规定，保险合同争议条款应当以通常解释为前提。当事人因保险合同中的免责条款发生争议需要解释的，属于《中华人民共和国民法典》第一百四十二条第一款“有相对人的意思表示的解释”之情景，此时应当按照所使用的词句，结合相关条款、行为的性质和目的、习惯以及诚信原则，确定意思表示的含义。在解释争议条款时，应结合合同解释的主观意思与客观表现，兼顾意思解释与表意解释，进而全面解读争议条款。此外，基于保险合同订立时投保人天然的弱势地位，在对保险合同格式条款的解释中难以运用上述解释方式解释保险合同争议条款时，有必要通过调节双方地位差距以获得公平之结果，此时应运用有利保险相对人解释之原则，寻求公平合理之解释。

就本案而言，保险条款虽然约定被保险人无有效驾驶证照驾驶或驾驶无有效行驶证的机动车交通工具发生的交通事故属于免赔情形，但在对“机动车交通工具”进行解释时，应当遵循诚信原则，按照保险合同订立时公众普遍的认知进行判断。“机动车交通工具”应当是指具有普遍意义上的机动车外观、动力，且可以办理机动车驾驶证照等手续的机动车。即使在对超标电动车进行严格管控的背景下，超标电动车也并未按照机动车进行管理，无法取得机动车牌照，也无法申领机动车驾驶证和行驶证。而交管部门出具的交通事故认定书将超标电动车认定为机动车，是基于交通事故发生后从技术角度对电动车的动力、速度、质量等因素作出的一种推定，是为处理交通事故赔偿作出的认定，用以区分事故责任。因此，在适用保险条款时，不宜将交管部门在处理交通事故时按机动车处理的超标电动车纳入保险条款约定的“机动车交通工具”理解范畴。

编写人：江苏省无锡市滨湖区人民法院　贺锡霞　游悦

32

保险公司对人力资源公司受托投保的雇主责任险不得拒赔

——管理咨询公司诉人保广东分公司保险合同案

【案件基本信息】

1. 裁判书字号

重庆市第五中级人民法院（2021）渝05民终6107号民事判决书

2. 案由：保险合同纠纷

3. 当事人

原告（上诉人）：管理咨询公司

被告（被上诉人）：人保广东分公司

第三人：汽车零件公司、唐某

【基本案情】

2018年12月14日，管理咨询公司与汽车零件公司签订《委托办理保险服务协议》，向人保广东分公司投保了雇主责任险。雇主责任险协议约定了赔偿项目，工伤伤残赔偿限额为80万元/人/年，十级伤残的每人伤残责任限额为10%；保险期限为2018年12月14日至2019年12月13日。保单特别约定：承保的被保险人不限于与被保险人建立合法劳动关系的自然人，包括其他企业委托该单位参保的员工。管理咨询公司向人保广东分公司提交了雇员清单，唐某在投保雇主责任险的雇员清单中。

2019年9月15日18时许，唐某在汽车零件公司上班时，左手被点焊机压伤，后经重庆市南岸区人力资源和社会保障局认定为工伤。2020年1月22日，唐某左拇指损伤经鉴定属十级伤残。

2020年6月5日，管理咨询公司同唐某达成工伤赔偿协议，赔偿唐某一次性伤残补助金、一次性工伤医疗补助金、一次性伤残就业补助金、停工留薪期工资共计40560元，医疗费9257.59元已经由管理咨询公司垫付，唐某同意医疗费9257.59元由人保广东分公司直接赔付给管理咨询公司。

管理咨询公司垫付49817.59元费用后向人保广东分公司索赔，人保广东分公司以管理咨询公司对保险事故无保险利益为由拒赔，遂成讼。

【案件焦点】

人保广东分公司应否向管理咨询公司支付雇主责任险赔偿金。

【法院裁判要旨】

重庆市南岸区人民法院经审理认为：管理咨询公司作为人力资源公司向人保广东分公司投保的雇主责任险合法有效，人保广东分公司应履行保单约定义务并向受伤雇员进行工伤赔偿。

雇主责任险保单约定，承保的被保险人员工不限于与被保险人建立合法劳动关系的自然人，包括其他企业委托该单位参保的员工，且如果系其他企业委托投保人参保的员工，理赔资料则不限制用人或用工单位的名称。现管理咨询公司已经垫付唐某的医疗费、一次性伤残补助金、一次性工伤医疗补助金、一次性伤残就业补助金、停工留薪期工资等共计49817.59元，人保广东分公司应向管理咨询公司支付上述费用。

重庆市南岸区人民法院依照《最高人民法院关于适用〈中华人民共和国民法典〉时间效力的若干规定》第一条，《中华人民共和国保险法》第十条、第十三条第二款、第十四条，《中华人民共和国民事诉讼法》第六十四条第一款规定，判决：

一、人保广东分公司于判决生效后十日内支付管理咨询公司49817.59元；

二、驳回管理咨询公司的其他诉讼请求。

管理咨询公司不服，提起上诉。重庆市第五中级人民法院经审理认为：首先，管理咨询公司对案涉保险标的具有保险利益。管理咨询公司与人保广东分公司签订保险合同时，已按要求向人保广东分公司提交了雇员清单，为唐某投保雇主责任险。管理咨询公司在唐某受伤后先行赔付相关费用，因此管理咨询公司对案涉保险标的具有保险利益。因案涉保险合同系人保广东分公司提供，管理咨询公司在合同签订过程并无过错，亦未损害国家及第三人利益。人保广东分公司上诉称其提供的案涉保险合同因违反保险法第四十八条、第五十六条的规定而无效，不予支持。

其次，管理咨询公司为唐某投保雇主责任险符合保险合同约定。管理咨询公司与人保广东分公司签订的《雇主责任保险单》特别约定载明，被保险人员工包含其他企业委托我单位参保的员工，且管理咨询公司提交了明确的被保险人员工清单。管理咨询公司为唐某投保雇主责任险符合保险合同约定，人保广东分公司称管理咨询公司隐名投保行为应及时通知保险人的上诉理由不能成立。

最后，现有证据不足以证实存在免赔事由。管理咨询公司与人保广东分公司签订的《雇主责任保险单》合法有效，管理咨询公司按保险单要求提交保险理赔资料，人保广东分公司理应支付保险赔偿金。现人保广东分公司提交的证据不足以证明管理咨询公司伪造理赔资料，其称本案存在法定和约定免赔事由的上诉理由不能成立。

重庆市第五中级人民法院依照《中华人民共和国民事诉讼法》第一百七十条第一款第一项规定，判决如下：

驳回上诉，维持原判。

【法官后语】

我国绝大部分的企业，都需要应对所雇员工的人身伤亡风险。作为员工的雇主，企业为员工办理工伤保险是国家的强制性要求，但企业员工面临的风险是多样化、复杂化的，工伤保险可能无法涵盖所有的人身伤亡问题，部分特殊的行业更是如此。此时，企业往往会投保雇主责任险，为员工多提供一份保障。

本案所涉人力资源公司受托投保雇主责任险纠纷较为典型，人力资源公司接受委托投保雇主责任险时，必须事前签订《委托办理保险服务协议》，如实将代为投保的情况告知保险公司，并提交详细明确的被保险人个人清单，以预防和减少雇主责任险索赔纠纷。

首先，厘清雇主责任险与工伤保险、团体意外险的区别。雇主责任险是指被保险人雇佣的员工从事工作时，出现保单载明的意外事故而受伤、残疾或者因患有职业性疾病致残、死亡，被保险人承担法定赔偿义务后，由保险人在约定的赔偿限额内赔偿被保险人的一种保险。雇主责任险的理赔前提是雇主承担赔偿责任，其中最大的不同在赔偿范围上：团体意外险与雇主责任险采用民法损益相抵原则和保险利益原则，适用填平原则，“赔偿额≦损失”；工伤保险比较特殊，具有补偿功能，为了维系受伤职工及其供养亲属的生存需求，其赔偿金较高，“赔偿金=损失+生活保障”。在同等伤情的情况下，团体意外险的赔偿金额远远低于工伤保险。雇主责任险则在工伤保险待遇或者雇主责任范围内有选择、有条件地进行赔付，赔偿额也低于工伤保险。

其次，本案管理咨询公司已按要求提供资料，投保合法有效。雇主责任险保单特别约定，被保险人员工包含外派其他企业工作的员工或其他企业委托该单位参保的员工，并约定投保时需同时提供盖章版雇员清单。雇主责任险保单系人保广东分公司提供的格式条款，人力资源公司向保险公司投保时已告知系受托投保，且按约定提供了雇员清单，雇主责任险合同合法有效，人保广东分公司应当依约赔付。

再次，管理咨询公司已向受伤雇员赔偿具有保险利益。雇主责任险作为责任保险，以被保险人对第三者应付的法定赔偿责任作为保险标的。如果被保险人无法定赔偿责任，则无保险利益，保险人对无损害事实不承担保险责任。管理咨询公司已向雇员清单中的受伤雇员进行一次性工伤赔偿，损害事实已客观存在，管理咨询公司对雇员具有法定赔偿义务。管理咨询公司对其投保的雇主责任险具有保险利益。

最后，现有证据不足以证实存在免赔事由。案涉雇主责任保险单合法有效，明确约定如果是其他企业委托投保人参保的员工，理赔资料则不限制用人或用工单位的名称。管理咨询公司提供的理赔资料符合雇主责任保险单约定，人保广东分公司举示的证据不足以证明免赔事由存在，应当给付保险金。

编写人：重庆市第五中级人民法院　郝绍彬　王秦

33

保险合同中猝死原因的举证责任分配

——左甲等诉财保福建分公司、人力资源公司保险合同案

【案件基本信息】

1. 裁判书字号

福建省宁德市中级人民法院（2021）闽 09 民终 1560 号民事判决书

2. 案由：保险合同纠纷

3. 当事人

原告（被上诉人）：左甲、左乙、尹某

被告（上诉人）：财保福建分公司

被告：人力资源公司

【基本案情】

被保险人王某于 2020 年 8 月 7 日 8 点 40 分左右在家中摔倒昏迷，后经抢救无效猝死。王某与人力资源公司有办理相应的雇主责任险，具体是在 2020 年 6 月 28 日与财保福建分公司签订《雇主责任保险合同》，保险期限自 2020 年 6 月 30 日 0 时起至 2021 年 6 月 29 日 24 时止，原告左甲、左乙、尹某认为该次事故属于雇主责任险的赔付范畴，财保福建分公司应予以赔付且人力资源公司系死者的雇主单位，生产事故发生后，其有义务向雇员支付相应的赔偿金。但被告人力资源公司和财保福建分公司均未积极履行各自义务，故原

告左甲、左乙、尹某请求判令人力资源公司、财保福建分公司共同支付保险赔偿金50万元。

【案件焦点】

被保险人在家中猝死是否属于意外事故，是否属于疾病范畴，保险人应否承担保险责任。

【法院裁判要旨】

福建省宁德市蕉城区人民法院经审理认为：案涉保险合同附加的24小时附加意外险特别扩展条款（B）约定的保险事故为“意外事故”，财保福建分公司未对“意外事故”进行解释说明，而猝死是突发的、非本意的，符合一般普通人对“意外事故”的通常理解，猝死应属前述附加险的保险事故。《中华人民共和国保险法》第二十二条规定：“保险事故发生后，按照保险合同请求保险人赔偿或者给付保险金时，投保人、被保险人或者受益人应当向保险人提供其所能提供的与确认保险事故的性质、原因、损失程度等有关的证明和资料。保险人按照合同的约定，认为有关的证明和资料不完整的，应当及时一次性通知投保人、被保险人或者受益人补充提供。”左甲、左乙、尹某提供居民死亡医学证明（推断）书证明王某猝死，人力资源公司据此于2020年8月7日向财保福建分公司报险，而财保福建分公司于2020年8月24日直接以居民死亡医学证明（推断）书载明的猝死认定王某系因疾病死亡作出拒赔告知函，未及时通知补充相关证明或其他资料。猝死是一种死亡表现形式，而非病理性死亡原因，并非疾病之一种。案涉保险条款并未将猝死列为财保福建分公司免责范畴，而财保福建分公司主张王某猝死系属疾病致死，应承担举证责任。财保福建分公司认为火化证已载明王某系“因病死亡”。火化证的出具主体系殡仪馆，而殡仪馆没有鉴别死因的资质，其所填写的“因病死亡”不具有证明力；财保福建分公司未能举证证明王某生前疾病情况，且怠于履行前述及时通知义务，致使王某是否系因疾病死亡无法查明，应由财保福建分公司承担由此引起的不利后果，故财保福建分公司关于王某猝死系属疾病，属于其免责范畴的主张，不予采纳。

福建省宁德市蕉城区人民法院依照《最高人民法院关于适用〈中华人民共和国民法典〉时间效力的若干规定》第一条第二款，《中华人民共和国合同法》第八条，《中华人民共和国保险法》第十条、第二十二条、第三十条，《中华人民共和国民事诉讼法》第六十四条第一款、第一百四十四条和《最高人民法院关于适用〈中华人民共和国民事诉讼法〉的解释》第九十条规定，判决如下：

一、被告财保福建分公司应于本判决生效之日向原告左甲、左乙、尹某支付保险金 500000 元；

二、驳回原告左甲、左乙、尹某的其他诉讼请求。

二审法院同意一审法院裁判意见。

【法官后语】

猝死是较为常见的死亡方式，保险人对被保险人的猝死应否承担保险责任，应视具体个案而定。

案涉保险合同虽然没有对“猝死”进行定义和释义，但在免责条款中对“意外伤害”进行了定义，而非病理性的“猝死”并没有排除在保险合同所定义的“意外伤害”的内涵和外延之外，即对非病理性猝死是否属于意外伤害未作出界定。根据格式合同解释规则，当保险合同出现两种不同的解释时，法院应作出不利于保险公司的解释，即认定非病理性猝死符合意外事故“外来的、突发的、非本意的、非疾病的”四大特征，符合一般普通人对“意外事故”的通常理解，猝死应属意外险的保险事故。

猝死是一种死亡表现形式，而非死亡原因。导致猝死的原因，可能是疾病，也有可能是非疾病，不能将猝死简单等同于疾病致死。死者家属、受益人及保险公司对保险事故均负有一定的证明责任，只有证明责任人履行了相应的证明责任，才可视为完成了举证的责任，反之，证明责任人没有履行自己的证明责任，就要承担举证不利的法律后果。本案中，王某猝死后，投保人及时向保险公司保险，履行了及时通知义务，已经完成了初步证明责任。接着应由保险人对王某的死因进行调查和鉴定。然财保福建分公司直接以居民死亡医学证明

（推断）书载明的猝死认定王某系因疾病死亡作出拒赔告知函，未及时通知补充相关证明或其他资料，未积极协助、指导受益人收集和固定证据，没有要求和指导受益人进行尸检，更没有就死因调查采取必要的措施，导致死因没有查明。因此，保险人在确认保险事故发生的原因和性质的过程中存在过错，在最终没有证据证明或者不能排除王某不是由于意外伤害死亡的情况下，应当承担举证不利的后果，应赔付保险金。

综上，猝死被保险人家属、受益人需初步举证保险事故的发生；保险人需完全举证证明被保险人猝死的原因是什么，若保险人能够举证证明猝死系因被保险人自身疾病所致，而合同约定了自身疾病所致的身故免责，则保险人可以免责；但若保险人未能举证证明被保险人的猝死是由于非病理性原因所致，则无法直接推定猝死则保险人免责。

编写人：福建省宁德市蕉城区人民法院　黄锦芳

34

财产保险与人身保险并存时损害填补原则的适用

——陈甲诉财险深圳分公司、物流公司人身保险合同案

【案件基本信息】

1. 裁判书字号

河南省平顶山市中级人民法院（2021）豫04民终3700号民事判决书

2. 案由：人身保险合同纠纷

3. 当事人

原告（被上诉人）：陈甲

被告（上诉人）：财险深圳分公司

被告（被上诉人）：物流公司

【基本案情】

2020年4月3日22时许，陈甲驾驶重型半挂货车出行，与陈乙驾驶的重型罐式货车发生碰撞，造成陈甲受伤、两车不同程度损坏的道路交通事故。2020年4月16日，交警大队作出道路交通事故认定书，认定陈甲承担本次事故的全部责任，陈乙不承担责任。

物流公司作为被保险人，采用按车投保的方式为陈甲驾驶的车辆在财险深圳分公司投保驾乘人员人身意外伤害保险。同时，保险单上采用下划线和字体加粗方式载有“免赔说明”：本保单每次事故意外医疗扣除绝对免赔额500元后，按照90%的比例报销。保险期间自2019年11月7日起至2020年11月6日止，事故发生在保险期间。

另查明，2021年3月18日，陈甲将物流公司、案外某保险公司诉至山西省黎城县人民法院，要求赔偿相关费用。2021年5月24日，法院作出判决，认定如下事实：1. 物流公司作为被保险人，为涉案车辆在案外某保险公司投保有车上人员险（司机）且不计免赔，责任限额100000元。2. 陈甲因此次事故产生的损失共计261224.17元，其中医疗费48477.57元、营养费6900元、住院伙食补助费13800元（住院138天）、误工费28960元、护理费33120元、交通费1000元、精神损害抚慰金2000元、被扶养人生活费58892.6元、残疾赔偿金66524元、鉴定费1550元。3. 该院委托某司法鉴定中心对陈甲进行了司法鉴定，认定陈甲构成十级伤残。4. 判令案外某保险公司在车上人员责任险（司机）项下赔偿陈甲医疗费等费用100000元。该判决现已发生法律效力，2021年7月14日，双方履行完毕赔偿义务。

根据以上生效裁判文书确定的法律事实，陈甲提起本案诉讼，主张财险深圳分公司在意外伤害保险范围内赔偿陈甲：1. 医疗费43179.81元［（48477.57元-500元）×90%］；2. 住院津贴27600元（200元/天×138天）；3. 伤残赔偿金125416.6元（66524元+58892.6元），其中残疾赔偿金66524元，被扶养人生活费58892.6元计入伤残赔偿金。以上损失合计196196.41元。

【案件焦点】

在财产保险与人身保险并存时，被保险人先期得到财产保险的赔付，在之后起诉要求得到人身损害保险赔偿时，是否应扣除财产保险赔付部分的金额。

【法院裁判要旨】

河南省汝州市人民法院经审理认为：物流公司在财险深圳分公司处投保驾乘人员人身意外伤害保险，财险深圳分公司为其出具电子保险单，双方形成人身保险合同关系。保险期间内，驾驶人陈甲驾驶投保车辆发生交通事故受伤，保险人应当按照约定承担保险责任。1. 关于财险深圳分公司辩称按照特别约定，未在约定报案日期内报案的，绝对免赔 90%后进行赔付的意见，该特别约定属于减轻保险人赔偿责任的条款，财险深圳分公司未能提供充足有效的证据证明其就免责条款尽到明确的提示说明义务，故对该辩解意见不予采纳。2. 关于财险深圳分公司主张应按照保险条款中约定的《人身保险伤残评定标准》重新评定及按照伤残等级支付残疾赔偿金的意见，经查，其举证的保险条款系电子版，无投保人签章确认，投保人对此也不予认可，且该内容亦属于减轻保险人赔偿责任的条款，财险深圳分公司亦未能提供充足有效的证据证明其已经尽到明确的提示说明义务，故对该项辩解意见不予采信。3. 关于财险深圳分公司辩称误工费、护理费、交通费、营养费、被扶养人生活费等均不属于保险责任的意见，经查，按照保险单约定，财险深圳分公司应承担的是给付意外伤害住院津贴、意外伤害医疗、意外身故伤残的保险责任，误工费、护理费、交通费、营养费项目不属于合同约定的赔付范围，而被扶养人生活费应计入伤残赔偿金，对该辩称意见部分认可。4. 关于财险深圳分公司和物流公司均主张应当扣除掉在车上人员责任险中理赔的 100000 元的意见，根据《中华人民共和国保险法》第九十五条第一款的规定，车上人员责任险属于财产保险，适用损害填补原则，而驾乘人员人身意外伤害保险属于人身保险，不适用填补原则，两者的保险标的不同，通过责任保险理赔获得赔偿后，不妨碍人身保险的被保险人请求赔偿。因此，财险深圳分公司应在保险责任范围内支付原告陈甲损失 196196.41 元。原告的其他主张，证据和理由不充分，不予支持。被告的其他辩解意见，证据和理由不足，不予采纳。

综上，河南省汝州市人民法院依照《中华人民共和国保险法》第十四条、第十七条、第四十六条、第九十五条第一款，《最高人民法院关于适用〈中华人民共和国保险法〉若干问题的解释（二）》第九条、第十一条、第十三条，《最高人民法院关于审理人身损害赔偿案件适用法律若干问题的解释》第十六条，《中华人民共和国民事诉讼法》第六十四条、第二百五十三条，《最高人民法院关于适用〈中华人民共和国民事诉讼法〉的解释》第九十条规定，判决如下：

一、被告财险深圳分公司于本判决生效后十日内赔偿原告陈甲各项损失共计196196.41元；

二、驳回原告陈甲的其他诉讼请求。

二审法院同意一审法院裁判意见。

【法官后语】

本案中，被保险人已经通过在先诉讼获得了车上人员责任险赔付，又就同一事项起诉要求获得驾乘人员人身意外伤害保险赔付，在财产险与人身险交叉并存中是否适用“损害填补原则”，存在一定的不同意见。

1.“损害填补原则”仅适用于多种财产保险交叉情形

“损害填补原则”意指当保险事故发生并使被保险人遭受损失时，保险人必须在其承担的保险金给付义务范围内履行合同义务，对被保险人所受实际损失进行填补。

《中华人民共和国保险法》第五十六条第二款规定，“重复保险的各保险人赔偿保险金的总和不得超过保险价值。除合同另有约定外，各保险人按照其保险金额与保险金额总和的比例承担赔偿保险金的责任”；第六十条第一款规定“因第三者对保险标的的损害而造成保险事故的，保险人自向被保险人赔偿保险金之日起，在赔偿金额范围内代位行使被保险人对第三者请求赔偿的权利”。该两条规定均体现了“损失补偿原则”，即防止被保险人通过购买保险而获取额外利益。但在第二章第二节人身保险合同中，第四十六条规定“被保险人因第三者的行为而发生死亡、伤残或者疾病等保险事故的，保险人向被保险人或者受益人给付保险金后，不享有向第三者追偿的权利，但被保险人或者受益人仍有权向第三者请求赔偿”，且对人身保险重复投保问题并未做出限制。因此，损失填补原则仅适用于财产保险合同，而不适用于人身保险合同。

2. 在财产保险与人身损害保险交叉并存时，亦不适用“损害填补原则”

本案中，案涉车辆分别在两家保险公司投有车上人员责任险和驾乘人员人身意外伤害险。《中华人民共和国保险法》第九十五条第一款规定“人身保险业务，包括人寿保险、健康保险、意外伤害保险等保险业务”，该条款明确地把意外伤害保险划入人身保险，因此，意外伤害医疗保险确属人身保险范畴。而车上人员责任险是以对车上不特定人员承担的赔偿责任为保险标的，并不以司机的寿命或者身体为保险标的。在订立车上人员责任险合同时，并不能确定司机的具体身份信息，也不能确定具体的被保险人。只有在保险事故发生时，被保险人对司机在事故中的损害赔偿责任才得以产生，此时被保险人才会对该赔偿责任具有保险利益。从性质上划分，车上人员责任险应属于财产保险中的责任保险。

案涉车辆驾驶员在车上人员责任险（司机）项下已获得医疗费等费用赔偿10万元，现起诉要求在意外伤害医疗保险限额内对其全部损失进行赔偿。尽管保险受益人的损失在财产保险中已获得部分赔付，但作为人身保险的一种，意外伤害医疗保险的被保险人或受益人依保险合同取得赔偿是一种合同法律关系，是约定之债。受保险法益人从第三者处获得部分赔偿后，仍然可以向保险人主张保险理赔，保险人不得以被保险人或者受益人已经获得侵权赔偿为由拒绝履行保险理赔责任。两者的保险标的不同，通过责任保险理赔获得赔偿后，不妨碍人身保险的被保险人请求赔偿。

因此，同时投保有车上人员责任险和驾乘人员人身意外险的车辆不适用“损害填补原则”，受保险法益人从车上人员责任险中获得部分赔偿后，仍然可以向驾乘人员人身意外险保险人主张保险理赔。

编写人：河南省汝州市人民法院　李亚芳　张好娜

35

保险员代为填写的保险内容与投保人告知内容不一致时，保险责任的认定

——肖某诉保险公司人身保险合同案

【案件基本信息】

1. 裁判书字号

重庆市第二中级人民法院（2021）渝 02 民终 3252 号民事判决书

2. 案由：人身保险合同纠纷

3. 当事人

原告（被上诉人）：肖某

被告（上诉人）：保险公司

【基本案情】

骆某系保险代理人，其于 2019 年 5 月 18 日通过手机向肖某销售案涉保险，肖某同意投保后将保险费交予骆某，骆某回家后再通过其手机应用程序完成全部投保程序。同日，肖某作为投保人和被保险人，向保险公司投保了“个人意外伤害保险”等险种。保险公司经审查后同意承保并签发了保险单。投保过程中，经骆某询问，肖某告知其无固定职业，日常从事零散搬运业务，骆某进而将肖某投保的《住院宝保障计划一》之职业填选为“外勤人员（从事+联系工作）”，将《意外保计划三》之职业填选为“分拣员”。骆某通过自己的工号为肖某购买了保险公司的两份保险产品。

2019 年 7 月 22 日，肖某在一工地棚房外楼梯处不慎摔倒受伤，随即被送医住院治疗 67 天。出院后经鉴定机构鉴定，肖某伤残等级为一级。事发后，肖某向保险公司申请保险理赔。保险公司核实调查后认为，肖某在向保险公司投

保时未如实告知职业类别，投保人未履行如实告知义务。2020 年 8 月 25 日，保险公司向肖某发出保险合同解除通知书，以肖某在向保险公司投保时未如实告知职业类别，投保人未履行如实告知义务为由，解除了该份保险合同，并告知肖某“对此次保险事故，保险公司不承担给付保险金的责任”，遂成讼。

【案件焦点】

保险员代为填写的保险内容与投保人告知内容不一致时，保险责任如何认定。

【法院裁判要旨】

重庆市万州区人民法院经审理认为：《中华人民共和国保险法》第十六条第一款规定，订立保险合同，保险人就保险标的或者被保险人的有关情况提出询问的，投保人应当如实告知。保险代理人骆某到庭证实，投保过程中，经其询问，肖某告知其现在并无固定职业，平时从事零散搬运工作，骆某根据肖某告知之内容将肖某之职业填选为“外勤人员（从事+联系工作）和分拣员”。保险代理人骆某在听取肖某告知内容后将肖某职业填选为“外勤人员（从事+联系工作）”类别，无论该填选内容是否恰当或精准，均与作为投保人的肖某无关，肖某不应为保险代理人之不当填选行为承担责任。在投保过程中，保险代理人代表保险人行使保险法规定之询问权利，肖某在投保过程中并无故意或因重大过失未履行如实告知义务之行为，故相关不利后果应由作为保险人的保险公司自担。

重庆市万州区人民法院依照《中华人民共和国保险法》第十六条、《最高人民法院关于适用〈中华人民共和国保险法〉若干问题的解释（二）》第七条、《最高人民法院关于适用〈中华人民共和国民事诉讼法〉的解释》第九十条之规定，作出如下判决：

一、保险公司须于判决生效后十五日内给付肖某个人意外伤残保险金 400000 元；

二、保险公司须于判决生效后十五日内给付肖某附加意外每日住院津贴 4500 元、意外重症监护每日住院津贴 9000 元，合计 13500 元。

保险公司持原审答辩意见提起上诉。重庆市第二中级人民法院经审理认为：根据骆某的证人证言，其在听取肖某介绍自己的职业时，所听取的内容为“工作不固定，有很多工作；快递分拣、水泥、砂石等项目”。骆某作为完全民事行为能力人，亦作为具有多年从业经验的保险员，知道或者应当知道肖某前述对工作的陈述，所表达的意思为无固定工作，而其在选择肖某职业时，并未如保险公司上诉所称选择“无固定职业人员”进而拒保，而是明知肖某不属于机关团体公司工作人员和该分类项下的外勤人员，亦不属于与特定公司建立长期劳动合同的分拣员，仍选择前述职业，以此促成保险合同的订立。肖某尽到了其对职业的如实告知，并无故意或因重大过失未履行如实告知义务，保险公司主张肖某未尽到前述义务的理由不能成立。

重庆市第二中级人民法院依照《中华人民共和国民事诉讼法》第一百七十条第一款第一项之规定，判决如下：

驳回上诉，维持原判。

【法官后语】

在电子化签约越来越普及的当下，保险人或其代理人代投保人填写询问事项甚至代投保人签名的情况越发普遍。但保险人或其代理人代填保险单证，涉及投保人是否尽到如实告知义务的认定，进而影响保险人是否有权解除合同并拒赔的认定。无论对哪一方而言，均存在影响切身利益的风险甚至道德风险。相关问题已经成为引发保险纠纷的重要事由和处理难点。

关于保险人或其代理人代投保人签字，按照“弃权与禁反言”的保险法原理，保险人在放弃就保险标的或被保险人的相关情况向投保人询问的权利之后，无权再以投保人未履行如实告知义务为由解除合同、拒绝赔偿或给付保险金。[①]本文拟从保险人或其代理人代填保险合同中如实告知的询问事项，投保人以何种方式回复着手，分析保险人以此为由解除合同或拒赔所涉的法律后果。

---

① 最高人民法院民事审判第二庭编：《最高人民法院关于保险法司法解释（二）理解与适用》，人民法院出版社2015年版，第106页。

1. 询问后如实告知，但保险人或其代理人未如实填写

该种情形即本案所涉及的情形。保险人作为审慎而专业的经营机构，其代理人作为具有专业知识的保险从业员，在投保人已在自身所知晓的知识范围内告知职业的情况下，代理人仍为促成保险合同的订立，未选填投保人的真实职业。其在发生纠纷后主张投保人未履行如实告知义务是不诚信的行为。本案的判决查明了保险合同订立时的真实情况，有充分证据证明投保人尽到了如实告知义务，但保险代理人却未如实代为填写保险合同询问事项，进而认定保险人以此为由解除合同不当，并对保险公司滥用“如实告知义务”拒赔予以纠正，有理有据地保护投保人的合法权益。

2. 询问后模糊告知，但保险人或其代理人未谨慎核实

该种情形多存在于投保人告知保险人或其代理人，投保人曾做全身或专项体检所涉的保险合同纠纷中。投保人囿于专业知识的限制，无法清楚、明确告知保险人相关医学检验报告所载明的具体信息，仅对疾病名称有大致了解，甚至不清楚其疾病程度。而在生活实践中，投保人虽模糊告知保险人相关疾病情形或表现症状，但告知了医学检验机构的名称。此时，在投保人提供了明确的核实线索，且具备调取相关检验报告的现实条件下，并不能免除保险人对投保人特殊情形负有的主动核实义务。保险人以发生纠纷后调取的检验报告载明事项作为投保人未履行如实告知义务的抗辩，不能得到支持。

3. 询问后告知内容不清，保险人或其代理人直接选填“无”

保险人或其代理人虽有谨慎核实义务，但该义务不能不合理地增加保险人负担。即保险人仅需承担必要的信息收集和审查义务。在投保人告知的内容含糊不清，保险人或其代理人无法判断投保人是否就医、是否存在既往病史时，保险人或其代理人直接填入“无”，并由投保人签字确认，而后因此产生保险合同纠纷，应属投保人因故意或重大过失未履行如实告知义务，保险人有权在法律规定的期限内撤销、解除合同并拒绝保险理赔。

编写人：重庆市第二中级人民法院　陈俊颖
重庆市万州区人民法院　任英龙

36

被保险人死亡原因无法查明时比例赔偿原则的适用问题

——黄某等诉保险宜昌分公司保险合同案

【案件基本信息】

1. 裁判书字号

湖北省宜昌市中级人民法院（2021）鄂05民终1635号民事判决书

2. 案由：保险合同纠纷

3. 当事人

原告（上诉人）：黄某、刘某、李某

被告（上诉人）：保险宜昌分公司

第三人：科技公司

【基本案情】

刘甲系原告黄某之夫、刘某之父、李某之子。刘甲生前在科技公司从事劳务工作。2019年4月8日，科技公司为包括刘甲在内的70人向保险宜昌分公司投保了团体意外伤害保险，保险单未指定受益人，约定意外身故、残疾给付，每人保险金额300000元，保险期间自2019年4月9日起至2020年4月8日止。

2019年6月12日23时，刘甲在其家中卫生间摔倒，经邻居报警，某医院派救护车于当日23时15分到达现场，出诊医生郑某对其进行抢救，23时30分经抢救无效宣布刘甲死亡，同时出具《诊断证明》，载明诊断“猝死”。2019年6月13日7时35分，科技公司向保险宜昌分公司报案。当天，保险宜昌分公司安排两名工作人员到刘甲家中进行现场勘查并于当日下午通过微信向科技公司法定代表人发送《保险告知函》，载明“建议贵公司对逝世职员进行医学检验以明确死亡原因（因意外导致死亡还是疾病导致死亡）。我司在死亡原因不明的情况下，无法核定该起事故是否属于保险责任范围内的事故”。书面的《保险告知函》后寄往科技公司。2019 年 6 月 14 日，刘甲火化安葬。

嗣后，科技公司要求保险宜昌分公司给予刘甲意外身故赔偿，保险宜昌分公司于 2019 年 7 月 1 日书面告知并送达科技公司“经医疗机构诊断刘甲死因为猝死，不属于保险责任范围。对此我公司不能给予赔付”。2019 年 7 月 11 日，科技公司向某医院发出《关于请求某医院纠正刘甲意外死亡原因诊断证明的函》，认为某医院未进行医学影像检测、尸检及其他专业检测检验即认定刘甲死亡原因为“猝死”缺乏依据，要求结合病历关于体征描述对死亡原因进行更正。随后，某医院又出具了两份《诊断证明》，分别载明诊断“1. 猝死；2. 脑外伤?”和“突发性呼吸心跳骤停”，落款均为“郑某”，并加盖“某医院诊断证明专用章”。

【案件焦点】

1. 被保险人刘甲死亡原因能否查明；2. 被保险人刘甲死亡原因若无法查明，其责任如何划分。

【法院裁判要旨】

湖北省宜昌市西陵区人民法院经审理认为：被保险人刘甲死亡后，某医院 120 科出诊医生郑某先后共出具三份诊断证明，诊断结果分别为“猝死”“1. 猝死；2. 脑外伤?”“突发性呼吸心跳骤停”，其内容有差异，法院无法仅凭某医院出具的诊断证明确认刘甲死亡的原因。原告方申请证人出庭作证，以证明刘甲因在卫生间摔倒致死，但证人并非专业医疗鉴定人员，其证言也只是对亲身经历的描述，仅凭外观和主观猜测的判断无法作为确定刘甲死亡原因的依据。保险宜昌分公司主张刘甲因疾病“哮喘”病发死亡，但并未提交充分证据证明刘甲生前患有可导致猝死的疾病，且无法排除外伤对其死亡的作用和影响。故就本案而言，被保险人刘甲的死亡原因未经司法鉴定是无法查明的。

刘甲死亡原因理应经过司法鉴定程序确定，以便明确相关责任，但刘甲尸体未经法医司法鉴定就已被火化安葬，致使死因无法确定。就刘甲死亡原因无法确定一事，黄某等人、科技公司和保险宜昌分公司均存在过错。黄某等人作为受益人未直接向保险人申请保险金给付并沟通理赔事宜，科技公司有无及时将尸检要求告知黄某等人无法查明，黄某等人、科技公司对刘甲死亡原因无法确定均存在过错；保险宜昌分公司未将《保险告知函》直接送达黄某等人，且保险宜昌分公司告知尸检的形式、内容及告知对象上均存在瑕疵，保险宜昌分公司对刘甲死亡原因无法确定也存在过错。

湖北省宜昌市西陵区人民法院依据《最高人民法院关于适用〈中华人民共和国保险法〉若干问题的解释（三）》第二十五条之规定，判决如下：

一、被告保险宜昌分公司给付原告黄某、刘某、李某保险赔偿金150000元；

二、驳回原告黄某、刘某、李某其他诉讼请求。

二审法院同意一审法院裁判意见。

【法官后语】

该案判决适用了《最高人民法院关于适用〈中华人民共和国保险法〉若干问题的解释（三）》的第二十五条，即比例赔偿原则。比例赔偿原则是在损失是由承保事故还是非承保事故、免责事由造成难以确定时适用的保险赔偿原则。在保险法中，根据传统的近因原则，近因的判断决定了保险人以“全有”或“全无”的形式承担保险责任，因而就忽视了因果关系的复杂性和多样性。当承保风险、除外风险以及其他风险对事故发生均有一定的作用时，适用传统的近因原则显得力不从心，加之保险人在处理事故的经验以及对保险条款的理解等方面均比被保险人更具优势地位，使得被保险人的利益得不到充分的保护。

在多因一果的情况下，判断各个原因的原因力大小，需要综合考虑原因的性质、距离结果的时空距离以及事实强度等多个因素。但如何准确确定各个原因力的大小却比较困难，实践中大多依靠法官的自由裁量权进行酌定。损失由承保事故或者非承保事故、免责事由造成难以确定的情形却常常比较多见，“难以确定”的情形可能是事故本身存在的，也可能是举证原因造成的。一般来说，审查适用比例原则应当满足两个条件：一是在损失事件中承保事故或者非承保事故、免责事由并存；二是损失是由承保事故还是非承保事故、免责事由造成难以确定。当然，有一个前提，即损失发生必须存在保险责任表象，以存在保险责任原因为前提但含非保险责任因素导致现有损失或是否有免责事由不确定。

实际处理上，需要对保险合同约定的承保风险、除外责任进行认真的梳理；对导致损害发生的行为或事件进行详尽识别，力求准确区分承保事故或者非承保事故、免责事由；确定近因及承保事故或者非承保事故、免责事由彼此之间的关系，在无法确定近因及承保事故或者非承保事故、免责事由彼此之间的关系时要考虑借助第三方机构的鉴定评估来确定原因力的大小或参与度问题；对于免责事项还应当考虑保险人的告知义务履行情况；最后还应当结合案件的实际情况，充分利用民事诉讼中的举证责任分配原则，把近因的认定转化为证据问题，以最大限度还原案件事实。

编写人：湖北省宜昌市西陵区人民法院　周芳

37

补偿款不能作为责任保险索赔依据

——某学院诉保险北京分公司人身保险合同案

【案件基本信息】

1. 裁判书字号

北京市石景山区人民法院（2021）京 0107 民初 13859 号民事判决书

2. 案由：人身保险合同纠纷

3. 当事人

原告：某学院

被告：保险北京分公司

【基本案情】

原告（协议甲方、被保险人）与被告（协议乙方、保险人）签订《2019—2020学年度校方责任保险协议书》，约定了保险期限和保费。在保险期间内，被保险人的在校学生在教育教学活动期间，以及在被保险人负有管理责任的校舍、场地等发生人身损害事故，依法应由被保险人承担的经济赔偿责任，保险人按照本合同的约定负责赔偿，且约定了“保险人的赔偿以下列方式之一确定的被保险人的赔偿责任为基础，其中包括人民法院判决”。该合同系有责险，未投保附加无责险。

张某系原告在校学生，在原告学校宿舍突发疾病，送医后不治身亡。张某父母遂起诉某学院承担赔偿责任，要求某学院支付医疗费、死亡赔偿金、丧葬费、精神损害抚慰金等费用，以上费用要求某学院按照30%责任比例承担。该案审理法院作出民事判决，载明：“二原告未能举证证明某学院的行为与张某的死亡存在直接因果关系，因此某学院并非导致张某最终死亡的直接因素所涉主体。二原告主张某学院的过错导致张某死亡的主张，缺乏事实及法律依据，不予支持。虽无法认定某学院对张某的死亡结果应当承担赔偿责任，但考虑到张某在某学院就学情况及二原告的精神痛苦，判令某学院基于人道主义酌情向二原告支付一定的补偿费用为宜，具体补偿金额予以酌定……此外，某学院作为教育机构，希望某学院加强管理，增强校内学生应对外界社会不利因素等方面的教育，加强学生心理健康方面的教育。希望双方能化干戈为玉帛，本着互谅互让的原则，妥善处理双方的矛盾和纠纷。”该判决主文认定：“一、某学院于本判决生效后十日内给付原告张某父母补偿款50000元；二、驳回原告张某父母的诉讼请求。”上述判决生效后，某学院将50000元补偿款及895.5元诉讼费支付给张某父母。

后原告某学院向被告理赔，被告向原告出具了拒赔通知书，原告遂起诉被告，要求被告支付保险赔偿金。

【案件焦点】

某学院能否以生效民事判决确定的补偿款给付义务作为保险事故发生依据

向保险北京分公司主张索赔。

【法院裁判要旨】

北京市石景山区人民法院经审理认为：某学院与保险北京分公司签订的《校方责任险保险协议》系双方真实意思表示，内容并不违反法律、行政法规的强制性规定，应属有效合同。侵权责任是校方责任保险的承保标的，则应当审查被保险人是否具备民事侵权法律规范中的侵权要件，其中包括主观过错、因果关系等方面。根据生效民事判决载明的事实和理由，没有证据证实某学院的行为存在过错，且行为与损害事实的发生不存在因果关系，该理由足以说明某学院不构成民事侵权责任。至于该民事判决书判决某学院承担金钱给付义务，系基于利益平衡的考虑而酌定的适当、合理补偿，在性质上明显区别于侵权责任法意义上的法定赔偿。关于某学院提出该民事判决书中写明了其应当加强日常管理、学生身心教育等相关内容，能够认定其对于损害发生存在缺失和不足的相关意见，在认定某学院不承担侵权责任的同时，并不妨碍对其今后办学提出有益的倡导性提示或建议，故不足以认定其对于损害事实的发生承担侵权责任。

北京市石景山区人民法院依照《中华人民共和国保险法》第十条，《中华人民共和国民事诉讼法》第六十四条第一款之规定，判决如下：

驳回原告某学院的诉讼请求。

判决后，双方当事人均未上诉，本判决现已生效。

【法官后语】

责任保险，是指保险人在被保险人依法应对第三者负赔偿民事责任，并被提出赔偿要求时，承担赔偿责任的财产保险形式。有别于一般财产保险，责任保险转嫁的是法律责任风险。由于风险意味着损失的不确定性或可能性，因此可以说，责任风险是指与责任有关或由责任引起的损失的不确定性或可能性。责任风险引起的经济损失是无法预测和估计的，可能远远超出致害人的经济承担能力，责任保险能够将无法确定的巨额风险转移给有承担能力的保险人，从而能够使致害人保持生产生活的稳定、使被害人及时得到赔偿。但是，责任保险仍然属于财产保险的范畴，实际上是以被保险人的全部财产为保险标的的一种保险，需要符合保险的商业规律。如果将责任保险的赔付范围无限扩大，将加重保险人负担，严重挤压保险人的利润空间，最终可能导致保险人的经营陷入被动，反而不利于激励保险人参与风险转移及承担。因此，在进行责任险赔付时，需衡平被保险人、保险人及受害人三者利益。

具体而言，责任保险以被保险人对他人依法应负的民事赔偿责任为保险标的，在合同中无保险金额，而约定赔偿限额；责任保险仅承保被保险人的过失侵权民事责任，对故意行为造成的损害由被保险人自负其责，除特别约定外，通常不包括合同违约责任；责任保险的保险标的是对他人依法应负的民事赔偿责任，刑事责任、行政处罚不能成为责任保险的标的，否则无异于鼓励犯罪和行政违法。在责任保险中，保险人的保险责任构成必须满足两个条件：一是被保险人对于第三人依法应付赔偿之责任，二是被保险人受赔偿之请求，二者缺一不可。同时，作为责任保险标的的“赔偿责任”一般限于法定责任即法律直接规定应由行为人承担的包括过失责任在内之侵权责任，既包括因过错侵害他人民事权益造成的损害赔偿责任，也包括无过错情况下法律规定应当承担的损害赔偿责任；此外，有的种类的责任保险也承保因意外事件或工伤等造成的人身伤害或财产损失，而不必与侵权责任直接关联，如公众责任险、雇主责任险等，具体赔付范围需根据保险合同约定内容来确定，有的种类的责任保险甚至也承保无责任情形下的损害赔偿，例如交强险，赔付情形及赔付范围由法律直接规定。

本案争议的焦点问题为：某学院能否以生效判决书确定的补偿款给付义务，作为保险事故发生依据向保险北京分公司主张索赔。在本案中，生效判决书已确认某学院与案涉学生死亡之间不存在因果关系，亦即被保险人某学院对案涉学生并不存在侵权责任，法院考虑到案涉学生在某学院就学情况及学生父母的精神痛苦，才判令某学院基于人道主义酌情向学生父母支付一定的补偿费用。对于该补偿费用，亦即被保险人无责任情形下的财产损失，保险人是否应当赔付？首先，责任险蕴含的前提即“损害赔偿责任”，前已述及，损害赔偿责任的产生有多种类型。本案中，根据保险合同约定内容可知，侵权责任的存在是案涉保险事故产生的客观基础，而案涉学生死亡与学校之间无因果关系，因而学校对于案涉学生死亡并无责任。其次，本案保险合同中的相关约定均能够反映出，案涉责任保险承保的是被保险人依法承担的损害赔偿责任，同时双方约定保险人也应支付仲裁或诉讼费用以及事先经保险人书面同意支付的其他必要的、合理的费用，并未约定保险人应当赔付被保险人无责任情形下的补偿费用。最后，保险法也未对本案涉及的情况作出类似交强险一般的规定，保险人并无赔付本案补偿费用的法定义务。因而，若将被保险人所有因学生人身损害而承担的金钱给付均视为保险责任，不仅有悖于双方所签保险合同的约定，而且将不合理地无限扩大保险责任范围，违背责任保险产生和发展的客观基础。

至于学校如何通过保险更好的分散风险，在当前保险市场存在校方有责险、校方无责险、学生平安险等保险产品的情形下，可以进行合理的选择而规避风险。但必须承认，不同保险产品具有不同的价值和作用，难以通过择其一而实现金钱给付风险的完全转嫁。

编写人：北京市石景山区人民法院　章朝华

38

车辆未失控情形下驾驶人溺亡是否构成保险意外事故

——况甲诉人保重庆分公司保险合同案

【案件基本信息】

1. 裁判书字号

重庆市第三中级人民法院（2021）渝03民终1656号民事判决书

2. 案由：保险合同纠纷

3. 当事人

原告（被上诉人）：况甲

被告（上诉人）：人保重庆分公司

【基本案情】

况甲与况乙系父子关系。2013年11月13日，况乙作为投保人、被保险人，在人保重庆分公司处购买了惠民两全保险和附加惠民意外伤害保险，保险期间30年，基本保险金共20万元。双方约定，被保险人于年满70周岁后的首个保单周年日零时之前，作为乘客乘车时或者作为驾驶员自驾车时遭受意外伤害，并且180日内因该意外伤害导致身故或全残，按基本保险金额的10倍给付自驾车意外身故或全残保险金；因被保险人自杀（但被保险人自杀时为无民事行为能力人的除外）或斗殴、酗酒、猝死等，保险人不承担保险责任。意外伤害指外来的、突发的、非本意的、非疾病的使身体受到伤害的客观事件。

2020年9月19日12时左右，况乙驾车从重庆市涪陵区珍溪码头驶入长江，后溺水身亡。重庆市涪陵区公安局尸体检验意见为：1. 不排除机械性暴力损伤死亡；2. 不排除溺水死亡；3. 排除常见农药、常见安眠药、毒鼠强死亡。死亡医学证明（推断）书载明：死亡地点为重庆市涪陵区珍溪码头段长江，死亡原因为溺水（意外）。派出所对况甲的询问笔录载明，“刚才打开我爸爸手机微信记录看，看到我爸爸在今天准备向我妻子田某发送一条‘爸爸对不起’的内容，但还没有发送”。另有目击证人证实，事发时本案车辆从码头公路（较为陡峭）缓慢驶向码头，并在码头公路和码头交界处掉头。后人保重庆分公司按一般身故保险责任，赔付况甲保险金17955元。

况甲认为，其父亲况乙在保险期间驾车意外坠江，系保险事故，以向人保重庆分公司申请理赔，但人保重庆分公司未按合同约定理赔为由诉至法院，请求判决支付保险金200万元。

【案件焦点】

况乙的死亡是否属于案涉保险合同约定的保险意外事故。

【法院裁判要旨】

重庆市涪陵区人民法院经审理认为：本案中，尸体检验意见并未认定况乙系自杀身亡，在现有证据不足以证明况乙的死亡系其自身原因造成，确认况乙的死亡符合保险合同约定的意外事件特征。被告以况乙在发生事故前驾车经过其家不进门，且给其儿媳发微信“爸爸对不起”，结合公安机关和海事船上的监控录像均能证明况乙系驶入长江溺水身亡，况乙的死亡不符合意外事件偶发性、突发性特征，且更大可能出自其自主行为所致。根据《最高人民法院关于适用〈中华人民共和国保险法〉若干问题的解释（三）》第二十一条第一款之规定，其举证责任在被告。但被告所出示的况乙车辆行驶轨迹和公安机关调查笔录以及海事船上的监控录像、照片，并不能推断出死者系自杀的唯一结论，不能认定况乙系自杀，被告应承担举证不能的法律后果。因此，本案交通事故的发生属于意外事故。

重庆市涪陵区人民法院依照《中华人民共和国保险法》第十四条、第十六条第七款、第二十三条，《最高人民法院关于适用〈中华人民共和国保险法〉若干问题的解释（三）》第二十一条第一款之规定，判决如下：

被告人保重庆分公司在本判决生效后10日内支付原告况甲保险金1982045元。

人保重庆分公司不服，提出上诉。重庆市第三中级人民法院经审理认为：肉眼可见的外来突发状况并不能成为况乙将车辆驶入长江的唯一原因，海事执法船的监控录像很难清晰地辨别况乙驾驶车辆时的详细情况。但况乙将车辆驶入长江并造成了其死亡的结果是客观事实，况乙并非正常死亡，其死亡具有外来的、突发的、非疾病的特征。该院同意一审法院裁判意见。

重庆市第三中级人民法院依照《中华人民共和国民事诉讼法》第一百七十条第一款第一项规定，判决如下：

驳回上诉，维持原判。

【法官后语】

本案特殊之处在于，现有证据能够证明驾驶人事发前驾车“平缓”驶入江中，表征上看车辆并未失控，此时判断溺亡结果是否属于保险合同约定的意外事故，需要结合意外事故的认定标准，以事发时事实状态作为依据。

1. 保险合同中意外事故的认定标准

我国保险法等基本法律并未对意外伤害保险作定义，《意外伤害保险业务监管办法》[①] 第二条指出，意外伤害保险，是以被保险人因遭受意外伤害造成死亡、伤残或者发生保险合同约定的其他事故为给付保险金条件的人身保险。对于意外事故的判断标准，则缺乏明确规定，理论与实务界对于其内涵虽难以达成定论，但基本形成以外来性、突发性、非被保险人自愿性为核心的三项基本判断要素。同时，保险合同作为民商事双务合同，除受保险法规制外，还具备一般民商事合同特征，受合同法律关系调整，适用意思自治、诚实信用等原则。本案保险合同，遵循当事人意思自治，将意外事故解释为“外来的、突发的、非本意的、非疾病的使身体受到伤害的客观事件”，不违背行业领域一般认定标准，可以将其作为判断本案是否为意外事故的要素。

2. 车辆失控与意外事故认定无直接联系

车辆失控对意外事故的认定是否有影响，重在理解与适用“外来的、突发的”含义。“外来”强调事故原因产生于被保险人之外，实则已将自身疾病等因素排除在外。“突发”则指事故快速发生，从主客观角度而言，笔者认为更多考虑对于主观因素的影响程度，即是否超出一般理性人的可预见性。本案中，被保险人系溺亡且排除自身疾病因素，已然符合“外来”特征；对于是否构成“突发”，案涉车辆虽未失控，不具备“快速”特征，但驶入江中的“平缓”过程不应割裂开来、纠结于某一具体时间节点，而应将其作为一个相较结果而言的整体连贯事实予以评价。即使无法查清本案被保险人驾驶状态，但以一般理性人而言，“平缓”驶入江中的整个过程对于生命健康受损迫在眉睫，已超

---

① 载中国政府网，http：//www. gov. cn/zhengce/zhengceku/2021-10/15/content_ 5642766. htm，最后访问时间：2023年3月29日。

出一般人对该项结果的预见与期待，因此本案车辆是否失控作为外在表现并非重要判断因素。

3. 溺亡结果是否系主动追求无明确证据

“非本意”强调对于被保险人主观是否积极追求结果的判断，实践中，主观心理通常内含于心，相关证据不易收集，且证据证明力不一，导致被保险人生前的主观状态难以证明。在事实真伪不明时，需合理分配证明责任。《最高人民法院关于适用保险法若干问题的解释（三）》第二十一条第一款规定：“保险人以被保险人自杀为由拒绝给付保险金的，由保险人承担举证责任。”可见，司法解释确立由保险人对认为被保险人存在故意引发事故行为举证的原则，在未提供确切证据前，可推定事故具有非本意性。本案人保重庆分公司举示的被保险人生活状况、生活习惯等材料，以及公安机关调查笔录、相关监控视频等，均不能直接得出被保险人系主动追求自杀的结论，难以达到高度盖然性证明标准，无法据此形成内心确信。在其举证不能时，无法阻却本案保险事故成立的认定。

编写人：重庆市第三中级人民法院　吴小

39

对机动车概念的理解差异不属于“对格式条款的理解有争议”之情形

——于某诉保险公司意外伤害保险合同案

【案件基本信息】

1. 裁判书字号

北京金融法院（2021）京74民终382号民事判决书

2. 案由：意外伤害保险合同纠纷

3. 当事人

原告（被上诉人）：于某

被告（上诉人）：保险公司

【基本案情】

傅某与于某系夫妻关系。2020年6月16日，于某作为投保人，在保险公司投保了多倍保障重大疾病保险（A1款），附加意外伤害保险。被保险人为傅某，身故保险金受益人为于某。其中，附加意外伤害保险的保险金额为10万元，保险期间为2020年6月17日至2021年6月16日。保险合同第七条第九项约定责任免除：被保险人酒后驾驶、无合法有效驾驶证驾驶或驾驶无有效行驶证的机动车期间被保险人身故的，本公司不承担保险责任。

2021年1月5日2时8分许，傅某驾驶电动三轮车撞到赵某某停放的轻型厢式货车，致使傅某受伤，车辆损坏，傅某经医院抢救无效死亡。交通事故认定书载明：经鉴定傅某的血液乙醇含量为256.97mg/100ml。此事故系傅某醉酒驾驶电动三轮车未按操作规范安全驾驶及赵某某驾驶机动车违法停车妨碍其他车辆通行共同造成，傅某负事故主要责任，赵某某负事故次要责任。

事故发生后，于某向保险公司申请理赔。2021年4月2日，保险公司以被保险人醉酒驾驶电动三轮车未按操作规范安全驾驶，违反《中华人民共和国道路交通安全法》规定，属于条款责任免除事项为由拒赔。于某遂向法院提起诉讼，请求判令保险公司赔偿保险金10万元。

【案件焦点】

1. 是否应根据格式条款不利解释原则将案涉电动三轮车解释为非机动车；2. 本案保险免责条款是否应予以适用。

【法院裁判要旨】

北京市延庆区人民法院经审理认为：于某与保险公司订立的保险合同，系双方当事人的真实意思表示，不违反法律、行政法规的强制性规定，应为合法有效。当事人应当按照约定全面履行自己的义务。本案中，傅某意外身故的保险事故发生在保险期间内，傅某去世后，身故保险金受益人于某有权按照保险合同的约定主张保险赔偿金。关于案涉被保险人驾驶的电动三轮车是否能解释为保险合同所约定的机动车的问题，电动三轮车是否属于机动车并无法律法规的明确规定。实践中，当超出国家标准的电动车发生交通事故，交通管理部门在处理时，为了客观厘清事故责任，准确确定赔偿比例，会对相关电动车的动力、可承载质量等进行鉴定，对达到摩托车相关指标的电动车直接认定为机动车，并按照法律法规对机动车的要求确定电动车车主的事故责任。交通管理部门认定电动三轮车为机动车，只是作为事故责任认定及确定赔偿比例的依据，推定事故中的电动车具有与机动车车主相同的作用力，从而在事故处理时赋予车主与机动车相同的法律义务，并非对车辆属性作出的权威定性。在案涉保险合同的保险条款未对“机动车”作出详细明确的解释和界定的情形下，对于保险合同中“被保险人酒后驾驶机动车”中的“机动车”应当按照普通人的理解和识别力判断，作出不利于格式条款提供方保险公司的解释，即具有通常的机动车外观及动力和办理证照等准入审批义务的狭义的机动车，而不包括交通管理部门在处理事故时认定为按机动车处理的超标电动车。故案涉电动三轮车不属于保险合同免责条款约定的“机动车”，亦不存在保险合同免责条款约定的“被保险人酒后驾驶机动车”的情形，保险公司作为保险人无权据此主张免赔，应当按照保险合同约定赔付于某相应保险金。

北京市延庆区人民法院依照《中华人民共和国保险法》第十四条、第十七条、第三十条、第三十一条，《中华人民共和国道路交通安全法》第一百一十九条规定，判决如下：

保险公司于判决生效后七日内支付于某保险金 10 万元。

保险公司不服，提起上诉。北京金融法院经审理认为：第一，关于是否应根据格式条款不利解释原则将案涉电动三轮车解释为非机动车，道路交通安全法第一百一十九条对“机动车”与“非机动车”进行了定义。机动车与非机动车的主要区分标准在于：机动车是以动力装置驱动或牵引，非机动车是以人力或畜力驱动，例外情形是虽有动力装置驱动但设计最高时速、空车质量、外形尺寸符合有关国家标准的残疾人机动轮椅车、电动自行车等交通工具应认定为非机动车。于某辩称保险条款及条款释义只是对机动车进行了概念解释，社会大众对于机动车的概念只能依据其日常生活经验作出判断。对此，法律用语系立法者对一定社会生活经验的抽象与升华，系剔除个体理解差异而从一般理性人角度进行的定义，在法律已对机动车作出定义的前提下，不应再采用笼统的“普通人认识”解释。

依据前述分析，相关法律规范已对“机动车”的定义及认定标准作出了规定。机动车的认定方法可区分为常规手段与技术手段，随着科技发展，判断新类型车辆是否属于机动车往往需要借助技术手段结合法律规定标准予以认定。据此，对于何谓机动车，在已存在法律规定的基础上，保险公司未单独在保险合同条款中进行定义并无不妥；若保险合同双方对于机动车定义产生分歧，亦应以法律规定为准；仅以保险公司系提供合同一方为由一律适用格式条款相关规定，作不利于保险公司的解释，并不符合格式条款及不利解释原则的设立宗旨，亦不利于保险分担社会风险作用的发挥和保险行业的发展。故对机动车的认定系事实认定范畴，不属于格式条款中对法律责任承担与否或权利受限与否的理解存在争议需要解释的内容，即对案涉电动三轮车能否认定为机动车，不应视为“对格式条款的理解有争议”之情形。

第二，关于本案保险免责条款是否应予以适用，《最高人民法院关于适用〈中华人民共和国保险法〉若干问题的解释（二）》第十条规定：“保险人将法律、行政法规中的禁止性规定情形作为保险合同免责条款的免责事由，保险人对该条款作出提示后，投保人、被保险人或者受益人以保险人未履行明确说明义务为由主张该条款不成为合同内容的，人民法院不予支持。”本案中，经公安局认定交通事故系傅某醉酒驾驶电动三轮车未按操作规范安全驾驶及赵某某驾驶机动车违法停车妨碍其他车辆通行共同造成。而《保险条款》第七条第九项约定被保险人酒后驾驶期间被保险人身故的，保险公司不承担保险责任。

酒后驾驶机动车系法律禁止性规定情形，保险公司如将其作为保险合同免责条款的免责事由，对该条款作出提示即可。就本案而言，对于双方争议的免责条款，保险公司在签订合同时通过对免责条款予以加粗的方式进行了提示，并通过客户投保声明的方式进行了免责说明，故应认定保险公司对争议的免责条款完成了提示说明义务。

综上，被保险人傅某酒后驾驶电动三轮车，构成保险免责条款的约定条件，保险公司不承担保险责任。

北京金融法院依据《中华人民共和国道路交通安全法》第一百一十九条、《中华人民共和国民事诉讼法》第一百七十条第一款第二项、《最高人民法院关于适用〈中华人民共和国保险法〉若干问题的解释（二）》第十条规定，判决如下：

一、撤销一审判决；

二、驳回于某的诉讼请求。

【法官后语】

1. 规则恪守——格式条款不利解释原则的精准适用

格式条款是社会经济发展的结果，是频繁交易的必然产物，具有定型化、单方制定、不可协商的特点，其积极意义主要表现在节约交易成本、提高交易效率。这是格式条款的生命力所在，也是格式条款被普遍使用的根源所在。对于格式条款的提供者而言，还有增进交易安全、防范交易风险的作用。格式条款的背后，是契约自由与公平正义的价值衡量，也充斥着经济学领域中效益与公平的不休争论，其旨在对被动接受合同条款的一方予以特殊的保护。

《中华人民共和国民法典》第四百九十八条规定了格式条款解释的三条规则：通常解释、不利解释、非格式条款优先。在对格式条款进行解释的过程中，三种解释规则有先后顺序，应先适用通常解释规则，在通常解释规则的基础上再适用不利解释规则。本条规定明确了不利解释规则的适用条件是对格式条款有两种以上解释。不利解释原则的初衷是促进公平，所以对当事人之间的争议作对格式条款提供者不利的解释，最终也应为了维护公平正义。

于保险领域，保险合同由保险人提供格式条款而订立，为矫正双方当事人缔约能力的不对称，法律对保险合同格式条款予以特别规制，其目的就是兼顾契约自由与契约正义。《中华人民共和国保险法》第三十条规定："采用保险人提供的格式条款订立的保险合同，保险人与投保人、被保险人或者受益人对合同条款有争议的，应当按照通常理解予以解释。对合同条款有两种以上解释的，人民法院或者仲裁机构应当作出有利于被保险人和受益人的解释。"《最高人民法院关于适用〈中华人民共和国保险法〉若干问题的解释（二）》第十一条至第十三条专门规定了保险人的提示与明确说明义务，并将该义务履行的举证责任分配给了保险人，对投保人的保护可见一斑。

但适用前述规则的前提是双方当事人对合同条款的认识存在两种以上认识，且不同认识均有相关依据，没有统一的权威规定或者解释能消解不同认识之间的冲突，从而导致双方当事人各执一词。反之，若针对当事人争论的所谓"不同认识"，法律早已有明确规定，自然应适用法律规定，采用法律规定的意旨进行解释，统一当事人之间的"不同认识"，不存在适用格式条款不利解释原则的空间。本案中，双方当事人对于"电动三轮车是否属于机动车"产生了认识上的争议，但对于机动车概念，法律早已作了明确规定，应按照法律规定去统一双方认识。实际上，该种情形下，双方当事人的"不同认识"不属于"对格式条款的理解有争议"之情形，不属于适用格式条款不利解释原则语境下的"不同认识"，或者说，此种情形下的"不同认识"是个伪命题，统一当事人之间共同认识的方式应该是解读法律，让当事人理解法律规定的某一概念的内涵，而不是罔顾法律明文规定，去顺应当事人的思路，针对所谓的"不同认识"，去做格式条款的不利解释工作。

2. 规则之外的考量——社会风险分担理论与社会治理愿景

（1）从保险机制的设立宗旨看，保险的最大价值在于能实现社会风险分担。保险的设立显然出于对社会稳定和对弱者进行帮助的考虑，同时矫正特定领域双方当事人的不平等地位。顺应保险机制的底层逻辑，司法之所以关注保险合同中的格式条款，并不是因为"偏重"保护投保人、被保险人、受益人的利益，而是希望通过司法的规范和引导功能，促使保险人拟定的保险条款越来越公平、公开、透明，公平地确定双方的权利义务，妥当地履行提示和说明义务，使投保人清楚明确地知晓哪些风险属于承保范围、哪些风险被排除在外。司法过程中的这种考量，与保险监督管理机构对保险条款和保险费率的监督管理以及保险行业协会开展的自律管理目标一致，是为了促进保险业的健康发展，提高保险业服务社会的能力。

（2）从社会治理的角度看，发展保险行业是为了更好地维护社会秩序，实现实质正义。如前所述，从保险的运行机理看，保险是一种风险分散机制，但并非所有风险都能通过投保而移转。一个保险产品承保哪些风险、每种风险发生的概率多大、确定何种费率水平，都是在大数法则基础上精算得出的，而从事违法行为带来的风险极高，如果不排除违法行为，风险发生的概率会显著增加，保险人要保证该保险产品的收益，就会相应提高费率，这从整体上看并不经济。就本案来说，被保险人醉驾是一种违法行为，对不特定的公众群体无疑会带来潜在的危害，该种潜在危害一旦现实化，必须由行为人承担法律责任，其后果不应通过购买保险得以转嫁。否则，社会治理就会失灵。

聚焦于本案折射出的社会治理问题，目前电动三轮车管理尚不健全，电动车的生产标准及管理措施需要完善，电动车无法像普通机动车一样办理机动车登记和交强险业务，公安交管部门也不予办理电动车号牌业务。当前，多地意识到了该问题，监管机构都加强了对电动车的管理。本案承办法官也希冀通过案件审判，明确裁判规则，引领价值导向，提醒消费者依法购买符合国家标准的电动车，规范路权使用，维护公路秩序，最大限度保障电动车消费群体和不特定公众群体的生命财产安全。

编写人：北京金融法院　陈广辉　张琳琳

40

交通出行人身意外伤害保险中“非营运汽车”的理解与适用

——景某某诉保险沭阳支公司保险合同案

【案件基本信息】

1. 裁判书字号

江苏省宿迁市中级人民法院（2020）苏13民终4496号民事判决书

2. 案由：保险合同纠纷

3. 当事人

原告（上诉人）：景某某

被告（被上诉人）：保险沭阳支公司

【基本案情】

原告于2019年5月30日在保险沭阳支公司处投保机动车驾驶人员意外伤害保险。该险包含五项保障内容，其中第三项《交通出行人身意外伤害保险（A款）》约定，驾驶或乘坐非营运汽车意外伤害身故、残疾给付，每人保险金额2000000元。该保险的特别约定中注明：“本保险默认被保险人的配偶和子女为连带被保险人；本保险合同承担三个保障期间保险责任：一是驾乘期间意外伤害责任，二是全天候意外伤害责任，三是乘坐营运交通工具期间意外伤害责任；本保单各项保额由所有被保险人均分。”

2019年7月11日4时41分，崔某某驾驶载物超过核定质量的A车，与同向行驶的B车车尾右侧追尾相撞，B车失控后冲入相对方车道，B车车头右侧与C车（载原告等九人）车头左侧相撞，C车又与其右侧同向行驶的D车车头左侧发生碰撞。事故致上述四车不同程度损坏以及多人伤亡，伤者包括原告。

泰州市公安局对涉案交通事故的有关情况进行了公示："关于事故的间接原因之一：C车张某某、景某某（原告）、何某某、王某某等人，明知该车非正规营运的长途客运车辆且超过核定载人数而主动搭乘，其安全意识不强，造成人身伤亡、财产损失；关于事故防范和整改措施……对'黑车'非法拼车群予以取缔，斩断信息发布的源头。要引导群众不租用、不乘坐无手续或手续不全、存在安全隐患的'黑车'，形成安全行车、安全用车的良好氛围。"

原告在法院受理本案之前，经过合法程序鉴定，鉴定意见为原告意外受伤，综合评定为九级伤残。事故发生后，保险沭阳支公司已向原告赔付10000元。原告认为，保险沭阳支公司应当支付住院津贴，但被拒绝，遂成讼。

【案件焦点】

1. 原告所搭乘的涉案车辆是否可认定为从事非法营运的"黑车"；2. 如认定系从事非法营运的"黑车"，对该《交通出行人身意外伤害保险（A款）》险种中的"驾驶或乘坐非营运汽车意外伤害身故、残疾给付"中的"非营运汽车"如何解释适用。

【法院裁判要旨】

江苏省沭阳县人民法院经审理认为：原告在保险沭阳支公司处投保机动车驾驶人员意外伤害保险，双方之间形成保险合同关系，合法有效。合同当事人应按合同约定履行义务。双方对于住院津贴数额无异议，且该津贴符合支付条件，法院对此予以确认。关于原告乘坐的车辆是否属于营运性质，法院认为叶某某驾驶的涉案车辆系营运性质车辆，理由如下。1. 原告乘坐车辆时支付了200元；2. 案外人张某某在公安机关询问笔录也陈述车费为200元，证明涉案车辆是收费的；3."顺风车"服务应是分摊出行成本或免费互助的出行方式，而本案中叶某某驾驶的涉案车辆核载7人、实载10人，实载人数以及收费金额均超出了分摊出行成本的范畴；4. 泰州市公安局的交通事故处理情况公示认定原告等人明知该车非正规营运的长途客运车辆且超过核定载人数而主动搭乘，且在"事故防范和整改措施"中也提到要打击"黑车"行为，故景某某搭乘的系“黑车”而非“顺风车”。除住院津贴以及营运交通工具乘客意外伤害保险条款赔偿的赔偿金外，原告按叶某某驾驶的系非营运车辆而向保险沭阳支公司主张的其他赔偿金，不予支持。

江苏省沭阳县人民法院依照《中华人民共和国保险法》第十四条、第二十三条规定，作出如下判决：

一、保险沭阳支公司于判决生效后十日内向原告支付住院津贴4200元；

二、驳回原告的其他诉讼请求。

二审法院同意一审法院裁判意见。

【法官后语】

对保险责任条款约定的“驾驶或乘坐非营运汽车意外伤害身故、残疾”保险金给付条件中的“非营运汽车”概念进行理解适用时，要根据事发时车辆实际用途这一要素进行认定，不能单纯依据公安交警部门道路交通事故认定书文头部分车辆行驶证登记的使用性质进行认定。如事发时被保险人驾驶或乘坐的登记为非营运使用性质的汽车存在收费情况，要结合车辆实载人数、收费金额分析是否超出了分摊出行成本的“顺风车”范畴，如超出范畴，则应将车辆定性为营运车辆，保险人可据此免除保险给付责任。

《中华人民共和国保险法》第三十条规定，采用保险人提供的格式条款订立的保险合同，保险人与投保人、被保险人或者受益人对合同条款有争议的，应当按照通常理解予以解释。对合同条款有两种以上解释的，人民法院或者仲裁机构应当作出有利于被保险人和受益人的解释。关于本案《交通出行人身意外伤害保险（A款）》险种中的“驾驶或乘坐非营运汽车意外伤害身故、残疾给付”中的“非营运汽车”的解释适用问题，应从通常理解解释，即按照一般理性人的对“非营运汽车”的理解，而非进行限制解释或者扩大解释。按照相关法律规定，营运车辆需要到相关行政主管部门进行审核登记之后才能从事营运，否则属于非法营运。故对“非营运汽车”不存在两种以上通常解释，不应作出有利于被保险人和受益人的解释。涉案车辆行驶证登记为非营运适用性质的机动车，但在案发时却以赚钱为目的，超出分摊用车成本收取乘客费用，亦不属于顺风车的范畴，属于非法营运，保险公司可据此免除保险给付责任。

现实生活中，存在大量的行驶证登记为非营运使用性质的机动车违法从事营运的情况，但部分驾驶员或乘客辩称其所驾驶或乘坐的是“顺风车”，进而主张车辆应认定为非营运汽车，欲图混淆事实逃避处罚或谋取保险赔偿金。“顺风车”是分摊出行成本或免费互助的新型共享出行方式，其不以营利为目的，从倡导绿色环保、减缓交通压力和文明出行的角度，确实值得提倡。但同时，乘客应对车辆的性质加以甄别，提高安全意识、风险意识、法律意识，选择正规合法的乘车方式，自觉抵制乘坐“黑车”，共同营造健康、文明、安全、绿色的交通营运环境。

编写人：江苏省宿迁市中级人民法院　殷志浩　冯淑平

41

侵权情况下医疗费保险赔偿金的确定规则

——沈某诉保险南通支公司、安装集团公司人身保险合同案

【案件基本信息】

1. 裁判书字号

江苏省南通市海门区人民法院（2021）苏0684民初5265号民事判决书

2. 案由：人身保险合同纠纷

3. 当事人

原告：沈某

被告：保险南通支公司、安装集团公司

【基本案情】

保险南通支公司于2020年3月16日收费确认、生成保险单，载明：保险

期间自2020年3月17日起至2021年3月16日止；险种为团体意外伤害保险，每人赔偿限额20万元；附加意外伤害住院津贴保险，津贴日额100元/日；附加意外伤害医疗费用补偿保险，每人医疗费用赔偿限额20万元；特别约定“被保险人必须在知道或应当知道保险事故发生后的48小时内向保险人报案，因延迟报案影响保险人查勘、定损的，保险人对于无法核实的部分不承担赔偿责任”。保险单所附意外伤害和健康保险人员清单中包括沈某。保险条款对赔偿责任范围等内容进行了约定，其中附加意外伤害医疗费用补偿保险条款第三条约定，被保险人如果已从其他途径获得补偿，则保险人只承担合理医疗费用剩余部分的保险责任。

2020年3月19日17时7分，案外人郁某驾驶电动三轮车与沈某驾驶的电动自行车发生碰撞，沈某受伤，郁某承担事故的全部责任。2021年6月22日，经法医鉴定，沈某因交通事故致重型颅脑外伤、持续性植物生存状态构成一级伤残，为完全护理依赖。

为第一次住院期间的医疗费146352元，沈某曾另案提起诉讼，后法院判决由郁某全额赔偿。2020年7月19日，在沈某委托诉讼代理人的见证下，郁某与沈某的妻子订立赔偿协议，郁某一次性赔偿沈某损失98万元，包含医药费、护理费、误工费、残疾赔偿金、精神抚慰金等全部赔偿项目。现沈某提起本案诉讼，要求判令保险南通支公司、安装集团公司支付保险赔偿款418000元（意外伤害保险赔偿款20万元、医疗费用保险赔偿款20万元、住院津贴18000元）。

【案件焦点】

1. 未及时报案是否影响保险公司赔偿责任的承担；2. 医疗费保险金如何确定。

【法院裁判要旨】

江苏省南通市海门区人民法院经审理认为：案涉团体意外保险合同系投保人与保险人自愿订立，保险南通支公司已收取投保人交纳的保险费，安装集团公司是否系真实的投保人均不影响合同的成立。对于赔偿意外伤害伤残保险金

20 万元双方无争议，对于双方争议焦点，评析如下：

1. 沈某未及时报案不影响保险南通支公司赔偿责任的承担。保险南通支公司依据保险合同条款约定，认为沈某未及时报案，故不承担赔偿责任。《中华人民共和国保险法》第二十一条规定，投保人、被保险人或者受益人知道保险事故发生后，应当及时通知保险人。故意或者因重大过失未及时通知，致使保险事故的性质、原因、损失程度等难以确定的，保险人对无法确定的部分，不承担赔偿或者给付保险金的责任。本案中，沈某提供的公安机关事故认定书、法院判决书、医院病历卡、医药费发票等证据足以证实其受伤原因、事故双方过错程度、损失额，沈某虽未及时向保险公司报案，但被告保险公司凭上述证据完全可以确定其应承担的赔偿责任。

2. 保险南通支公司酌情赔偿医疗保险金。保险南通支公司认为沈某从第三人处获得了赔偿，依据条款的约定，其只承担医疗费的剩余部分。经查，沈某与案外人郁某协商确定赔偿项目时包含医药费在内，郁某共赔偿 98 万元，但沈某遭受损失中，仅残疾赔偿金就达到 100 余万元，加之医药费 27 万余元、康复医院护理费（目前已有 8 万余元）、护理费、误工费、精神抚慰金等，显然超出了已赔偿数额。同时也不排除沈某方在订立协议时认为有保险可获得赔偿的情况下，可能存在放弃某些费用赔偿的心理，因此不能机械地按照比例确定医药费获赔数额。在案涉争议的处理上，更要注重人文关怀，人的生命是无价的，沈某突遭意外，令人痛惜，保险公司虽是营利法人，但亦应履行社会责任，在合理范围内尽可能弥补沈某遭受的伤害。综上，酌情确定由保险南通支公司支付医疗保险金 15 万元。

江苏省南通市海门区人民法院依照《中华人民共和国保险法》第二十一条、第二十三条、第四十六条，《中华人民共和国民事诉讼法》第一百四十四条之规定，判决如下：

一、被告保险南通支公司给付原告沈某意外伤害伤残保险金 20 万元、医疗保险金 15 万元、住院津贴保险金 6800 元，合计 356800 元，于本判决生效之日起十日内履行完毕；

二、驳回原告沈某的其他诉讼请求。

判决后，双方当事人均未上诉，本判决现已生效。

【法官后语】

本案主要涉及的是侵权赔偿与保险赔偿共存情况下，医疗费保险金的确定规则。随着商业保险的不断完善以及国家政策的鼓励和支持，越来越多的用人单位和个人选择购买商业保险来转移自己的风险。在购买商业保险发生侵权损害的情况下，必然产生侵权赔偿与保险赔偿如何处理的问题，此时争议最大的往往是医疗费部分，只有确定规则，才能保证裁判的统一，衡平各方利益，维护社会公平正义。

侵权损害赔偿请求权的基础是当事人自身的人身权益，其适用的是民法的归责原则，属于民法的调整范围。而购买商业保险是当事人在不违反法律禁止性规定前提下缔结合同的意思自治行为，属于商法的调整范畴。保险分为人身保险和财产保险，导致了不同的保险适用不同的赔偿原则。人身保险合同由于标的的人格化，基于人身无价的民法理念，在人身保险合同领域，不适用保险代位权制度和损失填补原则。而财产保险合同是以财产及其有关利益为保险标的，所以严格适用保险代位权制度和损失填补原则。

关于侵权情况下医疗费的侵权赔偿及保险赔偿的处理，首先，保险分散的是投保人和被保险人的风险，而不是侵权人的风险，所以在侵权纠纷中，侵权人是无扣减的请求权的。其次，医疗费系被保险人身体受到伤害而支付的费用，所以保险标的是被保险人的身体，在确定赔偿规则时只能依据人身保险合同的赔偿原则，不适用保险代位权制度和损失填补原则。最后，保险合同作为当事人缔结的合同，仍应尊重当事人的意思自治，允许当事人在不违反法律禁止性规定的前提下，以保险条款或保单特别约定等方式，自行创设权利义务。故在人身保险合同纠纷案件中，如果保险合同有效条款约定扣减被保险人从其他途径获得的医疗费赔偿部分，则应当尊重当事人意思自治，予以扣减；如没有约定则不适用损失填补原则，保险公司无权要求扣减，且赔偿后无代位请求权。

综上，本案系人身保险合同纠纷，在双方合同约定扣减的情况下，应当予以扣减。但本案的特殊性在于侵权纠纷处理过程中侵权人与被侵权人订立的赔偿协议采取了“一揽子”赔偿的原则，被侵权人处于植物人状态，侵权赔偿既未赔偿被侵权人的全部损失，又未明确赔偿费用中医疗费的具体数额。如何公正地衡平各种利益关系，合理地确定保险公司医疗费保险赔偿金的扣减比例，则考验法官的智慧。本案承办人综合考虑侵权赔偿协议的赔偿数额、被侵权人因损害造成一级伤残的损失数额，并兼顾生命无价的理念、作为营利法人的保险公司亦应履行相应的社会责任等，确定比例，换算出扣减后保险公司医疗费的赔偿数额。各方当事人均予以接受，双方的争议得到了解决。

编写人：江苏省南通市海门区人民法院　徐德　姜妮妮

42

司法鉴定标准实质性符合保险合同约定标准的，可以作为理赔依据

——王某诉保险淮安支公司人身保险合同案

【案件基本信息】

1. 裁判书字号

江苏省淮安市中级人民法院（2021）苏08民终2705号民事判决书

2. 案由：人身保险合同纠纷

3. 当事人

原告（上诉人）：王某

被告（被上诉人）：保险淮安支公司

【基本案情】

劳务公司承包了某土建劳务工程，后又将劳务工作层层分包给钱某，钱某又

雇用王某在涉案工地上工作。2018 年 9 月 29 日，王某在涉案工地拆模板时不慎滑倒。王某另案诉至法院，要求劳务公司、钱某等人赔偿医疗费等损失。法院委托某医院对王某伤情进行鉴定，该医院作出司法鉴定意见书，认为王某损伤构成十级伤残，法院依据该鉴定结论判决劳务公司等人赔偿王某 15 万余元。

因王某所在的开发公司在保险淮安支公司购买了建筑工程施工人员人身意外伤害保险，王某根据该医疗赔偿案件中的鉴定意见，又将保险淮安支公司诉至法院（即本案诉讼），要求该公司赔偿保险金 8 万元。

保险淮安支公司辩称，保险合同明确约定：被保险人在合同有效期内遭受意外伤害事故导致身体残疾的，应提供在事故发生起一百八十日内根据《人身保险伤残评定标准（行业标准）》（以下简称《行业标准》）进行评定的伤残鉴定书，保险人则根据合同进行赔偿。王某起诉时，要求以司法鉴定意见的伤残等级进行赔偿，但该鉴定意见是依据《人体损伤致残程度分级》作出，不符合合同约定。即使王某现在按保险公司标准鉴定，亦超出了合同约定的资料提交期限。综上，保险公司不承担赔偿责任。

【案件焦点】

在司法鉴定依据的鉴定标准与保险合同要求的鉴定标准不同的情况下，对于同一伤情，王某能否以其在关联案件中的伤情司法鉴定意见作为本案保险合同的理赔依据。

【法院裁判要旨】

江苏省淮安市淮阴区人民法院经审理认为：依法成立的合同对当事人具有法律约束力。本案中，开发公司为王某投保建筑工程施工人员人身意外伤害保险，王某在遭受意外伤害事故后，未能按照保险条款的约定提供在事故发生起一百八十日内根据《行业标准》进行评定的伤残鉴定书，故对王某的诉讼请求，法院难以支持。

江苏省淮安市淮阴区人民法院依照《中华人民共和国保险法》第十条以及《中华人民共和国民事诉讼法》第一百四十二条之规定，作出如下判决：

驳回王某的诉讼请求。

王某不服一审判决，提起上诉。江苏省淮安市中级人民法院经审理认为：开发公司与保险淮安支公司订立的保险合同合法有效，保险淮安支公司应按合同约定向被保险人赔付保险金额。王某作为被保险人之一，依法享有向保险人主张理赔的权利。

关于王某依照司法鉴定确认的伤残等级请求给付保险金是否适当问题。经比对，司法鉴定意见依据的《人体损伤致残程序分级》在该部位认定伤残的标准要高于保险合同约定适用的《行业标准》。即该部位的同一伤情在《人体损伤致残程序分级》中被认定为十级伤残，则在《行业标准》标准下，必然也可以认定为十级伤残。故对保险淮安支公司以鉴定标准不一致为由拒绝赔付的辩称，不予支持。综上所述，一审判决认定事实清楚，适用法律正确，但处理结果不当，本院予以改判。

江苏省淮安市中级人民法院依照《中华人民共和国合同法》第六十条、《中华人民共和国保险法》第十七条、《最高人民法院关于适用〈中华人民共和国保险法〉若干问题的解释（二）》第九条、《中华人民共和国民事诉讼法》第一百七十条第二款之规定，判决如下：

一、撤销一审判决；

二、保险淮安支公司于本判决生效之日起十日内向王某支付伤残赔偿金5万元；

三、驳回王某的其他诉讼请求。

【法官后语】

每一座城市快速发展的背后都离不开建筑工人。施工人员人身意外保险作为施工人员的重要安全保障，对数量庞大的建筑工人来说显得尤为重要。人民法院在处理此类纠纷过程中，要切实做好高危的工人群体权益保护工作。

在本案中，二审法院面对司法鉴定意见依据的鉴定标准与保险合同要求的鉴定标准不同的情况时，并没有一驳了之，而是深入分析该伤情在两份不同鉴定标准下的伤残等级认定，最终认定司法鉴定意见可以在本案中适用，判决保险公司赔偿保险金。

本案可以从以下三个方面探讨二审判决的合理性：

一是鉴定伤残等级使用的资料相同。司法鉴定是法院委托有鉴定资质的机构根据伤情发生后的病案资料、影像学资料等作出鉴定意见。而保险公司委托的伤残鉴定亦是根据被保险人伤后的病案资料、影像学资料等作出，两种鉴定程序依据的鉴定材料是基本一致的。本案中，王某作为开发公司承包建筑工地的施工人员，确因意外事故受伤，相应的司法鉴定系根据伤情发生后的病案资料、影像学资料等作出。该司法鉴定已被判决采用，可以作为合法证据使用。即使再次以《行业标准》进行鉴定，虽然鉴定标准有出入，但评定的伤残等级结果也是一致的。伤残等级一致，保险金赔付的比例亦不变，所以二审法院判决按司法鉴定意见的伤残等级进行赔付不违背合同目的。

二是在该案中司法鉴定意见依据的鉴定标准严于保险合同约定的《行业标准》。保险合同约定的《行业标准》载明，涉案受伤部位功能部分丧失即构成十级伤残，而司法鉴定意见依据的《人体损伤致残程度分级》载明，涉案受伤部位丧失25%以上，构成十级伤残。比较前述二者评定标准，对于肢体关节损伤而言，《人体损伤致残程序分级》认定十级伤残的标准更为严格。本案经鉴定涉案受伤部位功能已丧失30%，远远高于保险合同约定的《行业标准》中十级伤残的鉴定标准。故再以《行业标准》进行鉴定，伤残等级必然达到十级。

三是减少讼累、节约司法资源。被保险人王某以法院生效判决及被判决采用的司法鉴定意见向保险公司理赔，保险公司作为保险合同的强势一方，对于两种伤残鉴定标准必然是知晓的，其原本应当以维护被保险人利益的方式进行理赔，却依然以标准不一致的理由拒赔。二审法院在审理中并没有机械地让被保险人再次按照保险合同约定的标准进行鉴定，在对比研究了两种鉴定标准后，以司法鉴定的伤残等级确定了本案的理赔伤残等级，一次性解决了双方争议冲突，提升了司法效率，对同类型案件的解决起到了一定的示范效果。

编写人：江苏省淮安市淮安区人民法院　衡永金

43

意外伤害保险理赔的近因原则分析

——吕甲、吕乙诉保险公司保险合同案

【案件基本信息】

1. 裁判书字号

江苏省南京市中级人民法院（2021）苏01民终12803号民事判决书

2. 案由：保险合同纠纷

3. 当事人

原告（被上诉人）：吕甲、吕乙

被告（上诉人）：保险公司

【基本案情】

魏甲系吕甲之夫、吕乙之父。2020年6月22日，魏甲在保险公司投保了“安心意外伤害保险（A型）”，保险金额为300000元，保险期间自2020年6月23日起至2021年6月22日止，未明确受益人。2021年4月4日上午，魏甲在工地从事木工工作时，手指被龙骨刮伤，因其晕血导致发晕，坐在地上休息时出现昏迷不醒，经现场抢救无效死亡。南京市公安局高淳分局经现场勘察及调查，初步排除他杀。医院出具的《居民死亡医学证明（推断）书》注明，魏甲死亡原因是“未知原因的意外窒息”，南京市公安局东坝派出所在该证明书上加盖了印章。魏甲去世后，其尸体未进行尸检即行火化。之后，两原告向被告提出保险理赔，被告以“被保险人手指刮伤后眩晕，在休息过程中死亡，无遭受意外伤害导致其死亡的客观事实依据，不属于保险责任范围”为由拒赔，遂成讼。

【案件焦点】

被保险人魏甲死亡是否属于案涉合同约定的保险责任范围。

【法院裁判要旨】

江苏省南京市高淳区人民法院经审理认为：依法成立的合同受法律保护。魏甲与保险公司之间的保险合同系双方真实意思表示，且不违反法律规定，合法有效。保险事故发生后，保险公司应按保险合同的约定予以赔偿。案涉保险合同未约定受益人，现魏甲已身故，两原告作为其第一顺序法定继承人，有权要求保险公司向两原告支付保险金。意外伤害责任保险中的意外伤害应符合以下特点，即伤害是外来的、突发的、非本意的、非疾病的。本案中，虽因未做尸检致无法查明魏甲的最终死因，但从魏甲受伤的过程来看，可以确定魏甲手指受到的伤害是外来的、突发的、非本意的。《居民死亡医学证明（推断）书》虽对死因作出了“未知原因的意外窒息”的认定，但作出该结论的医生亦确认只是听了原告的描述，并未到现场核查，故该结论不能作为魏甲死因的认定依据。120 急救医生认为，不能排除死者因手指受伤后出现晕血，晕血诱发其他疾病或引起全身应急性反应而导致死亡。同时，从查阅“居民健康档案诊疗服务记录”档案情况来看，该档案保存了辖区内居民在当地所有医疗机构就诊的记录，但档案中并无魏甲生前患有可能导致猝死的基础性疾病的任何记载。而被告也没有提供任何证据证明魏甲患有基础性疾病，故不能认定魏甲的死亡系因疾病致死。

魏甲意外死亡后，作为其近亲属的两原告无疑处于悲痛之中，在排除他杀可能后，尽快让死者安息乃人之常情。保险公司并无任何证据证明原告拒绝尸检是为了掩盖死因。保险公司以未尸检为由，认为原告应证明魏甲属意外伤害致死，实际上是将本应由保险公司承担的证明死者不是死于意外伤害的举证责任，转为由原告证明死亡属意外伤害，从而加重了原告的举证责任，对此不予支持。现原告已提交了保险公司应当对魏甲死亡承担保险责任的基本证据，保险公司不能举证证明魏甲并非死于意外伤害，应承担举证不能的法律后果，故对两原告的诉讼请求应予支持。

江苏省南京市高淳区人民法院依照《中华人民共和国民事诉讼法》第六十四条第一款、第一百四十二条规定，作出如下判决：

被告保险公司于本判决生效后10日内向原告吕甲、吕乙支付保险金300000元。

二审法院同意一审法院裁判意见。

【法官后语】

在意外伤害保险理赔中，被保险人死亡原因不明难以界定的情况下，应充分运用近因原则，准确判断引发事故的近因，结合举证责任的合理分配，进而确定各方责任的承担，如果近因属于保险责任范围内，保险人应当承担保险责任。

1. 意外伤害在法律上的认定标准

意外伤害是意外伤害保险中的核心概念，对意外伤害的认定决定了保险人是否承担保险责任以及被保险人能否获得保险金。意外伤害概念本身主观性很强，在保险实务中存在认定含糊、不一致的情况，对于猝死等死亡原因不明的，并不能完全排除保险责任。意外伤害应分为“意外”和“伤害”两个部分来看：意外是主观方面，指伤害的发生是当事人无法预见且违背主观意愿的，伤害是客观方面，主要指造成了伤残或者致死的结果，不能割裂两者之间的内在联系。意外伤害责任保险中的意外伤害应符合以下特点，即外来的、突发的、非本意性、非疾病的，本案中魏甲的受伤可认定为符合该特点。

2. 意外伤害与损害结果的因果关系——保险理赔的近因原则分析

我国保险法虽未对近因原则作出明确规定，但学界通说和保险实务中判断意外和伤害之间的因果关系一般都采用近因原则。近因的“近”除了时间和空间因素以外，主要在于是不是造成损害结果的最直接有效、起决定性作用的原因。若导致保险事故发生的原因是依次发生、持续不断的，形成了前因后果的关系，可适用“链条理论”，从事故发生到损害后果，各个原因如同一节节的链环，如果它们环环相扣，联系紧密，则顶环是事故发生的近因，即a→b→c→d的过程中，a即事故发生的近因。

本案中被告将猝死的原因归于死者自身潜在的疾病和机能障碍，由于不符合意外伤害的“外来性、非疾病性”特征而成为抗辩的依据。但综合全案证据及当事人陈述，魏甲的手指受伤并非轻微的刮伤，而是手指末端遭受较为严重的损伤。魏甲手指受伤后即在事故现场休息，后昏迷不醒并经抢救无效死亡，其间持续时间较短，且始终未离开事故现场，亦不存在其遭受其他外来伤害的情形。在尚无证据证明魏甲生前患有其他可能导致猝死的基础性疾病的情况下，足以证明在魏甲死亡之前，其遭受的手指伤害系唯一且最为直接的外来伤害，也可以说系魏甲遭受的手指伤害直接启动了因果链条（手指受伤→昏迷不醒→死亡的过程中，手指受伤即事故发生的近因）并最终导致魏甲死亡结果的发生，而且在此后无其他事件直接导致魏甲死亡。认定近因的关键在于对因果关系链进行整体考量，不能机械地认为直接致损的原因就是近因，要充分考虑致损的诱因，衡量原因对结果如何发生作用，并根据所起作用的大小确定承担的保险责任的比例。此过程中，若双方对事故产生的近因存在争议，该争议难以确定且直接决定事故是否系承保范围，则应根据案件审理情况，结合公平原则，按照适当比例判定理赔金额。

3. 保险合同纠纷案件的举证责任分配

关于举证责任的分配有两种观点。一是考虑出险通知时间，若受益人在被保险人遗体火化前已通知保险公司并申请理赔，保险公司未明确告知受益人不属于意外伤害保险责任范围或未提出尸检要求的，应由保险公司举证证明保险事故属于除外责任确定的情形；若遗体火化后才通知保险公司，因保险公司失去了对被保险人身体状况或死亡原因进行举证的能力，应由受益人证明被保险人由外因致死。二是若无证据证明受益人存在掩盖死因的意图，由保险公司就其不属于意外伤害保险责任范围主张提交相应证据。本案判决中采用第二种观点，将举证责任分配给保险公司，关于举证责任分配应具体案件具体分析。

编写人：江苏省南京市高淳区人民法院　吕紫超

44

员工在获得用人单位足额赔偿的情形下，可以将保险金请求权转让给用人单位

——实业公司诉保险当阳支公司意外伤害保险合同案

【案件基本信息】

1. 裁判书字号

湖北省宜昌市中级人民法院（2021）鄂05民终2401号民事判决书

2. 案由：意外伤害保险合同纠纷

3. 当事人

原告（被上诉人）：实业公司

被告（上诉人）：保险当阳支公司

【基本案情】

2020年8月10日，实业公司作为投保人在保险当阳支公司为员工投保了团体意外伤害保险，保险期间自2020年8月11日0时起至次年8月10日24时止。保险合同约定：意外身故、残疾给付每人保险金额800000元。郭某作为实业公司的员工，为该团体意外伤害保险的被保险人之一。2021年1月14日凌晨，郭某在工作过程中死亡。医院诊断认为，郭某系心源性猝死可能性大，但郭某是驾驶员，在车内怠速开空调取暖1小时，也不能排除一氧化碳中毒可能。死亡医学证明载明死亡原因为猝死（一氧化碳中毒）。2021年1月17日，实业公司与郭某的母亲、妻子、儿子达成赔偿协议，由实业公司赔偿三人1000000元。同时，三人将保险金的请求权转让给实业公司。实业公司向保险当阳支公司主张保险赔偿款未果，故诉至法院，请求法院判令保险当阳支公司向实业公司支付保险金800000元。

【案件焦点】

用人单位给员工投保人身保险，出险后，员工在获得用人单位足额赔偿的情形下，能否将保险金请求权转让给用人单位。

【法院裁判要旨】

湖北省当阳市人民法院经审理认为：关于实业公司诉讼主体资格问题，实业公司已先行将赔偿款给付郭某的直系亲属，其可以将保险金的请求权转让给实业公司。

湖北省当阳市人民法院依照《中华人民共和国民法典》第五百零二条，《中华人民共和国保险法》第五条、第十二条、第十四条、第二十三条第一款，《最高人民法院关于适用〈中华人民共和国民事诉讼法〉的解释》第九十条规定，作出如下判决：

保险当阳支公司给付实业公司保险赔偿款人民币800000元。

保险当阳支公司不服一审判决，提出上诉。湖北省宜昌市中级人民法院经审理认为：《最高人民法院关于适用〈中华人民共和国保险法〉若干问题的解释（三）》第十三条规定，保险事故发生后，受益人将与本次保险事故相对应的全部或者部分保险金请求权转让给第三人，当事人主张该转让行为有效的，人民法院应予支持，但根据合同性质、当事人约定或者法律规定不得转让的除外。从以上法条可以看出，用人单位为劳动者投保团体意外伤害保险，对被保险人具有保险利益。出于防范道德风险的考虑，保险法规定，用人单位作为投保人，不能被指定为该类险种的保险金受益人，但法律并不禁止用人单位向被保险人或其继承人赔偿了全部经济损失之后，被保险人或其继承人将保险金的请求权部分或全部转让给用人单位。这也是用人单位投保该类险种，以期分担用工风险的意义所在。但被保险人或其继承人将保险金的请求权转让给用人单位的，其转让金额应以用人单位实际赔偿的金额为限。

本案中，实业公司已经向被保险人的法定继承人赔偿了100万元，大于本案保险理赔金额。被保险人的法定继承人将保险金的请求权转让给实业公司，不违反法律规定，转让协议有效，实业公司是本案适格的当事人。一审判决认定事实清楚，适用法律正确，应予维持。

湖北省宜昌市中级人民法院依照《中华人民共和国民事诉讼法》第一百七十条第一款第一项规定，作出如下判决：

驳回上诉，维持原判。

【法官后语】

随着经济社会的发展，用人单位为员工购买诸如意外伤害之类人身性质保险的意识越来越高。用人单位购买保险的初衷通常是转移风险，但我们能否想当然地认为用人单位为该保险金的权利请求人？答案是否定的，虽然用人单位出资为员工购买保险，但为了防范道德风险，《中华人民共和国保险法》第三十九条明确规定，用人单位为与其有劳动关系的劳动者投保人身保险，只能指定员工及其近亲属为受益人。这也意味着用人单位不能被直接指定为此类保险的权利请求人。用人单位为员工投保应当视为单位给员工的福利，在出险时，权利请求人只能是员工或是其近亲属。

保险请求权人为员工或是近亲属是否意味着员工或其近亲属不能将权利转让给用人单位呢？答案也是否定的。《最高人民法院关于适用〈中华人民共和国保险法〉若干问题的解释（三）》第十三条规定，保险事故发生后，受益人将与本次保险事故相对应的全部或者部分保险金请求权转让给第三人，当事人主张该转让行为有效的，人民法院应予支持，但根据合同性质、当事人约定或者法律规定不得转让的除外。为了防范道德风险，法律不允许用人单位被指定为受益人，但法律亦并未禁止此类权利不得转让。符合一定条件的，员工可以将保险金请求权转让给用人单位。转让的前提条件就是用人单位已先行支付一定金额给员工，且用人单位向保险公司请求的金额也只能以其支付给员工的金额为限。在用人单位先行支付给员工一定赔偿额的情形下，我们所担心的道德风险也就不存在了，因为用人单位不会因购买此类保险而从中获益，也能证明用人单位购买保险仅仅是为了转移用工风险，不存在其他不正当获益的想法。在符合上述前提条件的情形下，我们就不能随意限制或剥夺员工及其近亲属的处分权。

同时，允许将此类保险金请求权转让给用人单位也有一定的积极意义。对用人单位而言，允许保险金请求权转让可以增加用人单位为员工投保的积极性。因为在允许转让的情形下，用人单位购买保险的初衷能够实现，其自然也就愿意为员工投保；对员工而言，若允许保险金请求权转让，出险时，用人单位就更愿意积极赔付员工的损失，员工也能及时得到赔偿。允许员工将保险金请求权转让给用人单位，出险后用人单位能够向保险公司主张权利，用人单位得到保险金后又会继续积极为员工购买保险，从而形成良性循环，对促进社会的和谐稳定有一定的积极意义。

综上，用人单位给员工投保人身性质的保险，出险后，员工在获得用人单位足额赔偿的情形下，可以将保险金请求权转让给用人单位。

编写人：湖北省当阳市人民法院　李小雨

45

职业类别赔付限制属于格式条款，保险公司应尽到提示告知义务

——杨甲等诉某某保险公司意外伤害保险合同案

【案件基本信息】

1. 裁判书字号

北京市西城区人民法院（2021）京 0102 民初 13405 号民事判决书

2. 案由：意外伤害保险合同纠纷

3. 当事人

原告：杨甲、李乙、李丙

被告：某某保险公司

【基本案情】

2019年11月23日，李丁在某某保险公司投保意外伤害保险，保险险种为人身意外伤害保险，该保险金额为10万元；附加意外伤害医疗保险，该保险金额为1万元；附加意外伤害生活津贴保险，该保险金额为1500元。保险期间为2019年11月23日至2020年11月22日。2020年11月13日，李丁因意外受伤，后于2020年12月3日经医院抢救无效死亡。杨甲、李乙、李丙曾向某某保险公司申请理赔，某某保险公司未全额理赔。杨甲、李乙、李丙遂提起诉讼，要求某某保险公司支付杨甲、李乙、李丙保险金110385元。

【案件焦点】

某某保险公司向杨甲、李乙、李丙支付的保险金额应按照基本保额的100%还是1%计算。

【法院裁判要旨】

北京市西城区人民法院经审理认为：第一，关于李丁是否属于钢骨结构工人，某某保险公司仅以李丁被工地中的钢管砸伤为由，认定其在钢管现场工作属于钢骨结构工人，依据不足。第二，关于该赔付比例条款的效力。该条款属于保险责任条款，即属于保险人承担保险给付责任范围的条款。本案中，该赔付比例条款属于某某保险公司为重复使用而预先拟定，未与投保人协商的条款。条款中关于赔付比例的限制涉及保险责任，其应在投保人进行投保时采取合理的方式提请对方注意，并按照对方要求进行说明。本案中，某某保险公司虽在特别约定和投保须知处列明了“5—6类职业的被保险人保额为基本保额的1%”，但其未将具体的职业类别予以列明，亦未提交证据证明在投保时询问了李丁具体工作内容、告知其职业的具体类别以及其职业类别对保险理赔金额的影响，应当认定某某保险公司未就该条款提请李丁注意，李丁亦无法理解该条款的含义。因此，该条款并非李丁与某某保险公司保险合同的内容。某某保险公司要求按照基本保额的1%支付保险费，缺乏依据，不予采信。

北京市西城区人民法院依照《中华人民共和国合同法》第三十九条、第六十条，《中华人民共和国保险法》第十条、第十一条、第十三条，《中华人民共和国民事诉讼法》第六十四第一款规定，作出如下判决：

一、被告某某保险公司于本判决生效之日起七日内向原告杨甲、李乙、李丙支付保险赔偿金 100385 元；

二、驳回原告杨甲、李乙、李丙的其他诉讼请求。

判决后，双方当事人均未上诉，本判决现已生效。

【法官后语】

本案涉及的系保险纠纷中常见的职业类别条款，不同的职业对应不同类别，不同类别的工作风险系数不同，保险公司所承担的赔付比率也不同。

1. 职业类别条款是保险公司基于风险评估而作出的合理商业安排

不同职业人群面对的风险类型不同，保险公司会按照被保险人工作所面临的风险进行职业分类划分，然后根据职业分类来设置投保限制。在本案保险合同约定的职业分类中，1—3 类为低危职业，4 类为中等风险职业，5—6 类为高危职业。1 类职业为公司内勤人员；2 类职业为外勤或轻微体力劳动者；3 类职业涉及部分机械操作，如司机、教练、运动员等；4 类职业有一定危险性，如交警、制造工、电梯维修、兽医等；5 类职业为危险性较高的工作，如高空作业、刑警、电工等；6 类职业为高危职业，如消防员、直升机飞行员等。本案所涉的争议条款约定“职业类别为 5—6 类的，赔付比例为基本保额的 1%”，就是基于 5—6 类的职业风险系数较高，保险公司承担责任的概率较大。

2. 职业类别赔付条款属于保险责任条款

保险合同中的条款性质难以简单依据其在合同中的具体位置判断，而需要根据其实质属性来进行认定。保险合同的核心是风险的承担。该职业类别条款位于保单的特别约定处，系关于明确保险公司所应承担风险与损失范围的条款，并非在承担责任范围内排除的损失承担。免责条款是指保险合同中限制、减轻、免除保险人义务的条款，根据《中华人民共和国保险法》第十七条规定，保险人对免责条款负有较一般格式条款更重的义务。因此，确定保险人对合同中的某一条款应当履行一般说明义务还是明确说明义务，需先判别该条款是不是免责条款。

3. 职业类别赔付条款属于格式条款

几乎所有的保险人都采用格式合同，各方当事人的权利义务均以保险人事先拟就的保单加以固定。由于格式条款本身具有不可协商性、专业性强等特点，因此对于保险公司苛以较高的义务，对于免除或限制其责任的条款应尽到相应的义务。

4. 保险公司应对职业类别条款尽到相应提示及说明义务

按照《中华人民共和国民法典》第四百九十六条第二款规定，采用格式条款订立合同的，提供格式条款的一方应当遵循公平原则确定当事人之间的权利和义务，并采取合理的方式提示对方注意免除或者减轻其责任等与对方有重大利害关系的条款，按照对方的要求，对该条款予以说明。提供格式条款的一方未履行提示或者说明义务，致使对方没有注意或者理解与其有重大利害关系的条款的，对方可以主张该条款不成为合同的内容。从法律效果看，民法典规定的“不成为合同内容”系由于无证据证明双方对此达成了一致意思表示。笔者认为，保险公司应在保险条款、保险单等材料中列明具体职业类别，或提醒投保人查阅职业类别相关规定，否则将被认定为未对该条款尽到说明义务，投保人亦无法理解该条款的含义，该条款不成为合同内容，保险公司应当承担赔付保险金的责任。

编写人：北京市西城区人民法院　田静霆　贾月

（三）健康保险合同纠纷

46

保险代理人为自己投保，未履行如实告知义务，保险总公司不承担保险金给付赔偿责任

——王某诉保险总公司、保险镇江支公司保险合同案

【案件基本信息】

1. 裁判书字号

江苏省镇江市中级人民法院（2021）苏11民申104号民事裁定书

2. 案由：保险合同纠纷

3. 当事人

原告（再审申请人）：王某

被告（再审被申请人）：保险总公司、保险镇江支公司

【基本案情】

2018年11月9日，王某收到体检报告，报告上载明其存在甲状腺结节、乳腺结节待查等异常情况。2020年8月7日，王某与保险总公司签订一份保险合同并缴纳保费，保险险种为终身重大疾病保险；保险金额为20万元；保险期间为终身；交费年限为20年；保险费为5710元。保险合同所附终身重大疾病保险条款载明了投保人的如实告知义务及不履行如实告知义务将产生的法律后果。保险合同所附电子投保单亦载明投保人承诺将本合同的如实告知义务向被

保险人明确说明，并已将被保险人所告知的信息如实告知贵公司。投保人将承担因被保险人在本合同项下的询问事项不如实告知所产生的一切责任。

王某在电子投保单中“F. 健康状况告知”处的第9项“您过去3年内是否有体检结果异常”、第12项“您是否曾患有下列疾病或因下列疾病接受检查或治疗……糖尿病……甲状腺疾病”、第14项“女性告知栏：是否有任何乳房、子宫、卵巢疾病或其他妇科病症”的“否”处均打“√”，并在投保单尾部的“投保人签名”和“业务员签名”处签名。王某在投保时未向保险总公司出示2018年11月9日的体检报告。

2020年10月10日，王某进行体检，检查诊断意见为：甲状腺峡部偏右侧低回声结节，TI-RADS 3级。同年12月7日，王某住院治疗，检查结果为右甲状腺+峡部乳头状癌Ⅱ级，出院诊断为：（右），甲状腺恶性肿瘤、乳头状癌。

2020年12月28日，王某向保险总公司提交理赔申请。2021年1月18日，保险镇江支公司向王某邮寄“拒赔通知书”，拒赔理由：不如实告知。故王某诉至法院，请求判令两保险公司支付保险金20万元。

另查明，上述保险合同载明的业务员为王某本人。同时，其作为保险总公司的业务员在2020年4月9日—8月8日期间多次销售前述重疾保险，并获取了包括案涉保险合同在内的多笔佣金。

【案件焦点】

1. 王某同时作为保险代理人、投保人，该保险合同在自己代理的情况下是否有效；2. 王某是否履行了如实告知义务；3. 保险总公司应否承担赔偿责任。

【法院裁判要旨】

江苏省句容市人民法院经审理认为：王某在保险总公司投保，双方形成人身保险合同关系，该合同关系不违反法律、行政法规的强制性规定，合法有效，双方均应按照约定履行各自的义务。订立保险合同，保险人就保险标的或者被保险人的有关情况提出询问的，投保人应当如实告知。投保人故意或者因重大过失未履行如实告知义务，足以影响保险人决定是否同意承保或者提高保险费率的，保险人有权解除合同。本案中，王某系保险公司业务员，其在订立保险合同前已多次销售过案涉保险，故其作为投保人向保险总公司投保时理应知道投保人有如实告知的义务及不如实告知可能导致的后果，现保险总公司以其在投保前即检查出患有甲状腺结节，但在投保时未如实告知保险总公司为由解除保险合同并拒绝赔付符合法律规定。对于王某所称的2018年体检报告施行的是电子送达，导致其无法获取体检报告，从而不知晓自己患有甲状腺结节的陈述，该体检报告经电子送达，王某也已接收，王某对该次体检结果理应知晓，现王某主张其未能获取体检报告没有证据证明，不予采纳。综上，对王某要求两保险总公司给付保险金20万元的诉请，不予支持。

江苏省句容市人民法院依照《中华人民共和国保险法》第十六条、《最高人民法院关于适用〈中华人民共和国民法典〉时间效力的若干规定》第一条第二款、《中华人民共和国民事诉讼法》第一百四十二条、《最高人民法院关于适用〈中华人民共和国民事诉讼法〉的解释》第九十条规定，判决如下：

驳回王某的诉讼请求。

王某不服一审判决，申请再审。江苏省镇江市中级人民法院经审理认为：王某在2018年11月的体检报告载明其有甲状腺结节、乳腺结节待查等异常情况，该体检报告已通过电子方式向其送达，王某称对自身患有甲状腺结节、乳腺结节待查等情况不知情，不符合常理。且王某作为保险公司业务员，向他人销售过多起同款保险合同，案涉保险合同亦为其本人自保件，其作为投保人在投保时，知晓投保人有如实告知的义务及不如实告知可能导致的后果，故对王某的再审申请理由不予采信。

江苏省镇江市中级人民法院依照《中华人民共和国民事诉讼法》第二百零四条第一款、《最高人民法院关于适用〈中华人民共和国民事诉讼法〉的解释》第三百九十五条第二款的规定，裁定如下：

驳回王某的再审申请。

【法官后语】

本案中，王某一方面是案涉保险合同的代理人（业务员），代表保险总公司利益，另一方面是案涉保险合同的投保人、被保险人，代表自身利益，其身份的重合使本案在法律关系上具有自己代理的法律特征。所谓自己代理，是指代理人以被代理人的名义与自己实施民事活动。原则上代理人不得以被代理人的名义与自己实施民事法律行为，但是被代理人同意或者追认的除外。本案中，王某作为保险总公司的代理人（业务员）与自己签订保险合同，其在业务员处签字，保险总公司在保险合同上签章并支付王某案涉保险合同佣金，该行为应认定为对代理人行为的同意或追认，案涉保险合同合法有效。

保险合同以风险承担为内容，保险人同意承保投保人转嫁的风险，就要求投保人将掌握和拥有保险标的风险的“私人信息”如实告知保险人，以实现信息和权利义务上的相对平衡。但在自己代理保险合同的情形中，代理人在保险总公司和自身利益的选择中易“顾此失彼”。一方面，代理人是自身利益的最佳判断者；另一方面，代理人又需履行代理职责，在保险人授权的范围内从事。因此，代理人在自身利益与保险人利益的选择之间，易导致双方当事人利益失衡。为尽量平衡这种风险，针对业务员的自保件，保险人应进一步规范订立保险合同的相关流程，保险人应当在投保单、保险单或者其他保险凭证上对保险合同中免除保险人责任的条款等关键内容，作出足以引起投保人注意的提示，并对该条款的内容以书面或者口头形式向投保人作出明确询问与说明。保险公司不能因代理人知悉投保操作流程即免除自身的告知与询问义务。针对投保人需要说明的重要事项，不能以投保人自身陈述为限，必要时，保险公司可以做进一步询问、核实，以免因疏忽合理的注意，产生不公平。

基于保险合同的特殊性，投保人应当最大限度遵循诚实守信原则，履行如实告知义务。保险代理人签订自保件、投保单应该是其在充分知晓保险产品信息及自身权利义务的情况下作出的真实意思表示，其对人身保险投保单中询问事项及保险条款的内容、含义和法律后果的理解应远超于普通投保人，其在投保单中签名确认应视为其已经充分清楚了解保险人的提示和说明内容，相关回答内容是其真实意思表示。同时，有多次销售案涉保险经验且熟悉保险投保操作的保险代理人，应当知悉投保人负有如实告知的义务及不如实告知将产生的法律后果。投保人在体检结果载明健康状况异常的情况下，未对保险人予以说明，属于违反如实告知义务的不诚信行为，保险公司有权依照保险合同约定拒绝赔付。

编写人：江苏省镇江市中级人民法院　杜静　吴艳艳

47

保险人肯定性理赔答复意见可不受合同条款限制

——朱某诉保险总公司、保险重庆分公司人身保险合同案

【案件基本信息】

1. 裁判书字号

重庆市垫江县人民法院（2020）渝0231民初4272号民事判决书

2. 案由：人身保险合同纠纷

3. 当事人

原告：朱某

被告：保险总公司、保险重庆分公司

【基本案情】

2018年4月11日，朱某的妻子陈某作为投保人，通过保险重庆分公司的保险代理人卢某购买了一年期医疗保险，保险单载明：保险单生效日为2018年4月30日，投保人为陈某，被保险人为朱某，保险期限为1年。其中，第2.4条为责任免除条款，载明了14项保险责任免除事项；第8.8条为保险公司理赔认可的医院、资质要求。涉案保险合同于2018年4月30日生效，后续保2次。

2020年9月4日，朱某因白癜风疾病前往医院治疗，涉案保险合同仍在保险期。入院时，朱某通过电话向保险代理人卢某咨询该医院是否属于保险公司

可以理赔的医院，卢某因知晓保险公司对案外另一被保险人患白癜风疾病到该医院治疗获得了保险理赔的事实，明确告知朱某到该医院治疗可以获得理赔。朱某因此入住该医院进行治疗，3 天后出院，共用去医疗费 25119.3 元。

2020 年 9 月 8 日，朱某向保险公司提出理赔申请，并提交了相应的理赔资料。2020 年 9 月 22 日，保险公司向朱某发出理赔决定通知书，主要内容为：被保险人本次出险不属于条款约定保险责任范围，不给付保险金。朱某遂诉至人民法院，请求保险公司支付医疗保险金计人民币 25119.3 元及相应利息。庭审中，朱某撤回了对保险总公司的起诉，并对保险重庆分公司主张的保险金计算方式予以认可：若朱某的涉案出险属于条款约定的保险责任范围，其医疗保险金为 16836.98 元。

【案件焦点】

1. 朱某就诊医院是否属于保险重庆分公司的理赔范围；2. 朱某就诊时是否应对就诊医院的等级、资质进行审查。

【法院裁判要旨】

重庆市垫江县人民法院经审理认为：涉案保险合同系双方当事人的真实意思表示，且不违反法律、行政法规的强制性规定，应当认定为合法有效，双方均应全面履行合同约定的义务。

关于朱某就诊医院是否符合涉案保险合同的约定。涉案保险合同第 8.8 条载明："我们认可的医院……二级合格或者二级合格以上的社会基本医疗保险规定的定点医院……该医院必须具有符合国家有关医院管理规则设置标准的医疗设备，且全天二十四小时有合格医师及护士驻医院提供医疗及护理服务。"该条款属于保险合同的释义内容，但保险公司未作出明确说明和列举，而上述内容和词汇属于医疗卫生行政管理规范的范畴，具有极强的医疗卫生行政管理专业性，保险公司在订立合同时有义务进行释明，以便投保人能简单快捷地明确可理赔的医院。保险重庆分公司陈述通过网络查询可以得知就诊医院不属于合同约定的范围，但未举示相关证据予以证明。

关于朱某就诊时是否应对就诊医院的等级、资质进行审查。朱某在入院治疗时，已通过电话向保险公司的保险代理人卢某询问就诊医院是否可以进行理赔，卢某因其他被保险人患相同疾病到该医院治疗获得了保险理赔，便明确告知朱某入住涉案医院可以进行保险理赔。朱某在得到肯定的回复后进行住院治疗，不论就诊医院是否属于保险合同约定的医院，均应认定朱某在就诊时，已履行了对医院等级、资质等的审查义务，保险公司的肯定性答复对于投保人、被保险人而言，该医院属于保险合同所约定认可的医院。保险重庆分公司依法应支付医疗保险金。关于朱某支付利息的诉请，于法无据，应不予支持。朱某在诉讼中撤回对另一被告的起诉，系民事权利的自由处分，且符合法律规定，予以准许。

重庆市垫江县人民法院依照《中华人民共和国民法典》第四百六十五条、第五百零二条、第五百零九条，《中华人民共和国民事诉讼法》第六十四条，《中华人民共和国保险法》第五条、第十一条、第十七条、第二十三条，《最高人民法院关于适用〈中华人民共和国保险法〉若干问题的解释（二）》第八条之规定，判决：

一、由保险重庆分公司在本判决生效后10日内向朱某支付医疗保险金为16836.98元；

二、驳回朱某的其他诉讼请求。

判决后，双方当事人均未上诉，本判决现已生效。

【法官后语】

本案是因保险公司在被保险人入院治疗前后是否可获得理赔答复不一致而引发的纠纷。虽然涉案保险合同对保险公司认定的医院等级和资质进行了一定的说明，但医院的等级和资质等具有极强的医疗卫生行政管理专业性，普通社会公众不可能仅凭上述简单的阐述就能准确判断哪些医院属于保险公司认可的医院，保险公司应当向投保人、被保险人具体释明哪些医院属于可理赔的医院或者如何判断就诊医院是否属于可理赔的医院，以便被保险人就医时能简单快捷地选择符合理赔范围的医院。

1. 关于保险理赔认可医院等内容的定性

根据双方签订保险合同的条款，保险公司理赔认可的医院虽然不属于双方签订保险条款“责任免除”部分的内容，但根据常理，只要是认可的医院，保险公司就应承担保险责任，不是保险公司认可的医院即不纳入理赔范围，可见理赔认可医院的范围直接关系到被保险人是否能够获得理赔，实质上属于免责条款的内容。《中华人民共和国保险法》第十七条第二款规定，对保险合同中免除保险人责任的条款，保险人在订立合同时应当在投保单、保险单或者其他保险凭证上作出足以引起投保人注意的提示，并对该条款的内容以书面或者口头形式向投保人作出明确说明；未作提示或者明确说明的，该条款不产生效力。从上述规定可知，保险公司应当在投保单、保险单或者其他保险凭证上作出足以引起投保人注意的提示，否则免责条款的内容对投保人、被保险人不产生法律效力。而对于保险理赔认可的医院等级和资质，保险重庆分公司既没有作出足以引起投保人注意的提示和说明，也忽略了普通社会公众的认知，仅进行了文字性的阐述，明显不符合保险法及相关司法解释规定的要求。

2. 关于如何认证保险公司关于理赔的肯定性答复意见

保险公司称被保险人就诊前应当审查就诊医院是否属于可理赔范围，医院的等级和资质可通过网络等途径进行查询。而实际情况是，被保险人在就诊前向保险公司的保险代理人询问拟就诊医院是否属于可理赔的医院范围，保险人代理人基于类似的赔付案例进行了可获得理赔的肯定性答复。医院等级和资质实质上与被保险人是否可以获得理赔直接相关，保险公司的答复意见相比于网络查询等途径而言，更具有准确性、专业性，被保险人基于保险公司可获得理赔的肯定性答复意见而入院治疗，合情、合理，对被保险人而言，向保险公司询问是否可获得理赔足以认定被保险人已充分履行了审查义务。

综上所述，无论是保险公司未对免责条款进行提示和合理解释说明，还是其可理赔的肯定性答复意见，保险重庆分公司均应支付被保险人相应的医疗保险金。

编写人：重庆市垫江县人民法院　谭陈宇

48

保险人未证明被保险人的危险程度在合同中止期间显著增加的，无权拒绝复效请求

——郑某、王某诉保险公司人身保险合同案

【案件基本信息】

1. 裁判书字号

广东省深圳市中级人民法院（2020）粤 03 民终第 18867 号民事判决书

2. 案由：人身保险合同纠纷

3. 当事人

原告（上诉人）：王某、郑某

被告（上诉人）：保险公司

【基本案情】

王某、郑某系夫妻关系。2015 年 9 月，原告王某向被告保险公司投保了终身寿险，附加重疾 15、长期意外 13、豁免 C 加强版、豁免 B 加强版，附加一年期短险意外医疗 B；被保险人为郑某；保险生效日期为 2015 年 9 月 30 日，保险缴费方式为年缴。

原告因个人原因未缴纳 2018 年的保险费，案涉保险合同效力中止。2019 年 8 月 12 日，原告王某申请变更投保人为原告郑某，原告郑某于当日向被告申请恢复保险合同效力。当日，原告告知被告其于 2019 年 8 月 1 日做医学检查，检查结果为乳腺小结节。被告向原告郑某发出《补充健康状况资料通知书》，要求原告郑某提供完整的就诊病例、随访复查资料及相关的检查报告。原告郑某向被告提供了医院的彩超检查报告单，载明：超声提示为双侧乳腺内低回声

灶，性质待查，BI-RADS 3 类；3 个月后复诊，不适随诊；可行乳腺微创手术活检。

2019 年 8 月 21 日，被告向原告郑某发出《保全核保意见通知函》，内容为："接受客户郑某保全复效的要求，合同的条件调整如下：由于乳腺超声检查异常的原因，险种重疾 15 的评估意见为乳腺恶性肿瘤（包括原位癌）及其复发和转移不在重疾 15 的保障范围，责任免除的年限为终身；豁免 C 加强版的评估意见为乳腺恶性肿瘤及其复发和转移不在豁免 C 加强版的保障范围，责任免除的年限为 30 年。务请在 2019 年 9 月 5 日之前回复，如果您不接受公司的评估意见或没有对本通知作出回应，您本次的保全受理服务将被终止，为避免您的利益受损，请及时返回本函。"原告郑某于 2019 年 9 月 4 日在该函中的重疾 15 险种、豁免 C 加强版险种评估意见的客户意见栏"是否接受本险种"均勾选"否"；在客户意见说明一栏填写"不同意免除保险人的保险责任。1. 乳腺小结 ABS-3 级在医学上属于健康状态，不属于'危险程度显著增加'的情形；2. 保险合同并未约定在此情形下可免除保险人的保险责任"，后在投保人、被保险人栏签字。因保险合同复效问题产生纠纷，原告遂诉至法院。

【案件焦点】

1. 原告郑某所患乳腺小结是否属于"危险程度显著增加"的情形；2. 保险公司是否有权拒绝复效请求。

【法院裁判要旨】

广东省深圳市福田区人民法院经审理认为：保险合同停效期间被保险人的危险程度显著增加的，保险公司有权拒绝复效请求。首先，并非被保险人健康状况发生的所有不利变化均属危险程度显著增加，即该健康状况不利变化应达到定量要求，根据相关法理精神，该危险程度显著增加应达到足以"影响保险人决定是否同意承保"等程度。原告虽检出乳腺结节，但被告对原告乳腺结节属危险程度显著增加的主张未能举证证明，该主张理据不足。其次，保险合同复效是对原保险合同效力的恢复而非产生新的保险合同。根据《最高人民法院关于适用〈中华人民共和国保险法〉若干问题的解释（三）》第八条之规定，判断被保险人的危险程度是否显著增加应限定在将“效力中止期间”与“合同订立时”进行对比。如被保险人的健康状况或危险程度在合同效力中止之前即已显著增加，则其申请复效并不会增加逆选择的风险，保险人拒绝复效即缺乏正当性。原告提交的体检结果虽系经被告要求于原保险合同效力中止期间作出，但并不等同于原告乳腺结节形成于合同效力中止期间，即在案证据并不能证明原告所患乳腺结节实际发生在合同效力中止后，应作有利于被保险人的认定。综上，被告认为被保险人在效力中止期间的危险程度显著增加的抗辩主张理据不足，无权拒绝原告的复效申请。

广东省深圳市福田区人民法院依照《中华人民共和国保险法》第三十七条、《最高人民法院关于适用〈中华人民共和国保险法〉若干问题的解释（三）》第八条，判决如下：

一、案涉人身保险合同自原告郑某补交所欠保险费之日恢复效力；

二、被告保险公司应配合办理合同复效相关手续；

三、驳回原告郑某、王某的其他诉讼请求。

二审法院同意一审法院裁判意见。

【法官后语】

复效制度是保险法的重要制度设计，适用于人身保险合同，是针对投保人未定期缴纳保险费而致使合同效力中止时的救济措施，对于维持保险合同效力，保护投保人、被保险人、受益人权益具有重要意义。保险合同效力恢复需满足如下条件：(1) 复效应在投保人逾宽限期仍未缴纳保险费致使合同效力中止的情形下适用；(2) 复效应经保险人与投保人协商达成协议后补交保险费；(3) 复效申请应在效力中止后二年内提出，申请复效的权利不能无限期地延续，投保人逾期不提出申请，将导致保险人合同解除权的产生；(4) 除非被保险人的危险程度在中止期间显著增加，否则保险人对于复效请求应当同意，无权拒绝。

从保险风控角度而言，保险人所承保风险在合同订立时确定，合同成立后投保人未按期交付保费并不影响保险人的承保风险状况，亦不违背精算基础；

从公平原则而言，投保人投保的目的在于获得保险保障，因经济陷入困难或因疏忽大意而未能及时交付保费，赋予保险人绝对自主权将难以保障被保险人的利益，亦有失公平。故而，对保险人的合同复效自主权应进行适当限定，《最高人民法院关于适用〈中华人民共和国保险法〉若干问题的解释（三）》第八条第一款规定“保险合同效力依照保险法第三十六条规定中止，投保人提出恢复效力申请并同意补交保险费的，除被保险人的危险程度在中止期间显著增加外，保险人拒绝恢复效力的，人民法院不予支持”，将保险人的自主权限制在“被保险人的危险程度在中止期间显著增加”情形，除此以外，只要投保人提出复效申请并补缴保险费，保险人无权拒绝。

在审理具体案件时，应从危险程度定量分析和时间轴两个维度来理解“被保险人的危险程度在中止期间显著增加”：一方面，并非被保险人健康状况发生的所有不利变化均属危险程度显著增加，该健康状况不利变化应达到定量要求，根据相关法理精神，该危险程度显著增加应达到足以“影响保险人决定是否同意承保”的程度。另一方面，保险合同复效是对原保险合同效力的恢复而非产生新的保险合同，故而判断被保险人的危险程度是否显著增加应限定在“效力中止期间”与“合同订立时”进行对比。如被保险人的健康状况或危险程度在合同效力中止之前即已显著增加，则其申请复效并不会增加逆选择的风险，保险人拒绝复效即缺乏正当性。此外，尤其应当注意的是，“危险程度在中止期间显著增加”作为一个消极事实，需由保险人承担举证责任，如保险人不能完整证明“危险程度”的显著增加是发生在“中止期间”，则应承担举证不能的不利后果。本案原告提交的体检结果虽系经被告要求于原保险合同效力中止期间作出，但并不等同于原告乳腺结节形成于合同效力中止期间，被告未能举证证明原告身体状态变化实际发生在合同效力中止后，故应作有利于被保险人的认定。

编写人：广东省深圳市福田区人民法院　胡超

49

保险事故发生在合同成立之日起二年内的，保险人不受二年不可抗辩期间约束而享有解除权

——杨某诉保险南京支公司人身保险合同案

【案件基本信息】

1. 裁判书字号

江苏省南京市中级人民法院（2020）苏01民终11209号民事判决书

2. 案由：人身保险合同纠纷

3. 当事人

原告（被上诉人）：杨某

被告（上诉人）：保险南京支公司

【基本案情】

2017年11月23日至2017年12月1日，杨某住院治疗，诊断为慢性肾脏病3期、慢性肾炎、高血压病2级（极高危）、高尿酸血症。

2017年12月13日，杨某之妻邹某以杨某为被保险人，向保险南京支公司投保金佑人生终身寿险（分红型）及金佑人生提前给付重大疾病保险，保险金额均为20万元，保险期间为自2018年1月1日0时起至终身。邹某、杨某在投保单健康告知事项的询问事项（含“是否曾有高血压等心血管系统疾病、肾炎、肾病综合征等泌尿系统疾病”）中均勾选了“否”。

案涉重大疾病保险合同载明，若被保险人因遭受意外伤害被确诊初次发生附加险合同约定的重大疾病（无论一种或多种），或在附加险合同生效或最后一次复效（以较迟者为准）之日起180日后因意外伤害之外的原因被确诊初次

发生附加险合同约定的重大疾病，保险人按重大疾病保险金额给付保险金；重大疾病含终末期肾病（或称慢性肾功能衰竭尿毒症期）。

2019 年 3 月 29 日，杨某因病住院治疗，被诊断为终末期肾病。2020 年 4 月 14 日，杨某向保险南京支公司提交人身保险理赔申请书。同年 4 月 15 日，保险南京支公司作出通知书，认为杨某投保时未如实告知，依据保险法第十六条规定解除与杨某间的终身寿险（分红型）和重大疾病保险合同，退还全额保费，不承担上述保险合同保险金给付责任，保险合同终止。杨某不服，遂成讼。

【案件焦点】

保险事故发生在合同成立之日起二年内的，保险人是否受到二年不可抗辩期间的约束。

【法院裁判要旨】

江苏省南京市江宁区人民法院经审理认为：虽然杨某在投保时未能如实告知健康状况，但保险南京支公司至 2020 年 4 月 15 日才向杨某发出解除保险合同的通知，早已超过保险法规定的二年不可抗辩期间，故保险南京支公司不得解除保险合同。现杨某患有保险合同中约定的重大疾病，保险南京支公司应按合同约定给付杨某保险金 20 万元。

江苏省南京市江宁区人民法院依照《中华人民共和国保险法》第十六条第一款、第二款、第三款及第二十四条，作出如下判决：

保险南京支公司给付杨某重大疾病保险金 20 万元，于判决发生法律效力之日起 10 日内付清。

保险南京支公司不服，提起上诉。江苏省南京市中级人民法院经审理认为：案涉保险合同订立过程中，在保险南京支公司就杨某身体状况向投保人邹某询问时，邹某未如实告知杨某患有疾病，隐瞒的事实足以影响保险南京支公司决定是否同意承保或者提高保险费率，故保险南京支公司有权解除合同。《中华人民共和国保险法》第十六条第三款规定，前款规定的合同解除权，自保险人知道有解除事由之日起，超过三十日不行使而消灭。自合同成立之日起超过二年的，保险人不得解除合同；发生保险事故的，保险人应当承担赔偿或者给付保险金的责任。此处“自合同成立之日起超过二年的，保险人不得解除合同”，是指自合同成立之日起超过二年后新发生保险事故，保险人不得解除合同。案涉保险事故发生在合同成立之日起二年内，被保险人在二年后才申请理赔，不属于保险人不得解除合同的情形。杨某以其向保险南京支公司申请理赔时合同成立超过二年，保险南京支公司不得解除合同为由进行抗辩，系对保险法第十六条第三款规定的错误理解。杨某主张保险南京支公司丧失合同解除权，于法无据。

江苏省南京市中级人民法院依照《中华人民共和国保险法》第十六条第一款、第二款、第三款，《中华人民共和国民事诉讼法》（2017年修正）第一百七十条第一款第二项之规定，作出如下判决：

一、撤销一审判决；

二、驳回杨某的诉讼请求。

【法官后语】

我国保险法第十六条规定了投保人如实告知义务，其中第三款规定：“前款规定的合同解除权，自保险人知道有解除事由之日起，超过三十日不行使而消灭。自合同成立之日起超过二年的，保险人不得解除合同；发生保险事故的，保险人应当承担赔偿或者给付保险金的责任。”该条文就是保险法中关于不可抗辩期间的规定，体现了对被保险人利益的保护。

不可抗辩期间也称为不可争期间，是指自保险合同成立之日起满一定时期后，保险合同就成为不可争议的法律文件，进入不可争辩期间，保险人不得以投保人在订立合同时不履行如实告知义务为由主张解除合同。为了抑制投保人的投机取巧，防止其故意隐瞒危险情况，从而使保险人乃至所有诚信的投保人的利益受到损害，保险法设定了保险人的解除权，保险人可以在投保人故意或者因重大过失未履行如实告知义务，足以影响保险人决定是否同意承保或者提高保险费率的情形下解除合同。但是，如果允许保险人无限期享有解除权，也可能对其他保险活动当事人的利益产生损害。因此，保险法对不可抗辩期间加以规定，一旦保险合同成立二年后，保险人不得解除合同。

如果保险合同成立后二年内，保险事故已经发生，而被保险人或受益人拖至二年后才申请理赔，此时保险人知道有解除事由时，能否行使解除权？对此，虽然保险法第十六条第三款未作明确规定，但是从立法目的分析可以得出肯定的结论。第一，设立不可抗辩期间包含了一个前提，即如果保险合同成立二年后，仍然没有发生保险事故，则可以认定投保人的告知即使不实，也不足以影响保险人对危险的估计。因此，保险事故若发生在二年内，则可以推翻上述不可抗辩期间设立的前提。第二，设立不可抗辩期间的主要原因在于保护被保险人或受益人对长期性保险合同有效性的合理期待与信赖利益，免除其因时间过长而导致的举证困难。而当保险事故发生于二年内，一般不存在信赖利益受损或举证困难的情形，无须适用不可抗辩期间。第三，如果被保险人或受益人为阻碍保险人行使解除权，故意在保险合同订立二年后才通知保险人发生了保险事故，保险人因被保险人或受益人的恶意行为无法行使解除权而仍须给付保险金，此举无异于鼓励被保险人或受益人投机取巧，不仅对保险人不公平，也不符合保险法确立的最大诚信原则。据此，笔者认为，适用保险法第十六条第三款规定时，应作目的性限缩解释，即“自合同成立之日起超过二年的，保险人不得解除合同”是指自合同成立之日起超过二年后新发生保险事故，保险人不得解除合同。如果保险合同成立后二年内保险事故已经发生，被保险人或受益人二年后才去理赔，保险人解除合同不受不可抗辩期间的约束。

就本案而言，杨某的妻子邹某投保时，保险南京支公司询问了被保险人杨某的身体状况，而邹某和杨某隐瞒了杨某患病事实，没有履行如实告知义务。2019 年 3 月 29 日，杨某被确诊发生保险合同约定的重大疾病，此时距保险合同成立不足一年四个月，杨某并未及时通知保险南京支公司，而是等到保险合同成立二年后再提出索赔申请，意图使保险南京支公司丧失合同解除权而给付保险金。但案涉保险事故发生在合同成立之日起二年内，不属于保险法第十六条第三款规定的适用不可抗辩期间的情形。杨某抗辩保险南京支公司不得解除合同，于法无据，不应得到支持。

编写人：江苏省南京市中级人民法院　李剑

50

互联网投保保险人应尽到比线下更高的提示与明确说明义务

——杨某诉保险厦门分公司人身保险合同案

【案件基本信息】

1. 裁判书字号

福建省厦门市中级人民法院（2021）闽 02 民终 6389 号民事判决书

2. 案由：人身保险合同纠纷

3. 当事人

原告（被上诉人）：杨某

被告（上诉人）：保险厦门分公司

【基本案情】

2019 年 11 月 28 日，杨某通过保险厦门分公司运营的应用程序投保人身保险：保额 200 万元，保险期间 1 年，保险费为 1575 元，年免赔额 1 万元，给付比例为 100%。具体包括：（1）因疾病经医院诊断必须住院治疗的，住院期间发生的合理且必要的住院医疗费用；（2）在住院前或住院后 7 日内，因与该次住院治疗相同原因而发生的合理且必要的门诊医疗费。恶性肿瘤另有恶性肿瘤津贴保险金 1 万元。上述合同届满后，杨某在应用程序上点选“重新投保”并缴交 2020 年 11 月 29 日至 2021 年 11 月 28 日的相应保费 1712 元。电子保单中的签名均为电子签名。

2020 年 10 月 14 日，杨某在体检过程中被医师发现患有肝囊肿。10 月 18 日又因“上腹突然出现隐痛”到医院就诊。10 月 22 日以“反复头晕倦怠 2 年，上腹隐痛 5 天”为主诉住院治疗 14 天，现金支付医疗费 9702.66 元，未使用医保。入院记录载明："患者2年前开始出现劳累后头晕，听力下降，伴神疲乏力。就诊于当地医院，查血常规示贫血，未系统诊治，未见报告单。"出院诊断为："虚劳病、结肠恶性肿瘤、重度贫血、肝囊肿等。"随访指导为："至肿瘤科行化疗治疗。"2020年11月6日至2021年2月25日，杨某住院进行化疗9次。诊断结果为结肠肝曲中分化腺癌并腹盆腔转移、肺叶多发结节、肝多发囊肿、中度贫血，合计支出医疗费81702.66元。后杨某申请理赔，2021年1月15日保险厦门分公司作出《理赔决定通知书》，以投保前存在疾病病史，在投保时未如实告知为由告知杨某解除、终止保险合同，退还部分保费，拒绝赔偿并结案。同日，保险厦门分公司向杨某转账26799.26元，遂成讼。

关于案涉保险的线上投保流程，保险厦门分公司称该保险产品已下线，当庭使用应用程序就其自称与该产品相似的另一款保险产品进行投保过程演示：点击进入后有客户须知，需点击"我已知晓"后方可进入投保流程，点击"我要投保"后跳出健康告知页面，其中并没有"是否存在头晕"的字眼。健康告知共有6项，包含诸多疾病名称，但均未使用加黑、加粗等方式，页面最下端左侧为灰色的"部分是或全部是"，右侧为红色的"全部为否"，并未逐项要求投保人确认。疾病列表中并没有内分泌血液系统疾病，但有血液、淋巴结缔组织疾病，点进去后有数十个疾病名称，其中有一个项目为"贫血"，但仅包括"地中海贫血"一个子项目。若选择"全部为否"则进入支付环节，在支付页面中有"投保须知"等7个合同文本，须向上滑动到底端后选择"已完成全部阅读"才能进入支付页面，但并未设计最低阅读时间。

【案件焦点】

1. 保险厦门分公司是否就免责条款履行了明确说明义务；2. 杨某是否履行了如实告知义务。

【法院裁判要旨】

福建省厦门市思明区人民法院经审理认为：保险人依法有义务对免除保险人责任的条款作出足以引起投保人注意的提示，并向投保人明确说明保险合同。

本案保险人通过企业应用程序销售重疾险产品，却无法还原案涉保险产品的投保流程，应承担举证不能的不利后果。即便从其举证的所谓“类似”产品的投保流程来看，健康告知页面的询问内容并无“头晕”的字眼，询问内容中有关血液系统疾病仅包含再生障碍性贫血，且未对其作出扩张性解释。而且从投保页面设计来看，告知页面的文字内容字号较小、排列紧密，且未逐项分列的格式呈现，难以保证投保人充分阅读。“全部为否”按钮为红色，在整个页面最显眼夺目，一般人极易直接点击“全部为否”按钮进入下一步操作，“部分是或全部是”按钮为灰色底色，不仅不容易引起注意，而且容易让人误认为无法点击。保险人显然未尽到提示与明确说明义务。关于投保人的如实告知义务，应局限于针对保险人明确提出的问题，而且投保人的告知事项应是其明知或应知的。杨某虽曾有头晕及贫血的病史，但二者均属人体常见不适情形，与再生障碍性贫血这种因骨髓造血功能衰竭导致的严重疾病并不同。杨某作为普通人，对头晕及贫血未引起注意及重视并不违反常理，并且本案也未有证据证明杨某在投保前进行过相应的复查或治疗。同时，保险人并未证明头晕、贫血与杨某现所罹患的结肠肝曲中分化腺癌之间的必然联系，不能说明杨某出于故意或重大过失未履行如实告知义务，故保险人主张投保人及被保险人杨某对其健康信息未履行如实告知义务并据此单方解除保险合同，于法无据。被保险人在保险期间内经诊断为结肠肝曲中分化腺癌，属于重大疾病，依约构成保险事故，保险厦门分公司应当依照保险合同约定支付相应保险金。

福建省厦门市思明区人民法院依照《中华人民共和国保险法》第十四条、第十六条、第十七条，《最高人民法院关于适用〈中华人民共和国保险法〉若干问题的解释（二）》第六条、第十三条，《中华人民共和国民事诉讼法》第六十四条第一款的规定，判决：

一、保险厦门分公司于本判决生效之日起十日内向杨某支付保险金31990.6元；

二、驳回杨某的其他诉讼请求。

二审法院同意一审法院裁判意见。

【法官后语】

本案是一起比较典型的涉互联网人身保险案件。随着信息科技的快速发展，在线投保已在保险行业全面推广，与之相应，互联网保险纠纷多发，所涉的争议焦点主要是保险免赔条款的效力问题，实践中主要体现为保险人提示与明确说明义务以及投保人如实告知义务。

不同于传统线下业务，在线上投保阶段，保险公司工作人员或保险代理人不与投保人面对面，而是通过手机软件、互联网平台等与投保人沟通，甚至采用机器人自动应答。这固然降低了保险公司的人工成本，但核保人员难以全面获取投保人的信息，投保人知悉的效果也难以保证。在法律文本上，互联网保险业务也与传统方式差异巨大。投保人不填写纸质投保单，保险人也不签发纸质保险单，一方面，缺乏传统纸质材料真实可感等优势，另一方面，电子签名、材料送达等业务流程的证明也成为问题。

互联网作为一种技术工具，不应影响到对保险合同条款法律效力的评判。根据民法的公平原则，民事主体从事民事活动，应当遵循公平原则，合理确定各方的权利和义务。在保险这个双方能力悬殊的特殊场域，保险人通过互联网销售保险产品，履行提示、询问投保人以及明确说明的义务要求应当比传统线下更高、更规范，以平衡投保人在网络保险形式下投保的不利地位。根据原中国银保监会《关于规范互联网保险销售行为可回溯管理的通知》[1]，自2020年10月1日起，保险机构在自营网络平台上销售投保人为自然人的商业保险产品时，应当实施互联网保险销售行为可回溯管理。诉讼中，在投保人或者被保险人否认或质疑时，保险人应当举证证明包括保险销售在内的相关业务过程，相关过程应当是可以真实还原、回溯和再现的，否则应承担不利后果。

对保险合同中免除保险人责任的条款，保险人在订立合同时应当在投保单等保险凭证上作出足以引起投保人注意的提示，并对条款内容以书面或者口头形式向投保人作出明确说明。保险人依托自身旗下的手机应用软件，通过互联

---

① 载中国银行保险监督管理委员会网站，http://www.cbirc.gov.cn/cn/view/pages/ItemDetail.html?docId=912732&itemId=926，最后访问时间：2023年1月30日。

网的方式销售人身保险产品，应当通过可追溯的方式举证证明其已履行向投保人提示以及明确说明免责条款的法定义务，如果保险人未留存业务流程，无法举证证明其已尽到提示和说明免责条款义务的，应承担举证不能的不利后果。

在互联网保险高度发展的背景下，保险人履行提示与明确说明法定义务的方式，也是值得高度重视的问题。互联网保险的免赔条款均为电子条款，通过手机等电子显示终端狭小的屏幕呈现，效果远远不及传统书面合同。保险人作为金融服务提供者，有义务在传统纸质合同加粗、加黑、下划线等方式之外，通过网络投保界面、流程的设计、音视频效果的引入等多媒体的方式，对免除保险人责任的条款作出足以引起一般投保人注意的提示。

编写人：福建省厦门市思明区人民法院　林鸿

51

“疾病释义”条款是否属于保险合同免责条款的司法认定

——温某诉保险广东分公司人身保险合同案

【案件基本信息】

1. 裁判书字号

广东省广州市中级人民法院（2021）粤01民终12850号民事判决书

2. 案由：人身保险合同纠纷

3. 当事人

原告（上诉人）：温某

被告（被上诉人）：保险广东分公司

【基本案情】

温某与保险广东分公司签订《重大疾病保险合同》，合同生效日期为2019

年10月18日，基本保额为200000元。其中第1.3.8条“轻症疾病保险金”中约定，被保险人在等待期以后经认可的医院确诊初次患上一种或多种本合同约定的轻症疾病，保险公司将按本合同基本保额的一定比例向受益人给付轻症疾病保险金；第10.1.26条“轻症疾病”中对“腔静脉过滤器植入术”的释义为“腔静脉过滤器植入术指经认可医院的专科医生证明有反复肺栓塞发作及抗凝治疗无效而必须接受手术植入腔静脉过滤器”，该释义内容无加黑、加粗等突出显示。

2020年2月5日，温某因“左下肢浮肿2天”住院治疗，经诊断为左下肢深静脉血栓形成、早期妊娠—孕8周。医院于当天发出《病危、病重通知》，其中记载“患者孕约8周，现发现左下肢深静脉血栓，需抗凝治疗，但考虑患者妊娠特殊情况，告知家属暂不宜溶栓及滤器植入，可能导致肺栓塞风险，进而危及生命”。2020年2月6日，温某转至另一家医院住院治疗。该院认为温某存在手术指征，可能出现急性肺栓塞等并发症，经过沟通解释后，温某表示放弃胎儿，积极进行手术治疗。该院遂于次日行“下腔静脉造影术+左髂静脉造影术+左下肢静脉造影术+下腔静脉滤器植入术+置管溶栓术”。

温某于2020年3月19日向保险广东分公司提出理赔申请，保险广东分公司以“本次申请不符合《重大疾病保险条款》约定的保险金给付条件”为由，拒绝赔付保险金，遂成讼。

【案件焦点】

1.“腔静脉过滤器植入术”的释义是否属于“免责条款”；2. 如是，保险广东分公司是否应向温某支付保险金并豁免确诊之日后各期保险费。

【法院裁判要旨】

广东省广州市越秀区人民法院经审理认为：温某依据保险合同第10.1.26条“腔静脉过滤器植入术”向保险广东分公司提出理赔申请，但根据疾病释义，“腔静脉过滤器植入术指经认可医院的专科医生证明有反复肺栓塞发作及抗凝治疗无效而必须接受手术植入腔静脉过滤器”。温某于住院治疗期间接受的“下腔静脉滤器植入术”不符合合同约定的疾病释义，因此，其理赔申请不符合约定的保险金给付条件。

广东省广州市越秀区人民法院依照《中华人民共和国民法典》第五百零九条、《中华人民共和国民事诉讼法》第六十四条第一款之规定，判决：

驳回温某的全部诉讼请求。

温某不服，提起上诉。广东省广州市中级人民法院经审理认为：根据重大疾病保险条款的约定，“腔静脉过滤器植入术”属于保险广东分公司承保的轻症疾病范围。该保险条款的疾病释义将“腔静脉过滤器植入术”限定为反复肺栓塞发作及抗凝治疗无效而实施该手术才可予以理赔，极大地限缩了该种疾病的理赔范围。

肺栓塞属于致死率很高的疾病，温某接受手术植入腔静脉过滤器具有必要性和正当性。案涉保险条款的疾病释义条款极大地限缩了腔静脉过滤器植入术的临床应用范围，背离了一般人的通常认知和通行的诊疗标准，实际免除或者减轻了保险人的保险责任，应视为免责条款。保险广东分公司应就此向投保人履行提示说明义务。然而，案涉保险合同仅将上述疾病释义条款作为普通保险条款订立于保险合同中，且未突出显示，不足以引起投保人注意，保险广东分公司也未就该定义的概念、内容和法律后果对投保人作出常人能够理解的解释和说明。故上述疾病释义条款不成为保险合同的内容，对温某不发生效力。

综上，温某接受的“腔静脉过滤器植入术”属于保险合同约定的轻症疾病，保险广东分公司应当给付保险金。同时，根据保险合同约定，温某要求豁免确诊日后余下各期保险费并退还确诊日后已交纳的第二期保险费具有合同依据，予以支持。

广东省广州市中级人民法院依照《中华人民共和国民法典》第四百九十六条，《中华人民共和国保险法》第十四条、第二十三条，《最高人民法院关于适用〈中华人民共和国保险法〉若干问题的解释（二）》第九条，《最高人民法院关于适用〈中华人民共和国民法典〉时间效力的若干规定》第九条，《中华人民共和国民事诉讼法》第一百七十条第一款第二项规定，判决如下：

一、撤销一审判决；

二、在本判决发生法律效力之日起五日内，保险广东分公司向温某支付保险金 70000 元；

三、保险广东分公司豁免温某 2020 年 2 月 7 日后的各期保险费；

四、在本判决发生法律效力之日起五日内，保险广东分公司向温某退还保险费 5350 元。

【法官后语】

1. “疾病释义”是否符合一般公众的通常认知和合理期待

“重大疾病”并不是具体的病种，也非医学上的专门术语，一般公众理解的重大疾病是指对被保险人健康及生活构成重大影响的疾病。但是保险人的通行做法是将某些特定的重大疾病约定为承保范围，并且保险人会对这些疾病确立一定的标准，只有达到这样的标准时才会被认定为“合同约定的重大疾病”，否则即使被保险人所患疾病属于该种疾病，保险人亦不予理赔。保险人通过“疾病释义”事实上限缩了保险范围，减轻、免除了保险人责任，使被保险人实际上无法获得应有的保障，有关的疾病保险条款成为“保死不保生”的“僵尸条款”，为消费者所诟病，这并不符合投保人投保的真实意图和一般公众的合理期待。

合理期待原则是一种事后救济制度，该原则要求法院以理性为准绳，对被保险人有可能对保险合同的合理预料进行自由心证，如果被保险人的合理内心期待与保险内容不符，则法院可以超越保险合同条款作出有利于被保险人一方的判决。由此可见，较之司法实践中常用的不利解释原则，合理期待原则更倾向于对弱势地位投保人或被保险人的保护，这也符合保险法、民法典的立法原则和立法目的。

2. “疾病释义”是否符合通行的诊疗标准

“疾病释义”条款应尽可能符合保险业监管机构的强制要求。保险公司拟定医疗保险产品条款，应当尊重被保险人接受合理医疗服务的权利，不得在条款中设置违背一般医学标准的要求作为给付保险金的条件。保险公司确定的疾病诊断标准应当符合通行的医学诊断标准，并考虑到医疗技术条件发展的趋势。

保险公司为了控制风险，在通行的诊疗标准内，对疾病所作的限定治疗方式或限定发生部位，应认定为限制被保险人获得理赔的权利，免除自己的保险责任。值得注意的是，司法实践中对于是否支持被保险人获取理赔也存在不同的观点。因此，建议保险业监管机构建立起多元化的行业规范，提升处理重大疾病保险合同的规范能力①，同时引导保险行业协会制定专门性的处理重疾险合同纠纷的规范，为司法实践提供明细、有效的判定准则，以便统一裁量尺度。

3. 对属于免责条款的“疾病释义”应履行提示说明义务

“疾病释义”作为免责条款，对于投保人而言，其理解难点包括“疾病”和“保险”两方面内容。保险人一般仅考虑到“保险”的提示说明，忽略了“疾病”的提示说明。我国保险法及相关司法解释规定了保险人说明义务的适用范围为实质上免除或减轻责任的条款，不局限于形式上的免责条款。保险人应当主动就保险条款的内容对投保人进行说明，说明的范围应包括具有责任免除内容的“其他条款”，以期让投保人充分了解其所投保的重大疾病保险的责任范围等重要事项，并在此基础上作出真实的投保意思表示。否则，有关的“疾病释义”条款不能成为保险合同的内容，对投保人不发生效力，保险公司不能据此主张免除赔偿责任。

编写人：广东省广州市中级人民法院　李杰

广东省广州市白云区人民法院　段静楠

① 王段娜：《我国重大疾病保险问题研究》，载《河北金融》2015年第4期。

52

健康保险合同中保险责任条款所载“初次患病”的司法认定

——尤某诉保险无锡分公司、保险总公司健康保险合同案

【案件基本信息】

1. 裁判书字号

江苏省无锡市中级人民法院（2021）苏02民终4328号民事判决书

2. 案由：健康保险合同纠纷

3. 当事人

原告（上诉人）：尤某

被告（被上诉人）：保险无锡分公司、保险总公司

【基本案情】

2008年，尤某被诊断为肝内多发血管瘤。2018年，王某为妻子尤某投保了重大疾病保险，其中一项保险责任约定为“在合同约定期间内初次患合同所列的轻症疾病，保险公司将额外按保险金额的25%给付轻症疾病保险金并豁免相应保费”。合同约定的轻症疾病保险金理赔条件之一为肝脏手术，具体为“为治疗肝脏肿瘤、肝内胆管结石、肝脓肿、肝包虫病等疾病而实际实施的肝脏部分切除术”，并明确对于被保险人在合同生效日前出现的合同所列的疾病之症状体征或所患的疾病，保险公司不承担保险责任。

2020年7月，尤某在上海某医院做了“右半肝切除+胆囊切除”手术，术前、术后均诊断为肝血管瘤。2020年8月，尤某以其符合“肝脏手术”轻症标准向保险总公司理赔，保险总公司以尤某在投保前已患有肝血管瘤疾病，不属

于保险期内初次患病的情形，不在保险责任范围内为由拒赔。尤某遂起诉要求保险无锡分公司、保险总公司赔偿轻症疾病保险金62500元及豁免相应保费。

【案件焦点】

1. 投保时王某有无履行如实告知义务；2. 保险无锡分公司作为拒赔理由主张的保险责任条款所载“初次患病”应如何理解。

【法院裁判要旨】

江苏省无锡市梁溪区人民法院经审理认为：关于保险无锡分公司以“不是保险事故”为由拒赔的问题。按照案涉保险条款的文义解释，合同生效前的病症不属于保险责任。条款中又以明显加粗、放大字体再次提示“对于被保险人在本附加合同生效日前出现的本附加合同所列的疾病之症状体征或所患的疾病，我们不承担保险责任”。而保险事故是指保险合同约定的保险责任范围内的事故，尤某在保险合同生效前就患有肝血管瘤疾病，不属于上述保险的保险责任范围，即不构成保险事故。保险制度的功能在于对未知风险的防范，被保险人尤某在本案保险合同签订前已患有疾病，不符合保险制度的保险功能。

江苏省无锡市梁溪区人民法院依照《中华人民共和国保险法》第二条、第十六条，《最高人民法院关于适用〈中华人民共和国保险法〉若干问题的解释（二）》第八条规定，判决如下：

驳回尤某的全部诉讼请求。

尤某不服一审判决，提起上诉。江苏省无锡市中级人民法院经审理认为：对重大疾病保险约定的保险责任范围中“初次患合同所列轻症疾病”的认定，应结合保险条款关于保险责任、初次患病条件以及合同所列相关轻症疾病诊断标准来综合理解。反之，对于排除在保险责任范围以外的非初次患病，亦应结合上述条款认定，即投保前所患疾病之症状体征或所患疾病只有符合保险条款中保险责任条款所列相关轻症疾病诊断标准的情况下，保险公司才能以“不是初次患病”为由拒赔。本案中，尤某陈述十年前已经患有肝血管瘤，但是该疾病并不符合案涉重大疾病保险中保险责任条款所载“初次患合同所列轻症疾病”的标准，直至尤某于2020年7月在上海某医院做了“右半肝切除+胆囊切除”手术，此时尤某才符合保险条款中轻症疾病所列的“肝脏手术”，保险无锡分公司在案涉保险中轻症疾病保险金给付及豁免保费的条件已经成就。尤某与保险无锡分公司对投保人王某在投保时是否就尤某患病的事实如实告知存在争议，但即便投保人王某未履行如实告知义务，保险无锡分公司也没有在知晓投保前尤某已患肝血管瘤事实后三十日内或者保险合同成立后二年内行使合同解除权。现保险无锡分公司在未行使合同解除权的情况下，仅以投保时存在重大过失未履行如实告知义务主张不承担保险责任，不予支持，保险无锡分公司应当赔偿尤某轻症疾病保险金62500元及豁免相应保费。

江苏省无锡市中级人民法院依照《中华人民共和国保险法》第二条、第十六条，《最高人民法院关于适用〈中华人民共和国保险法〉若干问题的解释（二）》第八条，《中华人民共和国民法典》第七十四条之规定，判决如下：

一、撤销一审判决；

二、保险无锡分公司向尤某给付轻症疾病保险金62500元并豁免相应保费；

三、对前述第二项债务，保险无锡分公司管理的财产不足以承担的，由保险总公司承担。

【法官后语】

投保人要求保险人赔偿或者给付保险金，法院应当先审查保险条款关于保险责任范围的具体约定，以确定事故是否属于保险责任范围。事故不属于保险责任范围的，无需审查事故是否属于免责范围以及相关免责条款的效力。重大疾病险一般都将“初次患病”作为确定保险责任范围的重要标准，而既往症则理应排除在保险责任范围之外，虽然保险合同中一般会用“免除责任”的措辞，但该条款并非免责条款，而是保险责任范围的反向描述。司法实践中，对既往症的判定，关系着被保险人是否带病投保的认定，也是未来被保险人能否以“初次患病”获得理赔的前提。

对重大疾病险约定的保险责任范围中“初次患合同所列轻症疾病”的司法认定，应从以下两方面进行综合审查：

第一，应结合保险条款关于保险责任、初次患病条件以及合同所列相关轻症疾病诊断标准来综合理解。反之，对于排除在保险责任范围以外的非初次患病，亦应结合上述条款认定。既往症状为“初次患病”的反向描述，判定标准应当是一致的，即投保前所患疾病应与“初次患病”采用同样认定标准。只有在投保前所患疾病之症状体征或所患疾病符合保险条款中保险责任条款所列相关轻症疾病诊断标准的情况下，保险公司才能以“不是初次患病”为由拒赔。否则，就是随意扩大既往症范围，限缩保险责任范围。本案中，尤某投保前已患有的肝血管瘤疾病不符合“初次患合同所列轻症疾病”的标准，直至尤某做了“右半肝切除+胆囊切除”手术才符合轻症疾病所列的“肝脏手术”，轻症疾病保险金给付及豁免保费的条件已经成就。本案二审判决以合同约定轻症疾病的标准来解释“被保险人在合同生效日前出现的合同所列的疾病之症状体征或所患的疾病”，显然更符合合理期待原则。

第二，在未行使合同解除权的情况下，保险公司不能以投保时存在重大过失未履行既往病症如实告知义务为由拒赔。投保人投保时未履行如实告知义务，保险公司对应的权利为合同解除权，如果保险公司没有行使合同解除权，那么保险公司不能以投保人投保时没有履行如实告知义务为由拒赔。《最高人民法院关于适用〈中华人民共和国保险法〉若干问题的解释（二）》第八条规定，“保险人未行使合同解除权，直接以存在保险法第十六条第四款、第五款规定的情形为由拒绝赔偿的，人民法院不予支持。但当事人就拒绝赔偿事宜及保险合同存续另行达成一致的情况除外”。本案中，即便投保人未履行既往症的如实告知义务，但保险公司并未在知晓投保前尤某已经患肝血管瘤事实后三十日内或者保险合同成立后二年内行使合同解除权。在未行使合同解除权的情况下，保险公司不能仅以投保时存在重大过失未履行如实告知义务为由拒赔。

编写人：江苏省无锡市中级人民法院　陈迪金　刘英

53

商业护理险“长期护理状态”的司法认定

——顾某诉保险公司保险合同案

【案件基本信息】

1. 裁判书字号

上海金融法院（2021）沪74民终717号民事判决书

2. 案由：保险合同纠纷

3. 当事人

原告（被上诉人）：顾某

被告（上诉人）：保险公司

【基本案情】

2015年8月14日，原告向被告购买《和谐安赢财富计划（至尊版）》的保险产品，投保人、被保险人为原告，该产品由主险和谐安赢一号护理保险、和谐附加财富一号护理保险（万能型）等组成，生效日为2015年8月15日。主险条款2.3条约定，在本合同有效期内，被保险人因意外伤害导致进入符合本合同约定的长期护理状态，并在观察期结束后仍处于长期护理状态的，保险人将在观察期结束后，给付意外护理保险金。7.4条约定，“长期护理状态”指经相关专科医师（“医师”加粗、加黑）明确诊断或其他依法具有鉴定资格的机构明确鉴定被保险人丧失独立完成以下六项日常生活活动中的三项或三项以上活动的能力：（1）步行：是指室内从房间到房间之间的平地行走；（2）进食：是指在食物已经准备好的情况下，自己进食；（3）更衣：是指穿衣、脱衣、扣紧或解开所穿衣物的能力，包括脱穿吊带、脱戴假肢及其他医疗辅助器具；（4）洗澡：是指沐浴或淋浴（包括自行出入浴缸或冲淋房）或以任何其他方式清洗身体；（5）如厕：是指自行使用厕所和控制大小便，需要时可以通过使用保护性衣物或医疗辅助器具协助如厕动作；（6）移动：是指自床上移动至座椅或轮椅或替代器械上。7.5条约定，“观察期”是指被保险人被明确诊断或被明确鉴定符合“长期护理状态”后连续的180天。7.20条约定，医师是指在医院内行医并拥有处方权及诊断权的、国家认可的具有主任级专业技术资格的医师。

2019年8月8日，原告因摔倒后右髋关节肿胀疼痛伴活动受限3.5小时前往医院住院治疗，主治医生为冯医生。同年8月20日出院，出院诊断“右股骨粗隆下骨折”“患处可活动”；出院后用药及建议医嘱“需要长期护理并康复训练”。之后至2020年3月原告多次前往医院复查，主治医生均为冯医生。2020年11月12日，冯医生出具病历：从骨折发生至骨折愈合的期间，符合合同7.4条中（1）（3）（4）（5）项。审理中，冯医生就前述诊断出庭作证。冯医生系副主任医师。

原告认为，其大腿骨折后无法正常行走，亦无法完成更衣、洗澡、如厕等生活活动，医生明确需要长期护理状态，并已提供医生诊断、报告等材料，被告拒赔无理，要求被告赔付长期护理险保险金。

被告保险公司辩称：原告不符合合同约定的长期护理状态，其在伤后及伤后的一段时期内，并不影响其完成更衣、洗澡、如厕的日常生活活动，原告的骨折在身体机能上不是永久性损伤，长期护理状态应对应持续性和永久性损伤；《出院小结》中的“需要长期护理并康复训练”是医嘱，而非对疾病和身体状态的诊断；因冯医生并非“主任级”医师，故其诊断不属于合同约定的有效诊断，而且医生出庭作证的观点属于主观臆测，法院应委托鉴定机构进行鉴定。

【案件焦点】

原告是否符合主险约定的“长期护理状态”。

【法院裁判要旨】

上海市浦东新区人民法院经审理认为：原告经其主治医生诊断，符合主险条款约定的“长期护理状态”，被告则认为主治医生系“副主任医师”，不属于合同约定的主任医师，其诊断属于主观臆测，不能作为保险事故的认定依据，应委托鉴定机构进行鉴定。涉案主险条款约定，相应诊断应由“主任级专业技术资格的医师”作出，就该表述的理解，被告认为，仅指“主任医师”；原告认为，主任级应指“主任级别”，主任医师和副主任医师都是主任级别医师；其主治医生也认为，其已系高级专业技术职务，在医院里，主任、副主任医师应该都属于“主任级别”。对此，双方对条款表述的理解各有道理，因条款系保险人提供的格式条款，对条款有两种以上解释的，应当作出有利于被保险人的解释，故采信原告的解释。原告提供专业医生的诊断，符合合同约定的形式，被告对该诊断未能提供反证，对其鉴定申请不予准许，原告符合主险约定的“长期护理状态”。

上海市浦东新区人民法院依照《中华人民共和国保险法》第二条、第三十条之规定，判决如下：

被告保险公司应于本判决生效之日起十日内支付原告顾某保险金78505.86元。

二审法院同意一审法院裁判意见。

【法官后语】

本案系因当事人对商业护理险中“长期护理状态”的认定产生分歧而引发的纠纷。本案判决认为，保险条款对于“长期护理状态”的约定与专业意义不尽相符，缺乏具体明确的专业认定标准的，应立足于保险条款本身的约定，若被保险人提供的证据基本符合条款的约定，应认定其已尽到初步举证，举证责任转移至保险人，保险人未提出反证的，应予赔付。

1. 长期护理状态的评价标准

长期护理是指个体由于意外、疾病或衰弱导致身体或精神受损而致使日常生活不能自理，在一个较长的时期里，需要他人在医疗、日常生活或社会活动中给予广泛帮助。[①] 该状态的长期性要求被保险人通常需要他人照顾60天以上，但不要求被保险人的状态或造成的损伤是永久性的。长期护理保险即当被保险人进入长期护理状态时，可以获得生活照料和医疗护理方面的服务或经济补偿的健康保险。长期护理状态的认定，是给付保险金或服务的前提条件。

我国长期护理保险分为政府主导的基本社会保险和商业护理险，目前两类保险均未形成统一权威的长期护理状态的评价标准。

作为基本社会保险的长期护理保险目前处于试点阶段，大部分试点城市将日常生活能力细化为若干项，每一项进一步细分不同具体情形，并对应不同得分，最终可计算分值对应不同等级。例如，《上海市老年照护统一需求评估及服务管理办法》[②] 单独制定上海市老年照护统一需求评估标准，评估等级由自理能力和疾病轻重两个维度的得分值决定，两个维度进一步细化若干分项，每一分项再设定相应权重，最终亦可计算出分值，划分等级。另外，公安部制定的《人身损害护理依赖程度评定》[③] 亦采取基本类似的评定标准。

我国目前在售的商业护理险大部分仅选用基本日常生活能力评定的六项能力（步行、进食、更衣、洗澡、如厕、移动）作为评定标准。本案保险产品即参照该标准，但保险条款仅是对六项日常生活活动能力作了释义，未进一步细化评价细则，更无量化标准。如此“简单粗暴”的约定导致在认定长期护理状态时缺乏相对客观明确的标准，只能按照对条款的通常理解进行“简单粗暴”的判断，亦成为双方当事人的争议焦点。

---

① 荆涛、阎波、万里虹：《长期护理保险的概念界定》，载《保险研究》2005年第11期。

② 《上海市老年照护统一需求评估及服务管理办法》，载上海市人民政府网站，https：//www.shanghai.gov.cn/nw12344/20221223/c6ca33b52fbd41098e375cf6c69df99d.html，最后访问时间：2023年3月22日。

③ 《人身损害护理依赖程度评定》（GB/T 31147-2014），载全国标准信息公共服务平台网站，https：//std.samr.gov.cn/gb/search/gbDetailed? id=71F772D80740D3A7E05397BE0A0AB82A，最后访问时间：2023年3月22日。

2. 商业护理险长期护理状态的认定方式

涉案保险合同约定，保险人被明确诊断或明确鉴定符合“长期护理状态”后连续的90天或180天仍处于长期护理状态的，为给付护理保险金的条件，并明确，申请护理保险金，需提供医院或保险人认可的其他医疗机构的专科医生出具的护理状态的诊断证明，或司法鉴定机构出具的护理状态的鉴定结果。据此，保险合同认可的方式包括专科医师诊断和司法鉴定。

（1）专科医师诊断

保险条款对医师身份作了限制，其中主险要求医师为“具有主任级专业技术资格的医师”。“专科医师”系医学专业术语，因保险条款系保险人拟定，属格式条款，其对非保险术语所作的解释应具有确定性，如有歧义且产生了两种以上合理解释，则应适用疑义利益解释原则，作出对被保险人有利的解释，本案即采信原告之解释。

（2）司法鉴定

审判实践中，关于此类专业状态的认定，通常采取司法鉴定方式。一方面，医师诊断通常1名医生即可决定，鉴定则通常要求2名甚至以上的鉴定人员，鉴定程序规则似乎对结论的准确公正性更有保障，如有的保险条款约定“若本合同任何一方对长期护理状态的诊断结果有异议，则以司法鉴定机构的鉴定结果为准”；另一方面，医生等专业人员作为个人，通常仅同意就医疗诊断本身出具病历，而不便作出与保险条款相关的评价。因此，通常情况下，保险人提出鉴定申请，被保险人一般也不具备阻却鉴定的条件，法院通常启动鉴定程序，由专业机构作出结论。

3. 长期护理状态的举证责任分配

对保险合同认可的两种认定方式，原告已提供专科医师诊断，被告则要求启动鉴定程序，此时需结合双方的举证责任进行分析。

《中华人民共和国保险法》第二十二条规定：“保险事故发生后，按照保险合同请求保险人赔偿或者给付保险金时，投保人、被保险人或者受益人应当向保险人提供其所能提供的与确认保险事故的性质、原因、损失程度等有关的证明和资料……”该条所规定的索赔方的举证责任不是一种绝对的举证责任，必须界定于“所能提供”的范围内，被保险人作为普通民众，仅需承担与其举证能力相适应的证明责任。

本案中，因保险条款关于“长期护理状态”的约定缺乏具体明确的认定标准，与专业术语的认定标准不尽一致。笔者认为，此种情况下，医生仅需依据条款本身进行判断。原告自事故发生后一直由同一名医生治疗，医生经过多次、连贯的检验检查后作出诊断，并出庭接受询问，确认根据保险条款的释义，原告无法独立完成步行、更衣、洗澡、如厕四项日常活动，同时对每一项活动基本能够作出具体合理的解释，可予认定原告已尽到初步举证责任。

此时，被告保险公司对索赔请求权进行抗辩，则相应的举证责任转移至保险公司。本案是否需要启动鉴定程序，需要综合考虑。首先，根据《最高人民法院关于人民法院民事诉讼中委托鉴定审查工作若干问题的规定》第一条规定，通过法庭调查、勘验等方法可以查明的事实，人民法院不予委托鉴定。本案中，委托鉴定并非保险合同约定的认定“长期护理状态”的唯一途径，原告已经提供基本符合约定的诊断，初步证明其符合长期护理状态，在被告未能提供证据证明医师诊断存在错误的情形下，原告有权拒绝鉴定。因此，被告的鉴定请求不符合必要性要求。退一步讲，即使法院委托鉴定，双方就鉴定标准无法达成一致，鉴定程序难以启动，且其原因系被告提供的格式条款有所欠缺，不可归责于原告，仍应由被告承担无法鉴定的不利后果。

编写人：上海市浦东新区人民法院　徐秋子　叶聪颖

54

投保人如实告知义务应以保险人询问及最大诚信原则为限

——汪某诉保险公司人身保险合同案

【案件基本信息】

1. 裁判书字号

广东省广州市中级人民法院（2021）粤 01 民终 29956 号民事裁定书

2. 案由：人身保险合同纠纷

3. 当事人

原告（被上诉人）：汪某

被告（上诉人）：保险公司

【基本案情】

2019 年 10 月 23 日，汪某（作为投保人）与保险公司（作为保险人）签订《百万医疗保险计划》，保险合同载明：被保险人汪某，保险期间自 2019 年 10 月 24 日 0 时起至 2020 年 10 月 23 日 24 时止，保险责任包括一般医疗保险金（赔偿保额 100 万元）、重大疾病医疗保险金（赔偿保额 100 万元）、恶性肿瘤医疗住院津贴（赔偿保额为 18000 元）、意外身故（赔偿保额为 20000 元），特别约定包括重大疾病医疗及恶性肿瘤住院津贴无免赔额。保险公司对汪某进行智能核保：针对疾病 1. 女性生殖类系统疾病（卵巢、子宫等），汪某告知“子宫肌瘤”；是否已行子宫全切、次全切、子宫肌瘤剔除术 2 年以上，汪某回复“是”；病理报告是否显示为良性，汪某回复“是”；针对疾病 2. 血液、淋巴、结缔组织疾病与免疫系统疾病，汪某告知“贫血”；是否明确为再生障碍性贫血、溶血性贫血，汪某回复“否”；是否继发于其他疾病，或病因不明的贫血，汪某回复“否”；是否仅有轻度贫血，且无症状、无后遗症，汪某回复“是”。智能核保结论为汪某可以正常投保该产品。

2020年7月7日，汪某确诊为乳腺癌，住院治疗共计支付医疗费56378.09元，其中医保报销26220.79元、汪某自行支付30157.3元。后汪某就上述自付医疗费用向保险公司提出理赔，该公司以汪某未如实告知为由解除合同并拒绝理赔。汪某遂诉至法院，请求判令保险公司依照保险合同约定理赔并继续履行双方签订的人身保险合同。

【案件焦点】

1. 投保人如实告知的内容是否应该严格遵循保险人的询问，并以询问为其义务之源；2. 在我国现有规定下，对于保险人未询问的事项投保人是否承担如实告知义务。

【法院裁判要旨】

广东省广州市番禺区人民法院经审理认为：投保人的如实告知义务，应以保险人“询问”及投保人“明知”为限。首先，投保人如实告知系投保人为了协助保险人搜集相关重要信息，以弥补信息的不对称，但保险人不得将搜集风险评估有关的信息完全施加于投保人，保险人仍应当承担信息搜集、审查及风险评估的义务，该义务并不因投保人承担如实告知义务而免除。本案中，结合保险公司提供的投保须知，保险公司并未将“卵巢脓肿”或“卵巢囊肿”列入具体询问的疾病或列明的症状。根据智能核保结论，汪某在投保时已主动告知存在子宫肌瘤的情况，该次住院期间汪某已行“腹腔镜下盆腔黏连松解+右侧输卵管部分切除+右侧卵巢囊肿剔除+子宫肌瘤剔除术”，保险公司作为谨慎而专业的经营机构，在投保人提供了明确的核实线索且具备调取住院病案条件的情况下，应当予以核实，但保险公司既未自行调取材料予以核实，也未对此作进一步询问确认是否有报告不完全的情况，亦未要求汪某提供相关病历材料，即作出承保决定，在保险事故发生后再以汪某未如实告知为由解除合同、拒绝赔偿，有违公平原则。其次，汪某是否存在明知而未告知的情形应从主观、客观两方面进行考察。主观方面，“卵巢脓肿”与“卵巢囊肿”从名称上来看虽然极为相似，但均属于专业术语且非公众日常生活中经常使用的术语。“卵巢脓肿”与“卵巢囊肿”是否为同一种疾病，不为普通公众所认知，不应苛责投保人在投保时即将“卵巢脓肿”主动告知为“卵巢囊肿”一项。而且，良性肿瘤及恶性肿瘤均属于医学专业术语，“卵巢脓肿”是否为良性肿瘤之一，作为一般民众亦不具备专业能力进行区分。因此，从主观上看汪某不存在明知而故意不告知的情形。客观方面，从智能核保结论来看，即使汪某告知其曾患有“卵巢囊肿”，保险公司亦未以此拒绝建立保险关系，故无论汪某是否告知其曾患有“卵巢脓肿”均不影响保险公司承保。综上，汪某并不存在未如实告知的情形，保险公司以此为由拒绝赔偿缺乏依据，不予支持。汪某个人支出医疗费30157.3元，且共住院20天，汪某主张保险公司赔付医疗费用保险金30157.3元及住院津贴保险金2000元，合法合理，应予支持。

关于保险合同是否应当继续履行，保险公司是否需要承担续保责任的问题。如上所述，汪某并不存在未如实告知的情形，保险公司据此解除保险合同缺乏依据，法院不予支持。但双方于2019年10月23日签订的系保险期限仅为一年的短期保险合同，即使保险公司未提前解除合同，该保险合同也已因合同期限届满而终止，汪某未在该合同终止前向保险公司申请续保，故汪某请求继续履行合同并由保险公司承担续保责任，缺乏事实和法律依据，不予支持。

广东省广州市番禺区人民法院依照《最高人民法院关于适用〈中华人民共和国民法典〉时间效力的若干规定》第一条第二款，《中华人民共和国保险法》第十一条、第十四条、第十六条之规定，作出如下判决：

一、保险公司于本判决发生法律效力之日起五日内向汪某赔付医疗费用保险金30157.3元及住院津贴保险金2000元；

二、驳回汪某的其余诉讼请求。

保险公司不服一审判决，提起上诉，后未在规定期间内预交二审案件受理费。广东省广州市中级人民法院依照《中华人民共和国民事诉讼法》第一百五十四条第一款第十一项规定，裁定如下：

本案按保险公司自动撤回上诉处理。一审判决自本裁定送达之日起发生法律效力。

【法官后语】

本案立足保险告知义务制度，在充分尊重保险商事活动的经济规律和实践要求的基础上进行司法裁量，明确投保人在告知义务制度中承担的范围界限，维护了投保人的合法权益。

1. 如实告知义务的法理依据

如实告知义务的实质是法律对当事人在订立保险合同阶段权利义务关系进行介入，以平衡双方的利益，同时尽可能使之符合经济成本要求。因此，在最大诚信原则指导下的如实告知义务，要求投保人主观上为善意，并以最善意的方式行使权利和履行告知义务，同时对当事人主观恶意下的不实告知行为，法律严格明确了归责原则。在最大诚信原则的规范下，投保人在订立合同阶段应当如实告知保险人保险标的的风险，使得保险人正确评估保费的增减，最终实现并约束当事人以最善意的方式行使权利、履行义务，从而确保合同的真实有效性，有效预防保险领域的不诚信行为，保护投保人与保险人的合法权益，达到维护保险市场良好秩序的目的。

2. 投保人如实告知义务的界限

(1) 投保人以保险人询问承担有限的告知义务

投保人如实告知的范围应限于保险人书面询问时列举的事项，只有保险人表述明确，且询问有清晰的边界，才能作为投保人如实告知的约束。若保险人的询问含糊其辞，不能明确，则投保人对此询问不负如实告知的义务。投保人法定的如实告知义务仅限于保险人明确询问的讯息，保险人作为具有专业知识的人员，对保险单所载明的问题以及询问的事项应该有自己准确的判断，不应要求投保人对其未涵盖的事项进行告知，投保人只需如实告知保险单内约定的有关事项即可。即使某种因素对保险人是否订立保险合同有重大影响，只要保险人未进行询问，投保人没有告知也不构成对如实告知义务的违反，保险人应当对其在设计询问事项上的疏漏承担不利后果。

（2）以最大诚信原则为限判断投保人是否存在过错

判断投保人是否存在过错以及过错程度如何的核心为投保人对于投保单中所询问事项的知晓程度，即明知、应知还是不应知。以最大诚信原则为指导，当事人在诉讼中能够通过这一相对客观的判断标准，减轻其举证的负担从而提高裁判的可期待程度。如果投保人被期待知道某个事项而实际上却不知道，导致其对保险人未告知或者进行了不实告知的情况，应该属于过失的范畴；如果投保人不知道该事项，并且也不能被期待知晓该事项，那么投保人就没有过错。一般而言，判断投保人是否具有故意的主观心态，主要是依据在客观方面上，投保人明知某重要事项，但却选择向保险人隐瞒，或者向保险人虚假陈述。因此，在保险人能够证明投保人应当知道某个事项的前提下，投保人因为事实上不知道，导致未告知保险人或者作不实告知的，应当推定投保人存在故意。如果投保人想反对其主观上存在故意的认定，声明自己在告知时没有过错，或仅存在过失，其应当就自己的主张承担举证责任。保险人以投保人不实告知，违反其应尽义务为由，对投保人提出抗辩，主张解除保险合同或者拒付保险金的，保险人应当负有举证责任。如投保人在告知中提供了足够明确的材料线索，投保人可合理认为保险人作为专业的保险从业人员，已对其在告知中提供的材料线索进行了核实从而作出同意承保的决定，此情形下保险事故发生的，获得保险赔偿符合投保人的合理期待。

编写人：广东省广州市番禺区人民法院　冯婉　卢莹

55

专家辅助人制度在涉人身保险纠纷中的适用

——郭某诉保险总公司、保险北京分公司人身保险合同案

【案件基本信息】

1. 裁判书字号

北京金融法院（2021）京 74 民终 426 号民事判决书

2. 案由：人身保险合同纠纷

3. 当事人

原告（上诉人）：郭某

被告（被上诉人）：保险总公司、保险北京分公司

【基本案情】

2016 年 8 月 2 日，景某在线上投保“健康无忧青少年保重大疾病保险（C 款）”，被保险人为郭某，保险期间为 2016 年 8 月 3 日至被保险人终身，基本保险金额 30 万元。上述保险条款中“轻症疾病、重大疾病保险责任免除”的第 7 项为“遗传性疾病，先天性畸形、变形或染色体异常”（加粗、加黑）。“6.8.63 严重癫痫”“6.13 先天性畸形、变形或染色体异常”部分载明：依照世界卫生组织《疾病和健康问题的国际统计分类》（以下简称 ICD−10）[①] 确定。

① 根据世界卫生组织官方网站公布的相关信息，该分类标准的现行版本为 ICD−11，自 2022 年 1 月 1 日起生效，载世界卫生组织网站，https：//www. who. int/standards/classifications/classification-of-diseases，最后访问时间：2023 年 3 月 22 日。ICD−11 的官方中文版本全文载世界卫生组织网站，https：//icd. who. int/browse11/l−m/zh，最后访问时间：2023 年 3 月 22 日。ICD−10 的官方英文版本亦载世界卫生组织网站，https：//icd. who. int/browse10/2019/en，最后访问时间：2023 年 3 月 22 日。

2020年9月4日，郭某在医院进行开颅癫痫病灶切除术。同年9月9日，出院诊断为“症状性癫痫［继发性癫痫］，局灶性皮层发育不良”。9月30日，医院门（急）诊断证明书载明：临床诊断为癫痫；补充说明9月3日手术治疗，考虑癫痫为切除的病灶（皮质发育不良）及邻近脑皮质共同引起可能性大，手术行病变及邻近皮质的共同切除。

2020年9月24日，郭某向保险总公司申请重疾理赔，保险北京分公司出具《理赔决定通知书》，认为郭某所患癫痫系因先天性畸形，即局灶性皮质发育不良引起的疾病，属于保险合同约定的责任免除项，故不予给付重疾保险金。

诉讼中，为确认郭某所患局灶性皮质发育不良是否属于ICD-10关于先天性畸形项下疾病及郭某所患癫痫与局灶性皮质发育不良的关系，双方当事人同意由保险总公司、保险北京分公司作为申请人，由法院联系相关专家作为专家辅助人就上述事实进行说明。后法院联系某司法鉴定中心，该司法鉴定中心指派副主任医师刘某某出庭，对上述专业问题进行说明，并接受法院及双方当事人询问。

【案件焦点】

1. 保险公司是否就其拒赔所依据的免责条款向投保人尽到充分的提示说明义务；2. 郭某所患疾病是否属于涉案保险应予理赔的重疾。

【法院裁判要旨】

北京市朝阳区人民法院经审理认为：针对焦点一，保险合同有关轻症疾病、重大疾病保险责任免除条款已做加粗、加黑处理，足以引起投保人注意，应认定保险总公司、保险北京分公司已履行提示义务，此为其一。其二，保险合同已通过后附释义对先天性畸形、变形或染色体异常进行定义。其三，根据保险总公司、保险北京分公司提供的《回访录音》可知，保险经纪人已对免责条款进行说明，景某对此回复“清楚”，且未再对免责条款内容提出疑义，即视为其已了解保险合同免责内容。故可证明保险总公司、保险北京分公司已通过合同文本、口头方式向投保人就免责条款作出提示说明，免责条款对投保人发生效力。

针对焦点二，判断郭某所患疾病是否属于涉案保险应予理赔的重疾应从两方面认定：第一，郭某所患疾病是否属于保险合同所约定的重症之一。根据入院记录、手术情况、诊断证明可知，其所患癫痫属保险合同所列严重癫痫。第二，郭某所患癫痫是否因ICD-10先天性畸形项下疾病引发。首先，郭某所患局灶性皮质发育不良是否属于ICD-10中Q04脑的其他先天性畸形。其一，GB/T 14396-2016[①]明确了Q04脑的其他先天性畸形包括大脑皮层发育不全。其二，主治医生在谈话录音中已表达局灶性皮质发育不良属先天性。其三，专家辅助人亦说明局灶性皮质发育不全属于ICD-10中Q04脑的其他先天性畸形项下的病种。故局灶性皮质发育不良包含在ICD-10中Q04脑的其他先天性畸形项下。其次，郭某所患癫痫是否因局灶性皮质发育不良引发。出院诊断显示郭某所患癫痫为症状性癫痫。依据专家辅助人对症状性癫痫的解释，该类癫痫因脑病变诱发，而郭某在患症状性癫痫的同时恰存在局灶性皮质发育不良的脑病变情况，此为其一。其二，专家辅助人认为，郭某所患癫痫系由局灶性皮质发育不良引起，二者有因果关系。故郭某所患癫痫系因局灶性皮质发育不良，即ICD-10先天性畸形项下疾病引发。据此，郭某所患疾病属于保险合同约定应予免赔的重疾。

北京市朝阳区人民法院依照《中华人民共和国保险法》第十七条、第二十四条，《最高人民法院关于适用〈中华人民共和国保险法〉若干问题的解释（二）》第十一条，《最高人民法院关于适用〈中华人民共和国民法典〉时间效力的若干规定》第一条第二款之规定，判决如下：

驳回原告郭某的全部诉讼请求。

二审法院同意一审法院裁判意见。

---

① GB/T 14396-2016即国家标准《疾病分类与代码》，载全国标准信息公共服务平台网站，https：//std. samr. gov. cn/gb/search/gbDetailed？ id = 71F772D810B3D3A7E05397BE0A0AB82A，最后访问时间：2023年3月22日。

【法官后语】

在涉人身保险纠纷中，保险条款对承保或除保的疾病的种类一般会约定采取ICD-10进行判定，但在实际诊疗中，大多数医院所出具的诊断报告中所确诊的疾病并非依据ICD-10而确定的疾病名称，也不会在诊断报告中写明确诊疾病是否对应ICD-10中的疾病编码，此种情况即会导致法院在判断被保险人所患疾病是否属于承保或除保范围时存在跨专业上的困难。本案即为突破该难点，在充分运用专家辅助人制度下所做的有益探索。

1. 专家辅助人制度在涉人身保险纠纷中适用的优势

专家辅助人是《最高人民法院关于民事诉讼证据的若干规定》创设的一种证据制度，被民事诉讼法所吸收。《中华人民共和国民事诉讼法》第七十九条规定，当事人可以申请人民法院通知有专门知识的人出庭，就鉴定人作出的鉴定意见或者专业问题提出意见。故专家辅助人的作用包括两类：一是就鉴定意见提出意见，二是就专业问题提出意见。《最高人民法院关于适用〈中华人民共和国民事诉讼法〉的解释》将第二类意见拟制为当事人陈述，为法定证据形式之一。在涉人身保险纠纷中，投保人或被保险人基本上会以医院出具的诊断报告佐证其所患疾病属于保险合同承保的范畴，但因保险条款对疾病种类的划分存在上述情况，被保险人往往会提供医学杂志、论文或其公司内部理赔部门所出具的意见等佐证被保险人所患疾病不属于ICD-10项下分类，即不属于理赔范畴。审判实践中，医院往往会以其确诊疾病无需依据ICD-10判定为由拒绝对其确诊疾病是否属于ICD-10项下疾病分类进行回答，而保险公司内部理赔部门所出具意见属于其单方证据，亦达不到可以直接作为定案证据的证明力。为推进案件进展，法院可能会启动鉴定程序以确定疾病种类的划分，但因目前在法院名录中能接收此类鉴定项目的机构较为有限，法院委托此类鉴定后会产生鉴定申请被退回并启动二次鉴定的情况，降低了审判效率及当事人对法院工作的满意度。此时，专家辅助人即可弥补上述劣势。相对鉴定机构而言，专家辅助人选取范围较广，到庭回答专业问题配合度高，且可以在开庭的同时解决专业问题的询问，能够有效提高案件审理的效率。

2. 专家辅助人制度在保险纠纷中适用的路径

一是专家辅助人制度的启动。按照《中华人民共和国民事诉讼法》第七十九条的规定，专家辅助人需由当事人向法庭提出申请，当事人不主动申请，法院能否主动启用专家辅助人制度目前存在争议。笔者认为，人身保险中有关疾病种类的划分属于双方争议较大且专业性很强的问题，在法律未予禁止的情况下，应当允许法院主动启动专家辅助人制度。二是专家辅助人的选定。按照《最高人民法院关于适用〈中华人民共和国民事诉讼法〉的解释》的相关规定，专家辅助人属于当事人陈述。按照通常理解，即应当由一方当事人提供专家辅助人作为其陈述内容，若另一方当事人对此不认可，可由其再行提供专家辅助人进行对峙。除此之外，笔者认为，为节省诉讼成本、提高审判效率，法院亦可以根据双方当事人意愿依职权指定专家辅助人。本案中，在双方对被保险人所患疾病是否属于ICD-10中疾病产生争议时，经法院充分释明，双方当事人均同意由法院指定专家辅助人到庭就该专业问题进行说明并接受各方询问。此种方式不仅符合民事诉讼证据规则的精神，也为将来全面建立和完善专家证人制度积累了一定经验。

编写人：北京市朝阳区人民法院　孙璟钰　姚学穆

三、保险人代位求偿权纠纷

56

保险人向非机动车一方行使代位求偿权的认定

——A 保险公司诉石某、B 保险公司保险人代位求偿权案

【案件基本信息】

1. 裁判书字号

上海金融法院（2022）沪 74 民终 200 号民事判决书

2. 案由：保险人代位求偿权纠纷

3. 当事人

原告（上诉人）：A 保险公司

被告（被上诉人）：石某、B 保险公司

【基本案情】

涉案车辆登记在汽车租赁公司名下，在 A 保险公司处投保了车辆损失险，金额为 238298 元，被保险人为汽车租赁公司，保险期限为 2019 年 7 月 14 日至 2020 年 7 月 14 日。2019 年 10 月 18 日，袁某驾驶涉案车辆出行，与石某骑驶的电动自行车发生碰撞，致石某受伤、两车损坏。经上海市公安局宝山分局交通警察支队认定，袁某、石某负同等责任。石某系外卖骑手，事发时在派送外卖，某人力资源服务外包公司为其在 B 保险公司处投保《骑手意外险》。

2021年，汽车租赁公司就涉案车辆损失提起诉讼，上海市宝山区人民法院判决A保险公司向汽车租赁公司支付理赔款54100元，诉讼费582元、评估费5000元由A保险公司负担。同年6月，A保险公司支付判决款项。现A保险公司欲向石某、B保险公司主张代位求偿，遂提起本案诉讼。

【案件焦点】

A保险公司能否对石某、B保险公司行使保险人代位求偿权。

【法院裁判要旨】

上海市宝山区人民法院经审理认为：机动车发生交通事故造成损害的，依照道路交通安全法的有关规定承担赔偿责任。《中华人民共和国道路交通安全法》第七十六条未规定对于机动车方的损失，非机动车方应当进行赔偿，而是以减轻机动车一方责任的方式，实现对非机动车一方的过错评价，非机动车一方并非该条规定的赔偿义务主体。因此，A保险公司不能通过行使代位求偿权向非机动车一方追偿财产损失。

上海市宝山区人民法院依照《中华人民共和国侵权责任法》第四十八条、《中华人民共和国道路交通安全法》第七十六条之规定，作出如下判决：

驳回A保险公司的诉讼请求。

A保险公司不服，提起上诉。上海金融法院经审理认为：本案系交通事故引发的纠纷，应优先适用《中华人民共和国道路交通安全法》。从《中华人民共和国道路交通安全法》第七十六条来看，机动车驾驶人负有安全行驶的义务。对于机动车一方造成非机动车一方损害的，除非机动车故意碰撞，否则无论机动车一方是否有过错，均应承担相应赔偿责任。由此可见，《中华人民共和国道路交通安全法》虽未明确规定机动车与非机动车发生碰撞造成的机动车损失如何赔偿，但已鲜明体现了向非机动车一方倾斜保护的原则。从立法目的来看，对非机动车一方予以倾斜保护具有多重因素的考量。一方面，机动车与非机动车在危险程度上存在明显不同，机动车在行驶过程中具有“高速危险”，理应承担更高的注意义务和避险义务，体现了“优者危险负担”的公平原则。

另一方面，从利益衡量的角度来看，体现了人身权优于财产权的法律价值位阶。同时，若事故双方按责任比例承担损失，可能出现非机动车一方得不到赔偿或倒赔机动车的情况，造成双方利益严重失衡。从当事人的过错来看，因机动车驾驶人是高速运输工具便利利益的拥有者及“高速危险”结果的控制者，故其应是侵害发生的行为主体及责任主体。但若存在非机动车一方故意碰撞机动车，此时机动车驾驶人丧失了对“高速危险”结果的控制权，其责任当然由利用了该“高速危险”的非机动车一方承担，机动车驾驶人此时仅为该侵害行为的行为主体而非责任主体，应由非机动车一方承担赔偿责任。此情形可类推适用《中华人民共和国道路交通安全法》第七十六条第二款的规定，由故意碰撞机动车造成交通事故损失的非机动车一方承担赔偿责任。本案中，经交警支队认定，石某虽在事故中负同等责任，但不能以此证明其存在故意碰撞机动车的情形，也不足以证明石某的行为符合上述侵权责任的构成要件。A保险公司作为对分散风险具有社会保障功能的主体，不能据此对非机动车一方行使保险人代位求偿权。

上海金融法院依照《中华人民共和国民事诉讼法》第一百七十七条第一款第一项规定，作出如下判决

驳回上诉，维持原判。

【法官后语】

1. 保险人代位求偿权的法律性质

（1）法定性

《中华人民共和国保险法》规定了我国保险人代位求偿权制度，《最高人民法院关于适用〈中华人民共和国保险法〉若干问题的解释（四）》进一步完善了该项制度。因此，我国保险人代位求偿权制度属于当然代位，具有法定性。所谓当然代位，是指特定权利在法定要件完成时，因基于法律的规定而当然转移于他主体，当事人有无转移的意思，在所不问。①

① 姚磊：《保险法中的代位求偿制度研究》，吉林大学出版社2017年版，第79页。

（2）从属性

保险人行使代位求偿权的先决条件是被保险人因第三者侵权或违约等行为而享有了请求第三者赔偿的权利。因此，保险人代位求偿权应以相应基础法律关系中的民事赔偿责任成立为前提，实质上附属于被保险人对第三者的权利，具有从属性。在我国，保险人代位求偿权不仅是一种实体法上的权利，也是一种程序法上的权利；在实体法上是法定的债权转让，在程序法上则是诉讼程序上的权利、义务的转让和承担。①

2. 机动车与非机动车交通事故的法律规定和价值取向

（1）法律规定

本案系机动车与非机动车交通事故引发的纠纷，《中华人民共和国民法典》第一千二百零八条规定，机动车发生交通事故造成损害的，依照道路交通安全法的有关规定承担赔偿责任。上述规定属于准用性规范，是基于机动车交通事故的侵权责任不同于普通侵权以及不同价值判断的考虑，用道路交通安全法来特别规范机动车发生在交通事故中的侵权责任，而非一般侵权行为规定。根据上述规定以及特别法优于一般法的法律适用原则，本案应适用《中华人民共和国道路交通安全法》的规定。

（2）价值取向

上述条款规定了机动车与非机动车发生交通事故时，机动车一方具有法定赔偿义务，未规定非机动车一方的赔偿义务。该条款并非立法漏洞，而是采用无过错归责原则，加重机动车一方的责任。其出发点是促进机动车一方尽到高度审慎的驾驶注意义务，使机动车这种危险的高速运输工具得到有效控制，预防和减少事故发生，避免给相对弱势的非机动车一方造成严重的损害后果。加之机动车一方可通过保险使其损失得到充分赔偿，不会导致利益失衡，反而可以避免非机动车一方因轻微交通违章行为即招来大额赔偿的不公平现象。另外，所谓“优者危险负担”，是指在交通事故中，以车辆冲撞在物理上危险性的大

---

① 李玉泉：《海上保险中保险人的代位求偿制度》，载《中国海商法协会通讯》2005年第2期。

小及危险回避能力的优劣，来分配危险责任。[①] 充分考虑交通参与者对道路交通注意义务的轻重，按照机动车存在的危险性以及危险回避能力来分配交通事故损害后果，机动车无论在速度、硬度、重量、车辆自身控制力等因素以及对他人的危险性上，均远远高于非机动车，其控制者应负更高的避险义务，体现了行人优于车辆、人身权优于财产权的价值取向。

2. 保险人向非机动车一方行使代位追偿权的司法认定

如前文所述，鉴于保险人代位求偿权制度的从属性，保险人行使代位求偿权应以相应基础法律关系中的民事赔偿责任成立为前提。根据现有的法律制度和价值取向，本案中，机动车一方并不具有向非机动车一方请求损害赔偿的权利，因此，保险人亦无法对非机动车一方行使代位求偿权。

外卖骑手的收入与跑单量密切相关，部分骑手为了收入而追求速度，涉外卖骑手的交通违法问题日益突出，成为当前交通安全的风险之一。2019 年上半年，上海市共发生涉及快递、外卖行业各类道路交通事故 325 起，造成 5 人死亡、324 人受伤，平均每天要发生近 2 起交通事故。[②] 本案石某即外卖骑手，事发时在配送外卖，对事故负同等责任。因此，在交管部门加强管理和执法的同时，平台企业也应优化考核方式，转变唯时间论，将交通安全纳入考核体系，共同促进外卖行业良性发展。

编写人：上海市宝山区人民法院　苏东东

---

① 杨立新主编：《类型侵权行为法研究》，人民法院出版社 2006 年版，第 881 页。

② 陈颖婷：《让快递外卖小哥不再“横冲直撞”》，载《上海法治报》2020 年 12 月 25 日。

57

被挂靠人、承运人是否应当对保险人代位求偿权承担连带赔偿责任的认定

——保险公司诉商贸公司、吴某保险人代位求偿权案

【案件基本信息】

1. 裁判书字号

北京金融法院（2021）京74民终441号民事判决书

2. 案由：保险人代位求偿权纠纷

3. 当事人

原告（被上诉人）：保险公司

被告（上诉人）：商贸公司

被告（被上诉人）：吴某

【基本案情】

案外人科技公司在保险公司处投保物流责任保险，被保险人为运输公司，保险标的为普通货物，每次事故赔偿限额为100万元，每辆车累计赔偿限额150万元，保单累计的总赔偿限额300万元。

2016年9月7日，运输公司承接一单百货货物，其将该货物运输委托给了实际承运人商贸公司，吴某驾驶商贸公司名下的案涉车辆进行货物运输。2016年9月8日，吴某驾驶案涉车辆行驶过程中发生火灾，经公安消防部门认定：火灾导致该车全面过火，所载货物烧损，起火原因系该车刹车鼓故障导致轮胎抱死产生高温。2018年2月23日，北京市房山区人民法院判决保险公司支付运输公司保险赔偿金324909.46元，后保险公司于2018年12月24日将上述款

项支付给运输公司。

吴某主张其与运输公司系合伙关系，为此其提供了运输公司出具的《证明》一份，出具时间为2021年4月15日，载明其与吴某系共同合伙关系，吴某合伙占比10%，上述事故发生于合伙期间。

二审期间，法院查明，2016年9月7日，运输公司承接一单百货货物，运输公司将该货物运输委托给了实际承运人吴某，运输公司与吴某签署了《货物运输协议》。

【案件焦点】

1. 吴某在事故发生时，是否可以被认定为第三者；2. 吴某在事故中过错的认定对保险公司的代位求偿权是否有影响。

【法院裁判要旨】

北京市通州区人民法院经审理认为：被保险人运输公司将保险标的货物委托给商贸公司进行运输，实际承运人与被保险人之间形成委托合同关系，则实际承运人应被认定为被保险人之外的第三者；吴某虽主张其与被保险人之间系共同合伙关系，但其提供的证据不足以证明其主张，其相关意见不予采纳。

保险人行使代位求偿权，应以被保险人对第三者享有损害赔偿请求权为前提，这里的赔偿请求权既可因第三者对保险标的实施的侵权行为而产生，亦可基于第三者的违约行为等产生。吴某、商贸公司在承接被保险人的货物运输委托后，因其自身原因导致货物受损无法完成所受委托，构成违约，被保险人享有损害赔偿请求权。

关于吴某主张的保险人未提示代位求偿条款的意见，因其并非投保人也非被保险人，且代位求偿条款也不是免除保险人责任的条款，故该意见亦不予采纳。对于保险公司主张的利息损失，首先，该利息损失主张已超出其赔偿金额范围，其次，保险公司未举证证明其曾向吴某、商贸公司主张相应权利而被拒，故对该利息损失的请求不予支持。

北京市通州区人民法院依照《中华人民共和国保险法》第二条、第六十条，《中华人民共和国民法典》第五百七十七条，《中华人民共和国民事诉讼法》第六十四条之规定，作出如下判决：

一、商贸公司、吴某于本判决生效之日起七日内连带向保险公司支付理赔款 324909.46 元；

二、驳回保险公司的其他诉讼请求。

二审法院同意一审法院裁判意见。

【法官后语】

随着我国保险事业的不断发展，保险业务的范围扩展到了生活的各个方面，物流业务中，物流责任保险的不断普及，使得交通事故被侵权方可以选择的受偿途径增多。保险代位求偿案件中侵权、合同、保险法律关系重合，在审理案件过程中应进行全面考虑。

依据《中华人民共和国保险法》第六十条第一款的规定，因第三者对保险标的的损害而造成保险事故的，保险人自向被保险人赔偿保险金之日起，在赔偿金额范围内代位行使被保险人对第三者请求赔偿的权利。此处的“第三者”应为侵权行为中的侵权人，或合同关系中的相对方，如果投保人、被保险人与侵权人、合同相对方重合，则该主体不应被认定为“第三者”。本案中，吴某提出的抗辩意见即从该角度出发，试图证明自己与被保险人系同一主体而使自己免责，其主张与被保险人为合伙关系，因为在合伙关系中，合伙人是共同经营、共享收益、共担风险的，所以如果吴某与被保险人为合伙关系，则其驾驶车辆经营运输业务的行为可以视为合伙经营行为，其不应被认定为独立于被保险人之外的“第三者”。但从法院查明的事实看，运输公司起诉保险公司时并未提及其与吴某系合伙关系，而且吴某与运输公司之间还签订了《货物运输协议》，这与合伙关系的运作模式明显不符，故法院未采信其主张。吴某作为实际承运人，与被保险人之间形成委托合同关系，则实际承运人应被认定为被保险人之外的第三者。

根据最高人民法院74号指导案例[1]的裁判要点，因第三者的违约行为给被保险人的保险标的造成损害的，可以认定为属于《中华人民共和国保险法》第六十条第一款规定的“第三者对保险标的的损害”，保险人由此依法向第三者行使代位求偿权的，人民法院应予以支持。吴某在承接被保险人的货物运输委托后，因其自身原因导致货物受损无法完成所受委托，构成违约，被保险人享有损害赔偿请求权。所以吴某在事故中的过错认定并不会影响保险公司的代位求偿权。

另外，吴某所驾驶的涉案车辆系挂靠在商贸公司名下，其驾驶涉案车辆进行运输的行为系获得了商贸公司的授权，由于运输行为具有造成一定危险的高度可能性，在机动车挂靠运营发生交通事故时，存在两个法律关系，对内是挂靠关系，对外是侵权关系。在外部关系中，机动车交通事故的被侵权人是第三人。对第三人而言，在法律外观上，被挂靠人是运营车辆的所有权人，从事道路运输经营的具体使用人只是其工作人员或者借用其资质开展运输行为的人，因此承担责任的主体应当是该运输企业即被挂靠人。在非挂靠运营时，运输企业尚且要承担责任，若该运输企业因允许他人挂靠而免除责任，显然有悖公平原则。根据机动车使用人承担责任的一般原则，作为风险控制和利益享有的主体，其也应对外承担责任。因此，本案中商贸公司作为被挂靠单位，将车辆交付给吴某开展运输业务，放任了相关风险的发生，应当承担连带赔偿责任。

编写人：北京市通州区人民法院　姚玮东

---

① 载最高人民法院网站，https：//www. court. gov. cn/shenpan-xiangqing-34312. html，最后访问时间：2023年4月10日。

58

贷款保证保险代位求偿权的范围和抵押权行使的认定

——保险公司诉梁某、牟某保险人代位求偿权案

【案件基本信息】

1. 裁判书字号

北京市第三中级人民法院（2021）京03民终3613号民事裁定书

2. 案由：保险人代位求偿权纠纷

3. 当事人

原告（被上诉人）：保险公司

被告（上诉人）：梁某、牟某

第三人：信托公司

【基本案情】

贷款人信托公司与借款人牟某、梁某签订《信托贷款合同》《最高额抵押合同》，信托公司向牟某、梁某提供贷款338万元。牟某以其名下房产提供抵押担保并办理了抵押登记，抵押担保范围为贷款本金、利息、罚息、违约金、债务人/抵押人因违反主合同而产生的损害赔偿金、按照主合同约定由债务人承担而由债权人垫付的各项费用。同时，牟某向保险公司投保了被保险人为信托公司的个人贷款保证保险，保险合同载明：在保险期间内，投保人未能按照与被保险人签订的贷款合同约定履行还本付息义务，且投保人拖欠任何一期欠款的时间超过保险单约定期限的，经被保险人向保险人书面提出赔偿请求，保险人对投保人在贷款合同项下应偿还而未偿还的贷款本金及相应利息扣除相应的绝对免赔金额后，按照本保险合同的约定向被保险人支付赔偿金。发生保险责任

范围内的损失，保险人自向被保险人赔偿保险金之日起，在赔偿金额范围内代位行使被保险人对投保人、担保人请求赔偿的权利。

贷款人如期向借款人牟某、梁某发放了贷款，后牟某、梁某逾期偿还借款本息。信托公司向保险公司申请保险理赔，保险公司审核后向信托公司赔付了牟某、梁某欠付的本金、贷款期内利息和逾期付款违约金357万余元。信托公司向保险公司出具权益转让书，载明：信托公司同意将债务人牟某在信托公司的一切权益（包括主债权）及抵押权转让给保险公司，并同意保险公司向债务人行使追偿权。现保险公司提起诉讼，请求牟某、梁某偿还保险理赔款357万余元，并支付自2020年5月11日（实际理赔日之次日）起算的标准为年利率24%的逾期付款违约金，同时请求就理赔款金额和逾期付款违约金对牟某名下抵押房产优先受偿。

【案件焦点】

1. 保险公司向信托公司理赔行为的效力；2. 如保险公司有权追偿，其追偿范围如何确定；3. 保险公司是否对抵押物享有抵押权及抵押权范围。

【法院裁判要旨】

北京市朝阳区人民法院经审理认为：牟某、梁某逾期还款构成违约。信托公司向保险公司索赔，保险公司应当在保险责任范围内向信托公司理赔。信托公司索赔贷款本金及期内利息有事实及法律依据。对于逾期付款违约金部分，鉴于信托公司、保险公司均属于非银行金融机构，按照金融借贷与民间借贷的市场定位和风险与利益相一致的市场法则，其利率标准不宜过高，法院参照逾期还款行为发生当时的民间借贷利率上限、即年利率24%标准对保险公司实际理赔的借款人逾期付款违约金数额予以调整，对于超出24%标准的部分金额不予确认。

《中华人民共和国保险法》第六十条第一款规定：“因第三者对保险标的的损害而造成保险事故的，保险人自向被保险人赔偿保险金之日起，在赔偿金额范围内代位行使被保险人对第三者请求赔偿的权利。”保险公司理赔后，有权在赔偿金额范围内向牟某、梁某代位求偿。保险公司还有权向牟某主张在抵押担保范围内享有优先受偿权。但保险公司行使抵押权应以其代偿的主债权金额为基础，保险公司代偿金额之后的资金占用期间利息不属于其受让的主债权范围，故保险公司对法院确认的代偿的理赔款享有优先受偿权，对理赔后资金占用期间的利息部分不享有优先受偿权。

北京市朝阳区人民法院依据《中华人民共和国民法总则》第一百四十三条，《中华人民共和国合同法》第四十五条、第六十条、第一百零七条，《中华人民共和国物权法》第一百七十条、第一百九十二条、第一百九十五条，《中华人民共和国保险法》第六十条，《最高人民法院关于适用〈中华人民共和国保险法〉若干问题的解释（四）》第八条，《最高人民法院关于审理民间借贷案件适用法律若干问题的规定》第三十条之规定，判决如下：

一、被告牟某、梁某于本判决生效之日起十日内向原告保险公司支付保险理赔款3538310.15元；

二、原告保险公司就上述第一项确定的款项对被告牟某名下抵押房产折价或拍卖、变卖后的价款，按照抵押登记顺序享有优先受偿权；

三、被告牟某、梁某于本判决生效之日起十日内向原告保险公司支付利息损失（以3380000元为基数，自2020年5月11日起至实际给付之日止，按照全国银行间同业拆借中心公布的贷款市场报价利率标准计算）；

四、驳回原告保险公司的其他诉讼请求。

牟某、梁某不服一审判决，提出上诉。牟某、梁某收到催缴案件受理费的通知后仍不予缴纳二审案件受理费。北京市第三中级人民法院依照《中华人民共和国民事诉讼法》第一百五十四条第一款第十一项、《最高人民法院关于适用〈中华人民共和国民事诉讼法〉的解释》第三百二十条规定，裁定如下：

本案按照上诉人牟某、梁某自动撤回上诉处理。一审判决自本裁定书送达之日起发生法律效力。

【法官后语】

保证保险是财产保险的一种，是指以履约信用风险为保险标的的保险，其中投保人为履约义务人，被保险人为权利人。本案中，保险公司提供的担保贷款保证保险基本模式为借款人同贷款人信托公司签订贷款合同并提供自有房产作为抵押担保，同时借款人以贷款人为被保险人、以履约信用风险为保险标的向保险公司投保保证保险，若借款人未按约定还款，则由保险人即保险公司在保险责任限额内先行向贷款人履行保险金赔付责任。保险人理赔后，信托公司向保险公司出具权益转让书，信托公司受让贷款人对借款人的包括主债权、抵押权在内的一切权益，并向借款人行使代位求偿权。本案涉及保证保险代位求偿权的实现范围、能否对债务人的抵押物行使抵押权等问题。

1. 保险人向债务人行使代位求偿权能否同时主张抵押权

保险公司理赔后，能否向债务人主张抵押物的优先受偿权，涉及保险公司代位行使的被保险人对第三人（债务人）请求赔偿的“权利范围”的理解。

笔者认为，应当支持保险公司向债务人行使抵押权。首先，保险代位求偿权利系法定权利，保险公司承担赔偿责任后则自然发生主债权的转移。债权转让的，担保该债权的抵押权一并转让。实践中保险人在理赔时会要求被保险人出具权益转让书，以确保被保险人明确作出将对债务人的索赔权及从属权利转让给保险人的意思表示。因此，无论是基于保险代位权利的当然取得主义，还是保险人与被保险人之间的请求取得主义，保险人均获得了被保险人对债务人的抵押权利。其次，债务人在借款时已经将其房产抵押给债权人，保险公司代位理赔后向债务人主张行使抵押权，既未加重债务人的义务，亦未超出债务人的预期。最后，从社会效果看，如保险公司理赔后无法行使抵押权，会导致保险公司的风险系数显著增加，直接影响保证保险的产品定位、核保流程、保费系数等，最终可能会因投保人信用风险过高而核保率过低失去保证保险本身的市场价值和融资性增信功能。

2. 保险人向债务人行使抵押权的范围

关于保险人理赔后向债务人主张行使抵押权的债权金额确定，目前司法实务中存在两种裁判观点：一种观点认为，抵押权优先受偿范围仅以理赔款为限；另一种观点认为，应包括理赔款及理赔之后的迟延付款违约金或利息损失。

笔者认为，保险公司行使代位求偿权的范围应当以其代债务人偿还债权人的金额为限。理由为保险公司向债权人支付理赔款的同时，贷款人基于贷款合同所享有的借款本金、利息、罚息、违约金等请求权即获满足，债权人获得理赔后对债务人已经不再享有超出理赔金额之外的债权。此时，代位行使求偿权的赔偿金额已经固定，并不包括理赔后的迟延付款违约金或利息损失。因此，保险公司既无权仅基于代位求偿权或《权益转让书》载明的债权转让内容，向债务人要求给付理赔金额之外的款项，亦无权就理赔款金额之外的款项行使优先受偿权。至于保险公司可以向债务人主张其向债权人支付理赔金额之后、债务人并未及时向保险公司偿付理赔款而产生的迟延付款违约金或者利息损失，系基于保险公司与债务人之间的直接法律关系，此时的迟延付款违约金或者利息损失与债权人并无直接关联。

3. 保险人能否主张理赔后的延迟付款违约金

保险公司理赔后有权基于其与投保人（债务人）签订的保险合同主张权利，如保险合同条款中约定了迟延付款违约金条款，则保险公司有权向债务人主张违约金，如未约定或约定不明，则保险公司不能主张违约金。考虑到保险公司作为金融机构的资金成本客观存在，如理赔后完全不支持利息损失，有违公平原则。如果支持保险公司主张的利息损失，那么标准不宜过高，采同期贷款利率或按照全国银行间同业拆借中心公布的贷款市场报价利率标准为宜。

编写人：北京市朝阳区人民法院　齐晓丹　刘茹

59

与无保险经营资质公司签订的《机动车三者责任安全统筹合同》不具有保险合同的法律效力

——甲保险公司诉刘某等保险人代位求偿权案

【案件基本信息】

1. 裁判书字号

江苏省南京市中级人民法院（2022）苏01民再6号民事判决书

2. 案由：保险人代位求偿权纠纷

3. 当事人

原告（再审申请人）：甲保险公司

被告（被申请人）：刘某、运输公司、汽车服务公司

【基本案情】

A号重型货车为刘某所有，挂靠在运输公司名下。刘某为该车辆在乙保险公司处投保交强险，保险期限自2020年6月5日0时起至2021年6月4日24时止。另外，刘某与汽车服务公司签订了《机动车三者责任安全统筹合同》（以下简称机动车安全统筹合同），合同约定：统筹种类为机动车三者责任安全统筹，责任限额为1000000元（含不计免赔），统筹期限自2020年6月6日零时起至2021年6月5日24时止。汽车服务公司系在河北省石家庄市市场监督管理局登记设立，注册资本为1.5亿元人民币，其登记的经营范围为汽车装饰、汽车展览展示服务、车辆年检代理服务、交通安全统筹服务等。

2021年1月3日1时52分许，刘某驾驶A号重型货车出行，因其车辆上装载的石头掉落至马路上，导致车牌号为B的小型客车碰撞到石头，造成B号

车辆受损的交通事故。交警部门出具道路交通事故认定书，认定刘某负此次事故全部责任，B号车辆一方无责任。B号车辆在甲保险公司投保了机动车损失险，甲保险公司向B号车辆所有权人赔偿了车辆损失45000元，并受让向责任方追偿的权利。甲保险公司以保险人代位求偿权为依据，请求法院判令刘某、运输公司、汽车服务公司、乙保险公司共同赔偿其已支付的赔偿款45000元。一审中，乙保险公司在交强险范围内支付了2000元赔偿款，甲保险公司撤回了对乙保险公司的起诉。

【案件焦点】

1. 案涉机动车安全统筹合同的法律性质、效力应如何认定；2. 甲保险公司应向机动车侵权人还是向汽车服务公司追偿。

【法院裁判要旨】

江苏省南京市溧水区人民法院经审理认为：案涉事故发生后，甲保险公司依据保险合同约定向事故受害人支付了保险理赔款45000元，乙保险公司已在交强险责任限额内向甲保险公司支付了2000元，故甲保险公司取得了在43000元范围内向侵权人刘某代位求偿的权利。刘某驾驶的A号货车在汽车服务公司处办理了机动车三者责任安全统筹，事故发生在统筹期间内，故甲保险公司垫付的赔偿保险金43000元应当由汽车服务公司在机动车三者责任安全统筹限额范围内予以赔偿，刘某及运输公司不再承担给付责任。

江苏省南京市溧水区人民法院依照《中华人民共和国民法典》第一千一百六十五条、第一千二百一十三条，《中华人民共和国合同法》第三十九条、第四十条，《中华人民共和国保险法》第六十条之规定，作出如下判决：

一、汽车服务公司在机动车三者责任安全统筹限额范围内给付甲保险公司赔偿款43000元；

二、驳回甲保险公司的其他诉讼请求。

原审判决生效后，甲保险公司不服，向法院申请再审。江苏省南京市中级人民法院经审理认为：汽车服务公司系在市场监管部门注册成立，并没有经过法定的设立保险公司的批准程序，其注册资本未达到保险公司注册资本最低限额二亿元，其登记的经营范围亦不包括保险业务。故汽车服务公司并非依法设立的保险公司，本案侵权机动车和汽车服务公司签订的《机动车三者责任安全统筹合同》亦不是机动车商业保险合同。因此，本案不适用《中华人民共和国民法典》第一千二百一十三条关于保险公司先行赔偿、不足部分再由机动车侵权人赔偿的规定，甲保险公司直接向侵权的 A 号货车一方追偿，有事实、法律依据，依法应予支持。刘某和运输公司抗辩称应由汽车服务公司承担赔偿责任，无事实和法律依据，不予采信，其可依据和汽车服务公司之间的合同另行向汽车服务公司主张权利。

江苏省南京市中级人民法院依照《中华人民共和国民事诉讼法》第一百四十七条、第一百七十七条第一款第二项之规定，判决如下：

一、撤销原审判决；

二、刘某给付甲保险公司赔偿款 43000 元，运输公司承担连带赔偿责任；

三、驳回甲保险公司对汽车服务公司的诉讼请求。

【法官后语】

本案原审、再审判决结果大相径庭，源于对案涉机动车安全统筹合同法律性质、效力的不同理解。对于未投保商业三者险，而是签订机动车安全统筹合同的机动车发生交通事故如何赔偿，是否比照商业三者险赔偿责任承担的相关规定处理，司法实践中尚有争议。本案再审判决对此提出鲜明观点，明确了此类纠纷的裁判标准，对此类案件统一执法尺度提供判例。

本案中，刘某向汽车服务公司交纳统筹费，汽车服务公司向其出具的机动车辆安全统筹单载明统筹种类为机动车三者责任安全统筹，所附的机动车安全统筹条款载明：被统筹机动车发生事故使第三者遭受损失，导致该机动车一方依法对第三者承担损害赔偿责任时，统筹人依照合同约定承担统筹责任，并就统筹人免责、责任限额、赔偿处理等作了约定。案涉合同虽然名称为“安全统筹”，以保险费以外的安全统筹费名义向机动车主收取费用，但汽车服务公司承诺履行的合同义务是当不确定危险实际发生时其负责赔偿对方损失，符合保障性这一保险合同本质特征，也与保险合同的射幸性特征相类似，即保险人并不必然履行赔付义务。该合同中对于赔偿数额的确定、免责、责任限额的约定亦符合保险合同补偿性的特征，汽车服务公司预先拟定机动车安全统筹条款和机动车辆安全统筹单则反映了保险合同的附合性特征。因此，案涉机动车安全统筹合同虽然名称不是保险合同、合同主体亦不是保险公司，但其合同内容符合保险合同的基本法律特征，实质上是不具备保险经营资质公司开展的保险业务。

依据保险法第六条规定，保险业务由依法设立的保险公司、保险组织经营，其他单位和个人不得经营保险业务。第六十七条第一款规定，设立保险公司应当经国务院保险监督管理机构批准。第六十九条第一款规定，设立保险公司注册资本的最低限额为人民币二亿元。上述法条是对保险业及其保险行为进行监督管理的法律规范，是确保保险人具有足够偿付能力、维护被保险人合法权益、维护社会公共利益的重要法律制度，均是效力性强制性规定。汽车服务公司的注册资本、设立条件、设立程序均不符合上述法律强制性规定，该公司不是依法设立的保险公司、不具备保险业务经营资质，该公司开展的“机动车三者责任安全统筹”业务系变相开展保险业务的行为，不具有保险合同应发生的法律效力，因此不能适用由保险公司先行赔偿的相关法律规定。本案保险人行使追偿权的法律关系中，作为侵权人机动车主应当先行承担赔偿责任。同时，机动车侵权人与汽车服务公司之间确实基于合意签订了案涉机动车安全统筹合同，虽然该合同因违反法律强制性规定而归于无效，但机动车侵权人可通过另行诉讼的方式向汽车服务公司主张权利，并根据双方过错责任大小在机动车侵权人和汽车服务公司之间确定损失的分担。

编写人：江苏省南京市中级人民法院　张倩

60

责任保险中，保险公司向被保险人的支付不免除其向第三者的赔偿义务

——甲保险公司诉郑某、乙保险公司保险人代位求偿权案

【案件基本信息】

1. 裁判书字号

北京市朝阳区人民法院（2021）京 0105 民初 41594 号民事判决书

2. 案由：保险人代位求偿权纠纷

3. 当事人

原告：甲保险公司

被告：郑某、乙保险公司

【基本案情】

A 车在甲保险公司投保机动车损失险，2017 年 9 月 23 日，郑某驾驶的 B 车与 A 车发生交通事故，郑某负事故全部责任。事故造成 A 车损失共 8479 元，甲保险公司向被保险人赵某支付 8479 元理赔款，依法取得代位求偿权，故甲保险公司诉至法院，请求判令郑某、乙保险公司支付赔偿款 8479 元。

被告乙保险公司辩称，事故发生在保险期限内，乙保险公司在保险范围内向某物流公司支付了 8479 元，不应在本案中承担责任。事故发生在 2017 年 9 月 23 日，甲保险公司提起本案诉讼超过诉讼时效。

【案件焦点】

1. 乙保险公司向某物流公司支付了赔偿款是否免除其在本案中的赔偿责

任；2. 本案是否超过诉讼时效。

【法院裁判要旨】

北京市朝阳区人民法院经审理认为：关于本案是否超过诉讼时效，《中华人民共和国民法总则》第一百八十八条第一款规定，向人民法院请求保护民事权利的诉讼时效期间为三年。法律另有规定的，依照其规定。根据《中华人民共和国保险法》第六十条第一款规定，保险人代位求偿权的诉讼时效期间应自其取得代位求偿权之日起算。甲保险公司于 2018 年 2 月 26 日向赵某转账支付 8479 元，故甲保险公司代位求偿权的诉讼时效自 2018 年 2 月 26 日起算三年，甲保险公司于 2021 年 2 月 20 日提起本案诉讼，未超过诉讼时效期间。乙保险公司关于诉讼时效已过的答辩意见，不予采信。

关于乙保险公司应否免除赔偿责任，《中华人民共和国保险法》第六十五条规定，保险人对责任保险的被保险人给第三者造成的损害，可以依照法律的规定或者合同的约定，直接向该第三者赔偿保险金。责任保险的被保险人给第三者造成损害，被保险人对第三者应负的赔偿责任确定的，根据被保险人的请求，保险人应当直接向该第三者赔偿保险金。被保险人怠于请求的，第三者有权就其应获赔偿部分直接向保险人请求赔偿保险金。责任保险的被保险人给第三者造成损害，被保险人未向该第三者赔偿的，保险人不得向被保险人赔偿保险金。责任保险是指以被保险人对第三者依法应负的赔偿责任为保险标的的保险。《最高人民法院关于适用〈中华人民共和国保险法〉若干问题的解释（四）》第二十条规定，责任保险的保险人在被保险人向第三者赔偿之前向被保险人赔偿保险金，第三者依照保险法第六十五条第二款的规定行使保险金请求权时，保险人以其已向被保险人赔偿为由拒绝赔偿保险金的，人民法院不予支持。保险人向第三者赔偿后，请求被保险人返还相应保险金的，人民法院应予支持。本案中，首先，乙保险公司仅提交其向某物流公司支付赔偿款的系统记录，甲保险公司不认可其真实性，本院亦无法核实该截图的真实性，乙保险公司应承担举证不能的法律后果。其次，即便乙保险公司向某物流公司支付了 8479 元赔偿款，现无证据证明在交通事故发生后某物流公司对赵某进行了赔偿，仍不能免除乙保险公司的保险责任。

综上，乙保险公司应在交强险范围内向甲保险公司承担2000元赔偿责任，在第三者责任险范围内承担6479元赔偿责任，甲保险公司要求乙保险公司承担8479元赔偿责任，予以支持。乙保险公司承担责任后，郑某无须在本案中承担责任。

北京市朝阳区人民法院依照《最高人民法院关于适用〈中华人民共和国民法典〉时间效力的若干规定》第一条第二款，《中华人民共和国民法总则》第一百八十八条，《中华人民共和国保险法》第六十条、第六十五条，《最高人民法院关于适用〈中华人民共和国保险法〉若干问题的解释（四）》第二十条，《中华人民共和国民事诉讼法》第一百四十四条之规定，判决如下：

一、被告乙保险公司于本判决生效之日起十日内向原告甲保险公司支付赔偿款8479元；

二、驳回原告甲保险公司的其他诉讼请求。

判决后，双方当事人均未上诉，本判决现已生效。

【法官后语】

1. 保险人代位求偿权的诉讼时效是否为特别时效

关于保险人代位求偿权的诉讼时效为两年还是三年，《中华人民共和国保险法》对此未作出规定。有观点认为，根据《中华人民共和国保险法》第六十条第一款规定，保险人代位求偿权的诉讼时效期间应自其取得代位求偿权之日起算，在法律对此未作特殊规定的情况下，应按照三年起算。也有观点认为，保险人代位求偿权应自被保险人有权向第三者主张请求权之时，即自事故发生之日起算三年。还有观点认为，应自取得代位求偿权之日起两年，因为保险法在民法总则、民法典之前颁布，当时未作特殊规定，所以适用的时效应为两年。

笔者赞同第一种观点，《中华人民共和国保险法》第六十条第一款规定，保险人自向被保险人赔偿保险金之日起，取得对第三者请求赔偿的权利，故起算点应为保险人向被保险人支付理赔款之时，本案支付理赔款时间为2018年2月26日，当时有效的《中华人民共和国民法总则》未对诉讼时效作出例外规定，故诉讼时效期间为三年，自2018年2月26日起算三年至2021年2月25日，甲保险公司于2021年2月20日提起本案诉讼，未超过三年诉讼时效。

2. 责任保险的本质与本案认定

（1）责任保险是指以被保险人对第三者依法应负的赔偿责任为保险标的的保险，当保险事故发生导致第三者人身或财产损失时，保险人负有依法向第三者支付赔偿款的义务。交强险本质上也是责任保险的一种，为了保障社会公共利益，交强险逐步成为一种强制性义务。

根据《中华人民共和国保险法》第六十五条及《最高人民法院关于适用〈中华人民共和国保险法〉若干问题的解释（四）》第二十条规定，三者险中，被保险人未向第三者实际赔偿的，保险公司不得向被保险人赔偿保险金。以此可知：一是在没有证据证明被保险人向第三者赔偿之前，保险公司不能向其保险人支付保险金。二是在被保险人向第三者赔偿之前，保险公司向其被保险人的赔偿不免除其向第三者的赔偿义务。三是在被保险人已经在保险公司应承担的三者险范围内向第三者赔偿的，保险公司可向其被保险人赔偿保险金。

（2）本案认定。首先，没有证据证明责任方车辆的被保险人（即某物流公司）已经向第三者（即赵某）作出赔偿；其次，在被保险人未向第三者赔偿的情况下，乙保险公司向被保险人支付了8479元赔偿款；最后，三者险的立法目的是赔偿第三者的损失，而并非被保险人获得赔偿，因此乙保险公司向被保险人的支付，属于赔偿对象有误，其错误赔偿并不免除其法律和合同项下在责任险范围内负有的向第三者（即赵某）支付保险金的义务。综上，乙保险公司应遵循交强险和第三者责任险的立法宗旨，向第三者进行赔付。

需要说明的是，在保险公司向被保险人支付保险金后，如生效判决等认定保险公司仍需向第三者赔偿，法律也赋予上述情况下保险公司的救济权，即保险公司向第三者赔偿后，可以请求其被保险人返还相应保险金。

3. 本案的意义

实践中，部分保险公司通常在事故发生后，径行将交强险及第三者责任保险范围内理赔款支付给被保险人，导致无责方车辆的保险公司赔付后提起代位求偿权诉讼要求支付该部分赔偿款，诉讼中，保险公司通常已经向被保险人支付为由主张不应承担责任，拒绝调解或向第三者支付，究其原因是没有理解责任保险的宗旨。本案为此类保险公司理赔提供了处理思路。

编写人：北京市朝阳区人民法院　马娇

图书在版编目（CIP）数据

中国法院2023年度案例．保险纠纷／国家法官学院，最高人民法院司法案例研究院编．—北京：中国法制出版社，2023.5

ISBN 978-7-5216-3292-7

Ⅰ.①中… Ⅱ.①国…②最… Ⅲ.①保险-经济纠纷-案例-汇编-中国 Ⅳ.①D920.5

中国国家版本馆CIP数据核字（2023）第026392号

策划编辑：李小草　韩璐玮（hanluwei666@163.com）
责任编辑：赵律玮（ayu.0907@163.com）　　封面设计：李宁

中国法院2023年度案例．保险纠纷

ZHONGGUO FAYUAN 2023 NIANDU ANLI. BAOXIAN JIUFEN

编者/国家法官学院，最高人民法院司法案例研究院
经销/新华书店
印刷/三河市紫恒印装有限公司
开本/730毫米×1030毫米　16开　　印张/17.25　字数/209千
版次/2023年5月第1版　　2023年5月第1次印刷

中国法制出版社出版
书号 ISBN 978-7-5216-3292-7　　定价：78.00元

北京市西城区西便门西里甲16号西便门办公区
邮政编码：100053　　传真：010-63141600
网址：http：//www.zgfzs.com　　编辑部电话：010-63141790
市场营销部电话：010-63141612　　印务部电话：010-63141606

（如有印装质量问题，请与本社印务部联系。）